인도네시아의 '위안부' 이야기

일본군에 의해 부루(Buru) 섬에 갇힌 여인들의 삶

글 · 쁘라무디야 아난따 뚜르
Pramoedya Ananta Toer

옮긴이 · 김영수

동쪽나라

목 차

쁘라무디야는 누구인가?

글 • 김영수

쁘라무디야 아난따 뚜르
(Pramoedya Ananta Toer)

쁘라무디야 아난따 뚜르(Pramoedya Ananta Toer)는 1925년 2월 6일, 인도네시아 중부 자바 블로라(Blora)에서 출생했다. 인도네시아 문단을 대표하는 세계적인 작가로 활동하다가 2006년 4월 30일, 향년 81세에 사망했다. 생존시에 저자는 다양한 장르의 문학 작품을 창작했고 이를 통해 인도네시아 현대문학을 더 넓게, 더 깊게 발전시키는 견인차 역할을 했다. 그 결과 여러 차례 노벨문학상에 추천되는 영광을 안았다.

그의 부친은 민족주의가 강한 이슬람 신봉자였으며 초등학교 선생님이었고, 그의 어머니는 마을 촌장의 딸로서 아버지의 제자였다.

그녀가 18세 되던 해에 32살인 아버지와 결혼을 하게 된다. 그가 태어난 지역은 아직도 계몽되지 않은 낙후된 중부 자바 농촌 지역이었고 그런 사실이 그를 늘 가슴 아프게 하는 배경이 되었다.

1929년 쁘라무디아 아난따 뚜르는 블로라에 있는 초등학교에 입학하게 된다. 초등학교 1, 2, 3학년 과정을 6년에 걸쳐 마쳤는데 당시 초등학교 교장이던 아버지가 낙심한 끝에 방과 후, 별도로 아들 공부를 가르치게 된다. 그가 초등학교 5학년 때 가족 간에 불화가 있는 것을 느끼기 시작하는데 이는 궁핍한 생활에 기인한 것임을 뒤늦게 알게 되었다.

쁘라무디아 아난따 뚜르는 그를 늘 사랑으로 감싸는 어머니에게 큰 의지를 하게 된다. 1940년 어머니의 허락을 받고 동부 자바, 수라바야(Surabaya)에 있는 Radio Vakshool(Radio Vocational School)에서 학업을 시작하게 된다. 작가가 그 학교를 택한 것은 뉴 칼레도니아(New Caledonia)에서 기술자로 일하고 있었던 그의 삼촌 소유의 책에서 읽은 전력 및 전기 관련 기술 내용의 영향이 컸다. 수라바야에 있을 때 작가는 경찰서의 전보국 경찰보가 되기 위해 응모했으나 실패한다. 1941년 작가는 Radio Vakshool에서 1년 6개월 기간의 학업을 마치고 졸업하게 된다. 한편 작가의 가정은 점점 더 궁색해졌고 아버지는 집으로 돌아오지 않은 채 결국 노름꾼이 되었다.

1942년 7월, 쁘라무디아 아난따 뚜르는 막내 삼촌과 함께 자카르타로 출발하게 된다. 자카르타에서 그는 일종의 강습소인 "Taman Siswa"에 2학년으로 들어가게 되며 일본 동맹통신사(同盟通信社) 타자

수로 근무를 시작하게 된다. 1945년 6월, 작가는 자카르타를 출발하여 목적지 없이 중부와 동부 자바를 여행하게 되는데 1945년 8월 말경 작가가 꺼디리(Kediri)에 잠시 머물러 있을 때 인도네시아의 독립(1945년 8월 17일) 소식을 듣게 된다.

1945년 10월 작가는 국민안전대(BKR, Badan Keamanan Rakyat)에 가입하게 되며 치깜뻭(Cikampek)에 자리를 잡은 후 진급을 계속하여 1946년에는 BKR의 중위 계급을 단 정훈장교가 되어 있었다. 치깜뻭에서 근무하는 동안 작가는 "Sepuluh kepala NICA"(NIKA 우두머리 10명)를 썼는데 출판사의 실수로 원고가 분실되게 된다. 1947년 1월, 작가는 "The Voice of Free Indonesia" 잡지의 편집 일을 보기 시작한다.

1947년 7월 21일, 인도네시아에 대한 네덜란드의 1차 무력 침공으로 자카르타가 약탈당하게 된다. 이때 작가는 상사로부터 네덜란드 침공에 맞서 싸우라는 내용의 인쇄물 제작 지시를 받게 된다. 결국 그는 네덜란드 해군에 의해 체포되었고 그의 호주머니에서 발견된 네덜란드 침공에 저항하라는 인쇄물이 증거가 되어 자카르타에 있는 부낏 두리(Bukit Duri) 형무소에 적법한 절차 없이 수감 되게 된다. 1948년, 작가는 〈수용자 희생 위원회〉 대학생들과 함께 부낏 두리 형무소를 방문한 네덜란드 사람인 레신크(G.J Resink) 교수와 교분을 맺게 된다. 교수의 지원을 받아, 작가의 원고가 비밀리에 형무소 밖으로 반출되어 다양한 잡지에 실리기 시작한다.

1949년 12월 3일, 부낏 두리 형무소를 나와 1950년 1월, 생각하지도 않은 인도네시아 문학단체인 "Balai Pustaka"가 수여하는 문학상을 받게 된다. 수상작은 『Perburuan』(사냥)인데 아쉽게도 수상 당시, 원고는 유실되게 된다. 그 후 얼마 있지 않아 형무소에서 만난 여성과 결혼을 하게 된다. 당시 교육, 문화, 예술부 장관인 하니파(Abu Hanifah)의 도움을 받아 1950년 5월 2일, 작가는 "Balai Pustaka" 편집인으로 근무하게 되는데 1951년 연말에 상사와 의견 충돌 후, 퇴직을 하게 된다. 그 후 "Literary & Features Agency Duta"라는 잡지를 만들어 교육, 언어, 예술 그리고 문화에 대한 내용을 기사화하여 보급하게 된다.

레신크 교수의 초청으로 작가는 가족과 함께 1953년 6월 네덜란드를 처음 방문하게 된다. 인도네시아에서 네덜란드를 향하는 여객선인 'Oldenbarnevelt' 에서의 경험과 그 후, 네덜란드에서의 생활은 작가의 단편과 여러 편의 수필로 남게 된다. 1954년 1월, 작가는 인도네시아로 돌아온다. 때마침 교육, 문화, 예술부 예산이 대폭 삭감되어 "Literary & Features Agency Duta"에 대한 예산 지원도 받을 수 없게 되었다. 작가의 경제적 형편은 점점 어려워져 갔다. 이때 쁘라무디야 아난따 뚜르는 네 번씩이나 가족으로부터 버림을 받게 된다. 결국 그는 글을 쓸 수 있는 필기도구만 지참한 채 집을 나오게 된다.

작가는 1955년 그의 친구인 탐린(Husni Thamrin)의 막내 여동생과 재혼하게 된다. 1955년 『인도네시아 문학사전』 발간 준비를 시작했으나 자료 부족으로 인해 작업을 중단할 수밖에 없었다. 1956년

10월, '중국문학가동맹'으로부터 초청을 받아 중국을 방문하게 된다. 방문 목적은 중국 작가 노신(魯迅)의 20주기를 기리는 추모식에 초대되었기 때문이다. 작가는 1957년 12월 28일, 국회 직능 단체 위원으로 선출되었고 임기 중 많은 활동을 하게 된다.

쁘라무디야 아난따 뚜르는 1958년 9월 7일, 타쉬켄트에서 개최된 아시아-아프리카작가회의에 인도네시아 대표단을 인솔하게 된다. 같은 시기에 작가는 투르크메니아공화국을 공식방문하게 되고 1958년 9월 17일, 모스크바에 있는 소련 문학가 위원회의 초청을 받아 소련을 방문하게 되는데 그 자리에서 소련 문학 사전 중 인도네시아 편 집필을 맡아 달라는 제안을 받게 된다. 모스크바 방문을 끝내고 1958년 9월 26일 작가는 시베리아, 옴스크, 이르쿠츠크, 그리고 두 번째로 북경을 방문하게 된다. 1958년 10월, 작가는 인도네시아로 돌아오게 된다.

1959년 1월 23일, LEKRA(Lembaga Kebudayaan Rakyat/인민문화연맹) 제 1차 전국대회가 중부 자바, 솔로(Solo)에서 개최되는데 작가는 LEKRA 의장으로 선출되게 된다. 1965년 9월 30일, 당시 중공의 사주를 받은 인도네시아 공산당(PKI)이 일으킨 쿠데타에 LEKRA가 연류되었다는 혐의로 체포 되게 된다. 형무소에 구금된 후 1969년 8월, 작가는 부루(Buru)섬에 강제 억류되며 그의 모든 작품은 판금이 된다. 11년 동안 부루 섬에 억류되어 있다가 1979년 12월 작가는 풀려나게 된다. 자카르타로 돌아와서 집필 활동을 계속했으나 인도네시아 정부는 다시 그의 작품에 대해 판금 조치를 내리게 된다. 81년의 생애 중, 감시, 가택 연금 그리고 투옥된 기간이 총 42년이나 되는 참담한 생애를 살다 가게 된다.

쁘라무디야 아난따 뚜르는 초등학교 때부터 작품 습작을 시작했고 생전에 35권의 작품집을 남겼다. 그의 많은 작품이 인도네시아의 수하르또(Suharto) 대통령 정권 시절에는 반체제 작가라는 이유로 판금 되었었다. 그의 작품 중 부루 섬에서 집필한 총 4권으로 구성된 대하소설 『Bumi Manusia』(인간의 대지)는 작가 생전에 여러 차례 노벨문학상 후보작으로 추천되었다. 이외에도 장편 『Nyanyi Sunyi Seorang Bisu』(어느 농아의 조용한 노래) I (1995), II(1996)은 영어, 네덜란드어, 독어, 불어로 번역이 되었다. 생존에 16개의 각종 문학상을 수상했으며 이외에도 "Balai Pustaka" 상(1951), Ramon Magsaysay 상(1995), Pen International 상(1998) 등이 있다.

본 『Perawan Remaja dalam Cengkeraman Militer – Catatan Pulau Buru –』(군부 압제 속의 처녀들 – 부루(Buru) 섬의 기록 –)은 쁘라무디야 아난따 뚜르의 다섯 번째 작품이다. 작가가 부루 섬에 억류되었을 때 '태평양전쟁' 당시 일본군에 의해 끌려 왔다가 현지에 남아 있던 성 노예 종군 위안부 출신인 인도네시아 여성들과의 직·간접 접촉 결과를 기록한 논픽션이다.

간행사

전쟁으로 빚어진 비참함을 파헤치며

– 인도네시아 KPG 출판사

50년 만에 출판이 이루어지다.

우리 KPG* 출판사가 이 책, 원제 명이 『군부(軍部) 압제 속의 처녀들 – 부루(Buru) 섬의 기록』인 원고를 받은 것은 2000년 9월 11일이었다. 그날은 '쁘라무디야 아난따 뚜르(Pramoedya Ananta Toer)'가 제11회 '후쿠오카 아시안 문화상'(The Fukuoka Asian Culture Prize) 대상을 받기 위해 일본으로 출국하기 하루 전날이었다.

이 상은 후쿠오카 시와 요카토피아 재단(Yokatopia Foundation)이 과학 · 예술 그리고 아시아 문화 발전에 지대한 공을 세운 인사들에게 수여하는 것으로, 쁘라무디야는 인간애를 테마로 한 문학 작품을 창작한 공로로 상을 받게 되었다.

* Kepustakaan Populer Gramedia – 인도네시아 유수한 출판 그룹인 Gramedia의 자회사 중 하나

뻐라무디야는 수상을 위해 일본 방문을 앞두게 되자, 2차 세계대전(태평양전쟁) 중 일본 군대에 의해 강압적으로 부루(Buru)* 섬에 끌려가 성 노예가 된 인도네시아 처녀들의 불쌍한 삶이 생각났다. 바로 그때, 그가 오래전부터 기록해 놓은 위안부들의 삶에 관한 논픽션 초벌 원고가 생각났다. 그 기록은 수하르또(Suharto)** 정권에 대항하는 반체제 정치범인 뻐라무디야가 1960년대 후반 부루 섬에 11년간 억류 되었던 동안에 만들어 낸 작품이다.

당시 그 부루 섬에는, 1945년 일본이 전쟁에서 항복한 이후에도 그 섬에 버려진 채 오갈 데 없이 살고 있는 위안부 출신 인도네시아 여성들이 많았다. 그들의 슬픈 이야기를 들으며 11년간이나 같이 살게 된 뻐라무디야가, 그 여인들의 슬픔에 젖은 노래, 하염없는 울음소리를 기록한 것이었다.

그 원고는 수동 타자기로 친 것이었는데, 많은 글자가 보이지 않았고 중복되는 부분도 많이 있었다. 뻐라무디야에 따르면 그는 억류된 정치범들 중에서 글을 쓰고 정리할 수 있는 자유를 허락받은 극소수 사람 중에 한 사람이었다고 한다. 그러나 그가 취합한 원고들은 부루 섬에서 제대로 정리할 기회가 없었고, 자유로운 몸이 된 지금은 그의 건강 상태가 관련 원고를 집중해서 정리할 수 없게 만들었다고 한다.

* 인도네시아 동부 지역인 말루꾸(Maluku) 군도에 속함. 1965년 9월 30일, 인도네시아 공산당(Partai Komunis Indonesia, PKI) 쿠데타 시도에 직간접으로 연루된 정치범 약 1만 명을 1980년까지 장기간 억류한 지역. 당시 수하르또(Suharto) 정권은 PKI 연류 세력뿐만 아니라, 정적 세력, 반정부 세력을 정치범으로 몰아 억류, 투옥시킴

** 인도네시아 2대 대통령(재임 1968-1998년)

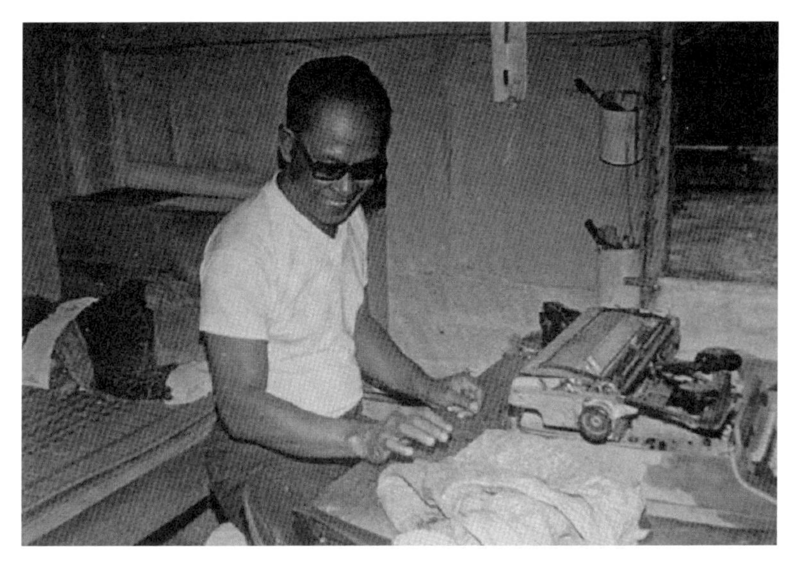

| 부루(Buru) 섬, 반체제 정치범 집단 억류지에서 쁘라무디야 아난따 뚜르 (수용자 중 필기의 자유를 허가 받은 극소수 중 한 명) |

이런 배경으로 인하여 출판사 편집실에서는 쁘라무디야의 초벌 원고를 전체적으로 재정리했을 뿐만 아니라, 출판을 위한 준비까지도 전담하게 되었다. 아울러서 편집 과정에서 독자들의 이해를 돕기 위해, 본문 내용 중 현재 잘 사용하지 않거나 일부 계층에서만 제한적으로 사용하는 특정 어휘에 대해 주석을 임의로 달았음을 우선 밝힌다.

이 글이 밝히는 위안부에 대한 진실

본 책에 대한 출판 결정의 배경은 과거 일본 군대에 의해 인도네시아 여성들이 성 노예로 전락한 역사적 사실을 제대로 밝힐 수 있는 기록이나 문건이 거의 전무하다는 현실이 중요한 계기가 되었다.

또한 2차 세계대전 중, 일본 군대의 만행은 나치에 의한 유대인 대학살, 인도네시아 공산당원과 동조자들에 대한 학살(1965-1966)*과 함께 20세기 인류가 겪은 큰 비극 중 하나로 기록되고 있는 사실도 출판을 결정한 요인이 되었다.

잘 알려진 바와 같이 일본 식민지배를 받았던 아시아 국가들 출신, 예를 들어 한국, 대만, 인도네시아, 필리핀, 미얀마 그리고 일본까지 포함한 약 20만 명**의 여성들이 2차 세계대전 중 일본 군대를 위한 성 노예로 전락하여 모진 고통을 받은 것은 부정할 수 없는 엄연한 역사적 사실이다. 그럼에도 불구하고 일본 정부는 역설적으로 성 노예에 대한 공식적인 사과와 법적 책임을 여전히 부정하고 회피하고 있는 중이다.

모든 종군 위안부들은 자발적으로 참여했고 강제로 성 노예로서 일을 하지 않았다는 궤변으로 일본 정부는 일관하고 있는 것이다. 또한 종군 위안부 문제는 여러 평화 조약과 전쟁 배상금으로 이미 해결되었다고 일본은 억지 주장을 펴고 있다.

일본 정부는 1996년 'Asian Women Fund(아시아 여성기금)' 설립을 통해 과거 그들의 잘못을 반성했고, 민간기구 형태인 본 기금을 통해 일본 군대를 위한 성 노예로 희생된 여성들에 대한 배상금 지불

* 실패한 인도네시아 공산당(PKI) 쿠데타의 여파로 1965년부터 1966년 사이에 벌어진 대량 학살. 학살의 대상은 공산주의 추종자, 화교, 화인, 좌익으로 알려진 자들이었으며 학살의 주체는 인도네시아 군부였다. 사망자 추정치는 대략 50만 명에서 1백만 명 정도로 알려졌으나 또 다른 추정치는 2백만 명에서 많게는 3백만 명으로 보고 있는 것도 있다

** 공식적으로 집계된 인원수는 없고 다양한 추산만 있는 실정임

을 완료했다고 억지 주장을 하고 있다.

그러나 이러한 일본 정부의 행태는 과거 일본이 점령했던 나라들의 인권 운동 단체와 여성 권익을 위한 기구들로부터 거센 비난과 저항에 직면해 있다. 1949년 '제네바 협정'과 1999년 '로마 협정'을 인용하여 과거 일본 군대의 만행은 국제형사재판소(International Criminal

| 위안소 내부 |

| 인도네시아 암바라와에 있는 위안부 수용소의 오늘날 모습. 이곳에서 정서운 할머니(1924-2004)가 모진 고초를 겪었다.(한인 포스트 제공) |

Court)에 제소할 수 있는 전쟁 범죄일 뿐만 아니라, 인간의 존엄을 해치는 큰 죄악이라고 그들은 논리 정연하게 주장하고 있기 때문이다.

이러한 배경으로 2000년 12월 8일부터 12월 12일까지 세계 인권운동 단체들은 일본 도쿄에서 '2차 세계대전 중 일본 군대의 성 노예 문제와 전쟁 범죄에 대한 국제재판'을 열어 위안부 문제 해결을 위한 법적 절차를 진행하였다. 그 결과 재판 결정이 법적 구속력을 갖지는 못했지만 전 세계 사람들에게 2차 세계대전 중 일본이 자행한 성 노예, 위안부 문제에 대해 새롭게 인식하는 계기를 마련하였다. 본 법원 결정은 2001년 3월 8일 네덜란드 헤이그와 미국 뉴욕에서 정식으로 공표되었다.

따라서 KPG 편집실은 본 논픽션이 인도네시아 민족 역사, 특히 2차 세계대전 중 일본에 의해 강압적으로 자행된 인도네시아 위안부 문제가 사실에 근거하여 정확히 기술될 수 있는 중요한 자료로 활용되기를 희망하였다. 또한 전 세계 인류애와 보편적 인권을 함양하고 고취 시키는데 일익을 담당하기를 바라고 있다. 이러한 배경이 쁘라무디야의 논픽션인 『인도네시아의 위안부 이야기』 즉, 『군부(軍部) 압제 속의 처녀들 – 부루(Buru) 섬의 기록'』 출간을 서두르게 된 요인이 되었다.

비극은 이렇게 시작되었다.

2차 세계대전 당시 일본은 독일 다음으로 강력한 군사력을 보유하고 있었다. 이 시기 언론은 민주 서방 진영 국가들을 연합국이라고 칭했고, 파시즘 군국주의 나라들인 독일, 이탈리아 그리고 일본은 '베클린-로마-도쿄' 동맹국이라고 언급했었다. 1941년 12월, 일본은 미국의 50번째 주인 하와이의 진주만에 대해 기습적으로 공습을 감행했다. 이를 계기로 미국과 영국은 일본에 대해 선전포고를 하게 된다. 아울러 당시 인도네시아를 식민통치하고 있었던 네덜란드*도 연합국의 일원으로 일본에 대해 선전포고를 하게 된다. '태평양전쟁'이 발발하게 된 것이다.

1942년, 독일의 전술을 차용하여 일본은 동남아시아에 대해 기습공격을 감행하게 된다. 서구 열강들의 식민지였던 대부분의 지역들이 일본 군국주의 군대의 손에 들어가게 되면서 1942년 3월에는 인도네시아 자바(Java) 섬이 일본 군대에 의해 무력으로 장악된다. 인도네시아 대부분의 섬들은 일본 육군과 해군에 의해 통제되기 시작한다. 인도네시아에 대한 일본의 식민통치가 시작된 것이다.

1943년부터 동남아시아에 대한 연합국들의 대규모 반격이 시작되었고, 일본은 공세적인 입장에서 수세로 몰리기 시작했다. 이때 인도네시아의 민족주의에 대한 일본의 태도도 지금까지의 적대적 압박에서 우호적인 접근으로 전략적 변화를 맞게 된다. 따라서 자바와 수마트라의 민족주의자들은 그들의 활동과 목적을 인도네시아인들에게 알릴 수 있는 여지와 공간을 갖게 되기 시작한다.

한편 동남아시아 지역에 있어 연합군의 공세로 인해 일본 군대가 장악한 지역 간 해로와 육로 연결이 점점 어려워지기 시작했다. 인도네시아인은 자위대(Pembela Tanah Air/PETA)를 중심으로 일본 군대로

* 17세기 초엽부터 약 350여 년 동안 네덜란드 식민 세력이 인도네시아를 장악함

부터 군사훈련을 받을 수 있는 기회를 얻게 되었으며 이를 통해 연합국 군대의 진입에 인도네시아를 일본과 함께 방어하는 대항 세력으로 자리 잡게 된다.

그리고 점차 수세로 몰리는 전쟁의 양상은 일본 군대를 위한 위안부들을 일본, 중국, 한국으로부터 모집해서 인도네시아로 데려올 수 없게 되었다. 그 대안으로 인도네시아 여성들이 성 노예, 위안부로 전쟁의 최전선으로 끌려 나가기 시작하게 된 것이다.

인도네시아의 '위안부' 이야기

일본군에 의해 부루(Buru) 섬에 갇힌 여인들의 삶

제1부

일본군의 거짓, 아름다운 약속

무거운 마음으로 이 글을 여러분들에게 쓰고 있습니다.

사실 충격적이고, 슬프고, 두렵고 그리고 우울한 이 이야기를 여러분들에게 전하는 것이 아직 이르다고 생각합니다. 지금 여러분들, 특히 미혼인 여성분들은 안전하고 보호받을 수 있는 가정에서 불편 없이 생활하고 있다고 생각합니다.

물론 여러분들 중에 부모님이 안 계시어 고아인 분들도 있겠지만, 그분들 역시 필요한 의식주를 보장받을 수 있는 보호 속에 있음을 우리는 알고 있습니다. 부모가 계시지 않은 많은 분들은 분명 부모를 대신하는 보호자들이 있을 것입니다. 만약 보호자나 후견인이 없다면 어려움에 처한 사람들의 복지에 관심을 갖고 있는 사람들로부터 도움을 받을 수 있을 것입니다.

물론 일상생활 속에서 여러분들은 아직 많은 부분이 부족하다고 느끼실 것입니다. 그런 분들은 더 많은 것을 갖기를 원할 것입니다.

이렇게 부족한 것을 채우기 위해 더 좋은 것을 갖기 위해, 자연스럽게 꿈과 야망이 생기게 되며 이러한 야망이 더해지면 그것은 열정이 된다고 보고 있습니다.

지금 성인이 되어 가는 여러분들은 몸과 마음에 큰 변화를 경험하고 있을 것입니다. 여러분들의 시선은 이제 가족, 부모, 후견인들에게 머무르지 않고, 세상을 향한 창문을 열고, 더 큰 삶을 보기 시작하고 있을 것입니다.

여러분들은 이제 대상을 정확히 보기 시작했고 문제를 견주어 볼 줄 알게 되었으며, 어떤 것이 삶 속에서 최상인지를 가늠하게 되었습니다.

여러분들은 이상적인 배우자상을 그리게 되었습니다. 여러분들 삶은 천둥, 번개가 치듯 폭풍의 계절을 맞게 된 것입니다.

여러분 모두는 스스로 삶을 재단하기 시작했습니다. 사회 속에서 굳건한 자리매김을 열망하는 사람은 더욱 학업에 열중하고 관련 단체 활동에 열심히 노력할 것입니다.

또는 이상적인 가정생활을 꿈꾸는 사람들은 가사 문제에 대해 더욱 관심을 쏟을 것입니다. 이상적인 배우자를 구하는 사람들은 더욱 매력적인 모습과 내면을 더욱 성숙시키려는 변화를 원할 것입니다. 사실 이러한 여러분들의 열정을 하나로 획일화 시킬 수 없으며 이런 사실이야말로 여러분 모두가 살아 있다는 증거가 된다고 보고 있습니다.

1942년 3월부터 1945년 8월까지 일본 식민 시대에 있어서 인도네시아 여성들도 마찬가지였습니다.

지금 여러분과 다른 점은 삶의 조건에 있어 차이가 있었다는 것뿐입니다. 당시에는 살아가는 것이 여러모로 힘든 시기였습니다. 입을 것과 먹을 것, 모두가 턱없이 부족했던 시절이었습니다. 하루 한 접시 밥을 구하기 위해 굴곡진 길을 오래 걸어야만 했습니다. 매일 배고픔으로 죽은 시신들이 길가에, 시장에 그리고 다리 밑에서 발견되곤 했습니다.

농촌에서는 농부들이 그들의 농작물을 추수할 권한이 없었습니다. 심지어는 수 많은 농부들이 그들 고향을 떠나 다른 지역에서 강제 노역에 시달려야만 했습니다. 이 중 3/4 이상은 귀향하지 못하고 동남아시아 여러 지역에서 한을 품고 세상을 떠났습니다.

도시에 있는 학교들도 마찬가지였습니다. 학업은 뒷전이었고 수업시간 대부분이 체조, 군사훈련, 그리고 근로 동원으로 빼앗겼습니다. 많은 사람들이 배고픔 속에서 근근이 생존하고 있었습니다.

어떤 한 학생이 군사훈련 시간에 견디지 못하고 실신할 경우 일본인 교련 선생, 일본군인들 심지어는 같은 인도네시아 사람들이 그가 정신이 들 때까지 계속해서 매질을 했습니다. 그런 광경을 나는 생생하게 보았습니다.

여러분들 잊지 마시기 바랍니다. 당시에는 약국에 약이 없었으며 몸에 걸친 옷이라고는 거의 다 단벌뿐이었습니다. 많은 사람들이 부족하고 배고프고 가난하게 생활하였습니다. 아직도 내다 팔 물건이 남아 있는 경우 그것들은 줄줄이 상인들에게 넘어갔습니다. 단지 상인들만이 가난과 배고픔에서 벗어나 잘 살고 있었습니다.

그때 생긴 새로운 용어 중 하나가 '매점매석'이라는 말이 있습니다. 상인들은 일방적으로 물건을 매점한 후, 그것을 다시 구매자들에게 많은 이윤을 붙여 되파는 행위를 하였습니다. 즉 그들은 매점매석을 하는 사람들이 되어갔고 대신 많은 사람들은 기아와 질병에 시달려야만 했습니다.

그 모든 것이 어렵고 힘든 상황에서 당시 자바 지역의 일본 식민통치 권력으로부터 확실하지 않은 소리가 들리기 시작했습니다. 그것은 인도네시아 청소년들에게 도쿄와 쇼난토*(Syonanto)에서 학업을 계속할 수 있는 기회를 부여한다는 것이었습니다. 내가 '확실하지 않은'이라고 표현한 것은 그 내용이 명확하지 않았기 때문입니다.

처음 내가 그 약속을 들은 시기는 1943년입니다. 당시 내 나이는 18세이었으며 자카르타에 있었던 일본의 도메이통신사** 타자수로 근무한 지 채 1년이 안 되었을 때였습니다. 당시 나는 아침에는 성인학습소에서 모자라는 공부를 하고 있었습니다. 그 분명하지 않은 이야기는 내 친구들 사이에서도 회자 되기 시작했었습니다. 그러나 우리들은 그 이야기를 냉소적으로 받아들였습니다. 그 약속은 그저 풍문일 것이라고 생각했습니다. 그런데 일본 식민통치 시기 때, 풍문도 신문에 나는 보도 기사 못지않게 사실일 경우가 종종 있었습니다. 그것은 당시 모든 신문과 잡지는 일본 식민통치 정부가 장악하고 있었기 때문입니다.

그러한 풍문을 나는 믿지 않았습니다. 당시 내 업무는 편집실에서 정리된 기사를 스텐실 위에 옮기는 것이었는데, 그러한 풍문을 타자

* 昭南島, 일본의 식민통치시기 때 싱가포르 이름

** 同盟通信社

한 기억이 없었습니다. 한 사무실에서 같이 일하는 다른 여덟 명의 남, 여 타자수들도 마찬가지로 그러한 풍문을 타자한 적이 없었다고 말하고 있었습니다.

아침에는 학교를 가야 했고 오후에는 일을 하고 어떤 때는 밤늦게까지 책을 읽어야만 했기에 그런 풍문에 관심을 둘 여유가 없었습니다. 물론 인도네시아에서 수 세기 동안 자행된 네덜란드 식민통치가 종식된 즈음, 내게도 일본에 가서 학업을 계속하고 싶다는 열망이 다른 사람과 마찬가지로 있었습니다.

그런데 그 열망은 일본 군대가 인도네시아에 진주한 후 보여 준 그들의 만행과 악행 때문에 사라지게 되었습니다. 일본 군대의 잔혹한 행위는 점차 인도네시아인들의 적개심을 불러 일으켰습니다. 따라서 그러한 일본의 확실하지 않은 약속은 나와 내 학교 친구들의 관심을 전혀 끌지 못했습니다.

1943년은 지금으로부터 35년 전입니다. 여러분들에게 보내는 이 글은 1979년 중반에 내가 정리하기 시작한 것이며 여러 사람들의 기억을 하나하나 모아 정리를 한 것입니다.

정말 그 약속이 1943년에 나온 것일까요?

안따라(ANTARA) 통신사*의 동부 자바, 수라바야(Surabaya) 지부장이었던 1929년생인 수르요노(Soeryono Hadi)에 의하면 '1943년도에 일본 식민통치 정부가 딸을 갖고 있는 부모들에게 딸의 인적 사항을 등록하라고 지시한 사실이 있다'라고 그의 형이 밝혔었다고 합니다.

* 인도네시아 유수한 공영통신사

등록하는 내용은 도쿄와 쇼난토(싱가포르)에서 학업을 계속하기 위한 자료로 활용한다는 것이었다고 합니다. 이와 관련하여 중부 자바의 웅아란(Ungaran ; 그곳에서 나는 1943년부터 1945년까지 체류한 적이 있음)에 사는 15세에서 17세 사이 여자아이들 다섯 명이 학업 계속을 위해 등록했는데, 그들을 웅아란 근처에 있는 스마랑(Semarang)으로 데려간 사실이 있다는 것입니다.

당시 도메이통신사의 내 사무실에서 멀지 않은 곳에 '3 A'라는 여성기능학교가 있었는데 1943년 어느 날, 그 학교 학생 중 중부 자바, 마걸랑(Magelang) 지역의 행정경찰인 쁘로조위노또(R. Projowinoto)의 딸인 시띠(Siti Suminar)도 등록한 후 출발했다고 합니다. 이 사실은 당시 수라바야에 있었던 한 조선 회사에서 근무했던 1931년생인 이맘(Iman)에 의해 증명되고 있습니다. 그의 확인에 따르면 1943년부터 인도네시아 소녀들이 배에 태워져 이송되기 시작했다고 합니다.

당시 18세였던 그의 형인 유숩(Yusuf)은 선박회사에서 용접공으로 근무를 했었는데, 일본에서 학업을 계속할 수 있다는 이야기를 믿고 싱가포르로 출발했었다고 합니다. 그의 형은 인도네시아 혁명기*가 지난 후 천신만고 끝에 어렵게 고향으로 돌아왔다고 합니다. '내가 출발할 때 같은 배에 많은 인도네시아 소녀들이 같이 승선했었다. 당시 그 소녀들 숫자가 몇 명이었는지 관심을 두지 못했었다. 우리가 타고 있던 배는 싱가포르에 접근할 때 어뢰 공격을 받아 침몰 되었고, 나는

* '태평양전쟁'의 패전에 따라 인도네시아에서 일본이 물러난 후, 1945년 – 1949년 기간 동안 인도네시아에 재진입한 외부 세력(과거 인도네시아를 350여 년, 식민통치했던 네덜란드를 중심으로 한 연합국 군대)을 몰아내기 위한 인도네시아인들의 저항 시기

근처에 있던 어부들의 도움으로 목숨을 건졌으나, 귀국할 엄두가 나지 않아 혁명 시기가 지난 후 귀국했다'라고 합니다. 물론 그 소녀들은 대부분 사망한 것으로 보인다고 합니다. 이상이 이맘의 확인입니다.

이 사건들은 당시 일본 식민지였던 인도네시아 언론에서는 기사로 다루어지지 않았습니다. 일본 식민정부는 그들 스스로 실패보다 그것을 신문 기사화하는 것을 더 두려워했기 때문입니다. 당시 내 사무실 근처에 있던 일본영화사무소가 화재로 전소되었는데 그 소식은 한 줄도 신문에 나오지 않았습니다. 당시 화재로 두 사람이 사망했는데 그들은 다름이 아니라 내 이웃에 살던 아주머니와 그의 아이였습니다.

아직도 몇몇 사람들은 도쿄와 쇼난토(싱가포르)에서 학업 계속 약속이 1943년부터 알려지기 시작했다고 기억하고 있습니다. 하룬(Harun Rosidi B.A.)은 이 약속에 관한 진술을 여러 사람으로부터 확보하여 기록했으며 이 중에는 까스민테(Kasminte)와 마리파(Maripah)로부터 확보한 진술도 들어 있습니다.

다음은 1978년 6월 초 중부 자바에 있는 인드라마유(Indramayu)에서 온 까스민테와 하룬 사이에 이루어진 인터뷰 내용입니다.

"서부 자바, 치레본(Cirebon)에 있던 치레본 고등학교 3학년 때인 1955년 어느 날, 당시 내 나이는 21세였는데 수업시간에 화학-생물 교사였던 압둘라(Abdullah) 선생님으로부터 다음과 같이 선생님이 일본 식민지 시대 때 경험했던 이야기를 들었습니다.

그 이야기는 다름이 아닌, 당시 치레본에 주둔해 있던 일본군 병사들은 예쁘게 생긴 여학생들을 무차별로 강간하기 시작한 인륜을 무시한 폭거에 대한 것이었습니다. 그들의 비열한 짓거리들은 여학생들의 부모들도 모르게 강압적으로 자행되었다고 합니다. 이러한 일본 병사들의 야만적인 행위는 1943년부터 일본이 1945년 항복할 때까지 계속되었는데, 그 기간 동안 얼마나 많은 여학생들이 강제로 끌려가 강간을 당했는지 그 숫자가 밝혀지지 않고 있다고 합니다.

그렇게 많은 여학생과 처녀들 중에 1943년에 끌려간 선생님의 여동생도 있었다고 합니다. 선생님의 여동생은 기별도 없이 사라졌고 끌려간 다른 여학생들과 같은 운명이 되었을 것으로 선생님은 추측하고 있었습니다.

나는 선생님이 얼마나 그의 여동생을 사랑했는지 슬픔을 억누르는 목소리와 눈에 비치는 눈물로써 충분히 알 수가 있었습니다. 선생님께서 말씀하시길, '여동생이 사라진 후 일본에 대한 선생님의 분노가 후일 일본 식민정부를 상대로 한 지하 저항운동에 참여하게 된 동기가 되었다.'고 하였습니다."

위의 내용에서 선생님의 여동생이 도쿄와 쇼난토(싱가포르)로 출발했다는 내용은 없지만 행방불명이라는 결과는 마찬가지로 보입니다. 1943년에 인도네시아 여학생들이 학업 계속이라는 일본의 기만적인 약속을 믿고 출발했다는 사실을 더 확실하게 확인하기 위해 서부 자바, 반둥(Bandung)에서 1922년에 출생한 소마(Soma Rusmana)의 진술을 확인할 필요가 있다고 봅니다. 그가 하룬에게 밝힌 내용은 다음과 같습니다.

< 1978년 7월 31일 반둥에서 온 소마와 하룬 사이에 진행된 인터뷰 내용 >

"인도네시아의 네덜란드 식민정부가 일본군 수중에 떨어질 즈음, 소마는 서부 자바, 수머당에 있는 일본 섬유공장에서 일을 하고 있었다. 그는 네 명의 일본인 공장 관리자를 기억하고 있었는데 그들은 다카무라, 니시카와, 시키무라 그리고 시키카와였다. 공장에는 1,112명의 인도네시아 근로자가 있었고 소마 역시 공원 중 한 사람이었다. 일본 군대가 자바 섬에 상륙하자마자 네 명의 일본 관리자들은 일본 군복을 입기 시작했고, 모두 중간급 장교 계급장을 달았는데 시키무라는 헌병대 장교 계급장을 달았다고 한다.

새로운 근로 환경 변화 속에서 시키무라는 공장에서 퇴근하는 인력들의 몸수색을 할 수 있는 권한을 쥐게 되었고 그는 군사훈련도 받았다고 한다. 소마는 위 사람들로부터 신임이 두터워, 떠도는 풍문을 상사로부터 자주 들었는데 그중에는 인도네시아 처녀들이 일본으로 실려 간다는 것도 있었다고 한다.

서부 자바, 수머당에서 일곱 명의 처녀들이 배에 실려 떠났는데 그들 나이는 13세에서 14세 정도였고 일본에 가서 학업 계속은 물론이고 돌아오면 더 좋은 자리가 약속되어 있었다고 한다. 그가 기억하기로는 대부분 처녀들이었고 그들 부모들의 이름과 주소는 알지 못했지만, 처녀들이 출발한 연도만큼은 분명히 기억하고 있었다고 한다. 즉, 1943년에 벌어진 일임을 소마는 기억하고 있었다."

이외에도 소마는 출발하지 않은 세 명의 처녀들에 대해서도 알고 있었습니다. 그들은 현재 할머니가 되어 손자까지 두고 있는 자야미하르자(Jayamihardja) 통장 딸인 당시 14세였던 시띠(Siti Mariah)와 14세 였던 까르띠니(Kartini) 그리고 서부 자바, 치안주르(Cianjur)에서 온 14세였던 룩미니(Rukmini)였습니다. 소마는 그녀들의 부모 이름은 모른다고 했습니다. 이외에도 반둥 지역 출신의 또 한 명의 여학생이 있었는데 소마는 그 이름을 기억하지 못했습니다.

이들은 지하 저항운동을 하는 사람들로부터 이미 출발한 사람들이 목적지로 가지 않고 중간에 다른 곳으로 보내져 배에서 내렸다는 풍문을 듣고 중간 집결지에서 몰래 도망을 쳤다고 합니다. 그때가 1943년이었다고 합니다.

일본에 의해 끌려간 소녀들에 대한 이야기를 알고부터 나는 여러분들에게 보내는 이 글을 하나씩 준비하기 시작했습니다. 그런데 문제는 그 사실을 밝힐 수 있는 어떤 자료도, 문건도 없었다는 것입니다. 모든 것은 관련된 사람들의 기억이나 경험에 바탕을 둘 수밖에 없었습니다. 그렇지만 그 풍문이 돌기 시작한 연도는 1943년이 확실하며 그 해에 인도네시아의 많은 처녀들이 배에 태워져 떠나기 시작한 것은 역사적으로 확실한 사실이라고 확인해서 말씀 드릴 수 있습니다.

그럼 여러분들은 이런 의문점이 들 것입니다. 그 약속이 신문이나 다른 인쇄물을 통하지 않고 어떻게 인도네시아 전역으로 널리 퍼져 나갈 수 있었느냐 하는 의문일 것입니다. 그 대답은 매우 간단합니다. 즉 입에서 입으로 그 소문은 퍼져나갔던 것입니다. 입소문이라는 효과적인 매체수단을 통해 벽지 마을까지 구석구석 퍼져나갔던 것입니다.

그 업무는 일본 식민정부의 선전부가 관장하였습니다. 선전부는 일본의 전쟁 도구로서 강력한 힘을 갖고 있었습니다. 네덜란드 식민통치시대에는 빵레 프라자(Pangreh Praja)라는 행정관이 가장 강력한 힘을 갖고, 영향력을 발휘했었다면, 일본 식민통치 시기에는 이 선전부가 막강한 힘을 갖고 있었습니다.

선전부는 도쿄나 싱가포르에서 인도네시아 청소년들을 위한 학업을 계속 시켜주겠다는 약속을 하부 관리직들에게 하달했고 다시 군수들은 그 약속을 면장에게, 면장은 다시 이장들에게 전달했던 것입니다. 특히 이장들은 마을 주민 모두에게 그 약속을 직접 전달했습니다. 모든 것은 입에서 입으로 진행되었으며 일본 헌병대의 철저한 감시 아래에서 진행 되었습니다.

1978년, 부루 섬의 와나끈차나(Wanakencana)에서 수까르노(Sukarno Martodihardjo)가 위안부 출신인 수미야띠(Sumiyati)와 인터뷰를 진행했습니다. 여기에서 인도네시아가 향후 일본이 희망하는 방향으로 독립될 때, 교육을 받은 젊은이들이 조국 발전을 위해 기여해야 한다고 일본이 부추겼다고 합니다. 이를 위해 우선 급한 것이 인도네시아 청소년들을 위한 교육이라고 일본은 선전했다는 것입니다. 그런데 수미야띠는 이 이야기를 1943년이 아닌 1944년에 들었다고 증언하고 있습니다.

다른 지역에서는 학교 교육을 계속 시켜주겠다는 그 약속이 산파 교육을 시켜주는 것으로 입소문이 나서 퍼진 경우도 있습니다. 또 다른 장소에서는 간호사 양성 교육 제공이라는 소문으로도 알려졌다고 합니다. 그러한 약속이 이상하게 들리지 않은 이유는 대상자가 13세에서 17세 사이의 대부분 초등학교를 졸업한 인도네시아 처녀들이었기 때문입니다.

그 약속에 대한 사람들의 생각은 어떠했을까요? 아마 대부분 사람들의 생각이, 나와 내 친구들의 생각과 별반 차이가 없었을 것으로 생각합니다. 우리는 그 약속을 인도네시아 사람들을 기만하는 행위로 간주하고 있었습니다. 그런데 일본은 어떻게 어린 처녀들을 배에 실어 보낼 수 있었을까요? 사실은 다음과 같은 배경이 있었기 때문입니다.

첫째, 어린 처녀들 대부분의 마음속에는 나라에 봉사하려는 순수한 마음이 충만해 있었고

둘째, 옥죄이는 고단한 삶에서 벗어나고 싶은 꿈이 있었고

셋째, 이 점이 중요한데 일본을 위해 일하고 있는 그녀들의 부모 영향을 들 수가 있습니다.

군수부터 이장까지 행정체계를 모두 동원하여, 선전부의 선전과 홍보는 계속되었습니다. 그 결과 일본 식민정부를 위해 다양한 근무지에서 일하는 부모들이 직책과 지위를 보존하기 위해 그들의 자식들을 본보기로 내놓게 됩니다. 그들은 선전 홍보 역할뿐만 아니라 하나의 모범이 되어야만 했습니다. 다른 공공 기관의 사무실에서도 똑같은 상황이 벌어졌습니다. 일본 식민정부를 위한 인도네시아 공무원들의 자녀들이 아무도 모르게 일본에 의해 실려 보내진 이유를 사람들은 나중에 알게 되었습니다.

물론 일부 소녀들은 기뻐 들뜬 마음으로 출발을 했던 것도 사실입니다. 그렇지만 대부분의 어린 처녀들은 두려운 마음으로 부모의 강요와 일본의 위협 속에서 배를 탔던 것입니다. 그럼 여러분들은 왜 일본의 위협이 두려웠냐고 의문이 들 것입니다. 당시에도 분명 법이 존재했을 것이기 때문입니다.

그에 대한 대답은 단순 명료합니다. 모든 것은 일본이 원하는 방향에 따라 그들이 지시하는 명령은 준수해야 했기 때문입니다. 일본이 곧 법이었습니다. 일본인들은 그들의 임무를 잔인하고 용의주도하

| 1940년대 인도네시아 초등학교 학생들 |

게 그리고 무자비하게 강압적으로 수행하였습니다.

나 역시 1942년 3월 1일 일본이 자바 섬에 도착한 이래로 반문명적인 일본의 행태를 여러 차례 똑똑히 목격한 경험이 있습니다. 물론 이 자리에서 그 행태 하나하나를 언급할 필요는 없다고 봅니다. 그런데 만약 필요하다면 내 눈으로 직접 보고, 경험한 내용을 여러분들에게 언제라도 자세히 전할 수 있습니다.

일본 군부가 쳐 놓은 덫에 걸린 인도네시아 어린 처녀들이 그 손아귀에서 벗어나기는 매우 어려웠습니다. 1942년 인도네시아 자바 섬에 진주한 후 일본은 네덜란드 동인도회사(VOC)*가 실시했던 '여행증명서 및 거주증명서(wijk en passenstelsel) 제도'를 도입하여 실시하였습니다. 차이점이라면 VOC의 제도는 인도네시아에 거주하고 있

* VOC (Dutch East India Company)

는 중국인에게만 적용하였는데, 일본의 제도는 자바 지역에 있는 모든 사람들에게 적용되었다는 것입니다. 전체 주민들은 의무적으로 위 증명서를 소지해야만 했습니다. 거주지가 아닌 다른 지역에서 숙박할 경우 현지 관리에게 신고해야 했고 모든 상황은 마을마다 조직된 '마을 통-반 체계'인 인조(隣組)를 통해 철저하게 감시되었습니다.

그런데 소마에 의하면 그중에는 일본의 흉계에서 운 좋게 벗어날 수 있었던 사람들이 있었다고 합니다. 예를 들어 중부 자바, 꾸또아르조(Kutoarjo)의 그라박(Grabak) 면에 살고 있었던 다섯 명의 처녀들이 그 좋은 예라고 할 수 있다고 합니다. 그라박에 거주하고 있는 1931년 생인 로비꾼(Robikun)의 확인에 따르면 그들은 중부 자바에 사는 끄따왕(Ketawang) 이장의 딸인 주와리야(Juwariyah–초등학교 졸업), 두다(Duda) 이장의 딸인 스리(Sri Wulan–초등학교 졸업), 하지 시둘(Haji Sidul)의 딸인 수랏(Surat–초등학교 졸업), 이름을 모르는 로노딕끄로모(Ronodikromo)의 딸(초등학교 졸업), 이름을 모르는 뿌뚜뜨레조(Pututrejo) 이장인 사스뜨로세누(Sastrosenu)의 딸(초등학교 졸업)이 그들입니다.

이들 다섯 명은 초등학교를 졸업했고 출발 준비도 모두 끝낸 상태였다고 합니다. 그런데 자바를 떠나기 전에 그들은 각자의 부모들에게 돌려보내졌다고 합니다. 그 이유는 정확히 알려지지 않았지만 아마, 행정 착오 또는 선박 운송 문제는 아닐 것으로 보입니다. 왜냐면 일본 군대의 요구는 그 어떤 것보다 우선했기 때문입니다.

아마 정치적인 문제로 그렇게 되지 않았나 생각해 볼 수 있습니다. 즉, 현지 군수가 전향적인 인물로 정치적인 영향력을 발휘하지 않았나 생각해 볼 수 있다는 것입니다. 일본 식민통치 아래의 자바 지역에서 몇몇 인도네시아인 행정 관리직 인물들이 전향적인 모습을 견지했던 사실이 있기 때문입니다. 그렇지만, 이미 출발한 사람들은 도망쳐 나오기가 무척 힘이 들었습니다. 어린 처녀들의 차출은 그들 부모의 자발적인 희망이라는 허울 속에서 일본 식민통치 정부의 검은 음모가 깔려있었기 때문입니다.

1929년생인 주끼(Juki)가 하룬에게 말하기를 그의 거주지였던 서부 자바, 인드라마유 지역에서 가까이 살았던 이발사인 수와디(Suwadi Hadisuwarno)와 1978년 7월 31일 부루 섬 와나레자(Wanareja)에서 인터뷰할 때, 그는 일본을 전적으로 믿고 딸들을 배에 태워 보낸 사실을 자세하게 밝혔다고 합니다. 그런데 떠난 아이들은 그 후 집에 돌아온 적도, 소식을 전해 온 적도 없었다고 합니다. 딸들의 이름은 수지나(Sujinah), 잠블렉(Jamblek), 그리고 루마딜라(Rumadilah), 세 명이라고 합니다.

특히 루마딜라는 그의 아버지인 수와디와 함께 배를 타고 출발했는데 그녀는 일본 도쿄로 가는 것으로 정해졌었고 수와디는 노무자로 미얀마로 향하는 것으로 되어 있었다고 합니다. 1946년 수와디는 갖은 고생 끝에 미얀마를 떠나 인도네시아 동부 깔리만탄, 사마린다(Samarinda)에 도착했고 1947년 그는 중부 자바, 족자카르타로 돌아오는 데 성공했다고 합니다. 그런데 루마딜라를 포함한 그의 딸들의 소식은 가져오지 못했다고 합니다.

앞에서 말한 내용을 다음과 같이 정리할 수가 있을 것입니다.

첫째, 일본이 일본 도쿄나 싱가포르에서 학업을 약속한 것은 공식적으로 일간 신문이나 관보에 게재된 바가 없다. 그 이유는 일본이 그들의 범죄 행위를 의도적으로 은닉하기 위한 방법을 강구했기 때문이다.

둘째, 끌려간 어린 처녀들은 그가 원해서 마을이나 가족과 헤어진 것이 아니라 일본의 위협이 두려웠기 때문이다.

셋째, 일본은 아직 성인이 되지 못한 어린 처녀들을 차출하여 강압적으로 일본 군대의 성노예로 삼았는데, 이는 감히 반항을 생각할 수 없는 연령대의 어린 여자들을 의도적으로 차출한 것이다.

지금까지 과거 인도네시아에서 여러분 나이 또래인 어린 처녀들이 겪어야 했던 비참한 상황에 대한 사실을 정리해 보았습니다. 이를 통해 그들의 참담했던 운명에 대해 여러분들의 관심이 고조되고 깊은 이해가 확산 되길 희망하고 있습니다.

제 2 부

조사된 적 없는 알려진 비밀

우리는 1943년 일본 식민정부가 선전부를 통해 인도네시아 어린 처녀들을 상대로 일본 도쿄와 싱가포르에서 학업을 계속해 주겠다는 약속을 한 사실을 확인하였습니다. 또한 1943년 일본은 인도네시아 어린 처녀들을 일본 도쿄와 싱가포르로 보낸다고 배에 승선시켜 출발시켰음도 밝혔습니다.

그러나 아쉽게도 일본이 몇 회에 걸쳐 배를 출발시켰는지에 대해 파악할 수 있는 자료가 현재 남아 있지 않습니다. 또한 자바에서 일본군이 물러날 때까지 얼마나 많은 어린 처녀들이 성 노예로 차출되었는지 정확한 자료도 남아 있지 않습니다.

물론 일본이 그 정확한 숫자를 알려 줄 것이라고 여러분들은 믿지 마시기 바랍니다. 그들은 그들의 만행을 지우기 위해 공식적인 발표를 앞으로 결코 하지 않을 것이기 때문입니다. 따라서 그것에 대한 자료를 확보하고 분석하는 일은 결국 우리 모두의 의무와 책임으로 남게 되었습니다.

선진화된 민족일 경우 인간애에 반하는 모든 행동을 야만 행위라고 간주하고 있습니다. 만약 어떤 민족이 수천 마일 밖, 다른 민족에 대해 과거에 그러한 행위를 자행했을 경우 그들의 후손들은 선조들의 잘못을 고백하고 용서를 구하고 있는 것을 우리는 보고 있습니다. 발전되고 선진화된 민족들은 그러한 야만 행위를 규탄하며 같은 생각과 견해를 갖고 있는 사람들을 규합하여 인간애를 도외시한 행위에 대해 즉각 중지할 것을 촉구하고 있습니다.

다시 말씀드립니다. 여러분들에게 보내는 이 글의 내용은 자료와 정보 부족으로 인해 너무 빈약하게 작성되었습니다. 그 부족한 부분을 앞으로 여러분들이 신뢰성 있는 정보와 자료로 채워 줄 것을 믿어 의심치 않습니다. 그 자료들이야말로 인도네시아를 일본이 장악하고 있을 때 인도네시아 어린 처녀들에게 자행한 일본의 만행을 강력규탄할 수 있는 하나의 명백한 증거가 될 수 있기 때문입니다. 나는 여러분들이 그 어떤 다른 민족을 위해 자기가 희생되는 것을 결코 원하지 않음을 잘 알고 있습니다. 또한 여러분의 자식들이 그러한 비참한 운명을 경험하는 것을 진정 원하지 않음도 잘 알고 있습니다. 물론 1943년부터 1945까지 기간 동안 그러한 만행을 경험한 모든 인도네시아 어린 처녀들의 어머니들도 마찬가지였습니다. 이런 이유로 해서 이 글은 특별한 의미를 갖고 있다고 보고 있습니다.

수집된 기록을 통해 분석한 결과, 그 어린 소녀들은 주로 대도시, 중소도시, 그리고 지방 도시 출신들이었습니다. 도시에서 멀리 떨어진 지역 출신들에 대한 정보는 없었습니다. 그 이유는 상대적으로 낙후되어 있던 지방의 당시 상황이 최악이었기 때문입니다. 농작물 추수는 일본이 완벽하게 전체를 장악하고 있었고 남성들은 노무자로 강제 징집되었고 기근이 넓게 퍼져 있었기 때문입니다. 따라서 외진 지역의 어린 처녀들은 이미 아사 직전에 내몰려 있었는데 이러한 상황은 일본 군대의 입맛에 맞지 않았기 때문입니다.

여러분들과 같은 나이 또래로서 일본의 야욕에 희생된 사람들 몇몇 인적 사항을 극히 제한된 지역의 정보지만 다음과 같이 밝히고자 합니다.

* * *

중부 자바, 쁘람바난(Prambanan) 지역

1978년 중반, 부루 섬, 와나다르마(Wanadharma)에서 수띡노(Sutikno W.S)가 아부(Abu Dasmin)로부터 확인한 결과입니다.

1. 마차난(Macanan) 마을 출신이고 쁘람바난 면사무소의 서기인 쁘링고와르도요(R. Pringgowardoyo)의 딸인 수치라하유(Raden Roro Sucirahayu-초등학교 졸업)
2. 끄나란(Kenaran) 마을 출신이고 앙까(Angka II) 초등학교 교사인 수로하디와시또(R. Surohadiwasito)의 딸인 유니아띠(Raden Roro Yuniati-초등학교 졸업)
3. 사오(Sawo) 마을 출신이고 깔라산(kalasan) 면사무소의 서기인 위르요쁘라잇노(R. Wiryoprayitno)의 딸인 수와르닝시(Raden Roro Suwarningsih

–초등학교 졸업)

4. 끈뗑(Kenteng) 마을 출신이고 이장인 쁘랍노와르소노(R. Praptowarsono)의 딸인 수다르꾸스띠(Raden Roro Sudarkusti–초등학교 졸업)
5. 무띠한(Mutihan) 마을 출신이고 학교 감독관인 우또모(R. Ronggo Utomo)의 딸인 수와르니(Raden Roro Suwarni–초등학교 졸업)
6. 응엔딱(Ngentak) 마을 출신이고 경찰관인 다누앗모조(R. Danuatmodjo)의 딸인 우르얀띠(Raden Roro Wuryanti–초등학교 졸업)
7. 빼렝(Pereng) 마을 출신이고 초등학교 교사인 마르또하르조노(R. Martohardjono)의 딸인 루스미니(Raden Roro Rusmini–초등학교 졸업)
8. 숨버르(Sumber) 마을 출신이고 초등학교 교사인 시스오와르도요(R. Siswowardoyo)의 딸인 무니엑(Raden Roro Muniek–호칭이고 정식 이름은 아님. 기억나지 않음)

쁘람바난 지역 초등학교 교사 출신인 아부가 위 여덟 명의 어린 처녀들 이름을 증언했는데 그는 그들과 초등학교 동기 동창이라고 합니다. 이 여덟 명만이 쁘람바난 지역에서 일본에 의해 위안부로 끌려간 사람 전체를 의미하는 것은 아닙니다. 단지 극히 일부분의 명단일 뿐입니다.

* * *

중부 자바, 꾸두스(Kudus) 지역

1978년 부루 섬, 와나레자(Wanareja)에서 자에날(Jaenal Sumedi)과 함께 하룬이 진행한 인터뷰 결과입니다.

1. 머자바(Mejaba)면, 끄삼비(Kesambi)에서 온 K의 딸인 M(초등학교 졸업)
2. 머자바(Mejaba)면, 끄삼비(Kesambi)에서 온 R과 W 부부 사이의 외동딸인 K(초등학교 졸업)

1931년 꾸두스 출신인 자에날의 위 확인은 꾸두스 지역에서 끌려간 어린 처녀들의 전부가 아니고 그가 알고 있는 머자바 지역 출신의 어린 여자 두 명에 관한 제한된 확인일 뿐입니다.

* * *

중부 자바, 브레베스(Brebes) 지역

1. 라랑안(Larangan) 면, 초등학교 교장이었던 수나르꼬(R. Sunarko)의 딸인 스리 수야띠(Raden Roro Sri Suyati-초등학교 졸업)
2. 로사리 띠무르(Losari Timur)에서 온 A(그 이상 정보는 없음)

* * *

뿌르오레조(Purworejo) 지역

1. 윙꼬뚬뿍(Wingkotumpuk) 이장인 둘까미드(Haji Dulkamid)의 딸인 아미나(Aminah) (그의 어머니는 인도네시아 일본 식민 시대 때 여성 단체인 부인회(婦人會) 회원)

이상이 관련된 자료입니다. 다른 사람들 이름은 이미 앞에서 언급했고 나머지 사람들 이름은 다음 장에서 밝히겠습니다. 물론 내가 의

도하는 목적은 위안부로 끌려간 그들에 관한 완벽한 자료를 만드는 데 있습니다. 그들에 관한 상세한 자료가 취합된다면 분명 두꺼운 책자가 될 것으로 보고 있습니다. 그 부족한 부분을 채우기 위해 여러 분들의 관심과 노력이 절대적으로 필요한 것입니다.

많은 어린 처녀들이 극심한 고통 속에서 나이가 들어 사랑하는 사람들이 지켜보지도 못한 채 그들의 고향에서 멀리 떨어진 오지에서 쓸쓸히 삶을 마감했다는 사실이 우리들의 마음을 아프게 하고 있습니다. 그들이 겪었던 고통은 다양하며 한 인간으로서 최소한의 자존감마저 처참하게 말살당한 삶을 살았고, 지금도 살아내고 있습니다.

전쟁이 끝나고 일본이 물러간 후 사실 그들은 고향 가족 품으로 돌아오기를 갈망했습니다. 그러나 그들이 성 노예, 위안부로서 겪었던 참담한 경험은 그들의 부모, 형제 그리고 친구들을 다시 만난다는 현실이 도덕적으로 큰 부담으로 다가왔습니다. 또한 그들은 고향으로 돌아올 비용과 체력 그리고 용기가 없었습니다.

생각해 보십시오. 그들이 가족과 헤어질 때 불확실하지만 그들은 학업을 계속할 수 있다는 희망을 갖고 있었습니다. 그들은 후일, 돌아올 때는 선진 문명을 배운 지식인으로 금의환향할 것으로 생각했었습니다. 그런데 일본에 의해 그들의 꿈은 산산이 깨졌고 성 노예, 위안부 출신이라는 오명으로 처참한 삶의 굴레에 얽매이게 된 것입니다.

한편 극소수이지만, 본인이 희망하여 일본을 따라간 일부 사례가 있는 것도 사실입니다. 예를 들어, 그로보간(Grobogan) 지역, 까랑 가얌(Karang Gayam) 마을 출신인 빠르디(Pardi) 딸인 지옘(Jiyem) (1929년생 그로보간 출신) 그리고 그로보간 지역 출신인 수라띠(Surati)가 일본인의 첩이 된 경우를 들 수 있습니다. 그들은 본인들이 희망하여 공공연히 일본인들의 첩이 된 사례입니다. 일본이 패망한 후 그들의 소식은 더 이상 들리지 않게 되었습니다. 그들 스스로 선택한 결과가 아닌가 생각됩니다.

그럼, 인도네시아 위안부 출신 중 안전하게 귀향한 사람들은 있었을까요? 분명 그런 사례도 있었습니다. 1945년 8월, 미얀마에 있었던 헤이호(Heiho)*들은 일본으로부터 버림받은 위안부 출신 여성들을 한데 모았습니다. 그들은 같이 인도네시아 자바로 돌아갈 것을 희망했습니다. 그러나 헤이호 출신들은 그들이 어떻게 귀향할 것인지 그 방안만 알려주었을 뿐, 그 이상은 그들도 귀향하기 어려운 상태였기 때문에 위안부 출신 여성들에게 더 이상 지원과 도움을 안타깝지만 줄 수가 없었다고 합니다.

그레식(Gresik) 시멘트 회사 임원 출신인 세뜨요하디(Setyohadi)(1925년생)가 1978년에 밝힌 내용 중, 일본에 의해 끌려갔던 친척 한 사람이 인도네시아 혁명기 이후 그의 고향인 동부 자바, 뚜반(Tuban)으로 돌아 온 사실이 있습니다. 아쉽게도 그 위안부 출신 여성이 어떻게 뚜반에 돌아왔는지 확인하지는 못했다고 합니다. 그 이유는 그 여성에게 그동안 겪은 경험을 직접 물어본다는 것은 차마 할 수 없는 일이었기 때문이라고 했습니다. 그런 이유로 해서 주위 사람들은 그녀의 지난 행적에 대해 알기보다는 침묵을 선택했다는 것입니다.

'물론 돌아온 사람도 있었습니다.'라고 에디(Eddy Sedyo Utomo)가 1978년 인터뷰에서 밝힌 적이 있습니다. 동부 자바, 시도아르조

* 인도네시아인들로 구성된 일본군을 위한 보조병

(Sidoarjo) 우체국 직원이었던 사람의 딸(이름은 기억하지 못함)이 일본이 패망했을 때 말루꾸(Maluku), 세람(Seram) 지역에 있었는데 연합군으로 참전하기 위해 오스트레일리아에서 온 그의 삼촌이 현지에서 그녀를 극적으로 만나 자바로 데리고 온 사실이 있다고 합니다.

그럼, 위안부로 끌려나갔던 처녀들 중 몇 명이나 가족의 품으로 돌아왔을까요?

물론 그에 대한 정보는 아무 것도 없습니다. 일본 자신도 지금까지 그에 대한 수치를 밝히지 않고 있습니다. 심지어 전쟁 중 자행된 범죄에 대해 단죄를 요구하는 국제적인 규탄에 직면한 일본은 그들의 과거 흔적을 지우려고 온갖 노력을 진행하고 있는 중 입니다.

전쟁에서 패망하자마자 일본은 위안부 출신 여성들을 그 어떤 위로금도 그 어떤 편의 제공도 없이 현지에서 무책임하게 내팽개친 것입니다. 그것은 연합군이 일본으로부터 정식으로 항복을 받기 전에 자행된 일입니다..

부루 섬에서는 연합군이 도착하기 전 현지에 있던 위안부들은 그들의 거주 장소를 벗어나지 말라는 강력한 지시를 일본군으로부터 받았다고 합니다. 인도네시아 출신 위안부들도 일본이 패망했다는 소식을 들어 알았고 그에 따라 그들 고향인 자바로 돌려보내달라고 요구했다고 합니다. 그에 대해 일본은 한마디로 묵살했고 더욱 위안부들에 대한 감시를 강화했다고 합니다. 그 이유는 일본의 전쟁 중 범죄 행위가 외부로 밝혀지는 것을 우려했기 때문이 아닌가 생각됩니다.

– 1979년 5월 5일, 하룬과 인터뷰 내용 인용.

그런데 우스운 사실은 일본이 위력을 떨칠 때 그들은 무사도 정신을 인도네시아인, 우리들에게 자랑스럽게 가르쳤었는데 정작 그들의 범죄 행위에 대해서는 무사도 정신에 따라 그 어떤 책임도 용감하게 지겠다는 자세를 보이지 않고 있다는 사실입니다.

이런 일들이 인도네시아가 일본 식민통치를 받는 동안 겪었던 비참한 기억을 되살아나게 하고 있습니다. 이러한 일본의 행위가 1621년 코엔(Jan Pieterszoon Coen)이 이끄는 동인도회사(VOC)가 인도네시아 반다(Banda)족*을 집단 학살한 것에 대해 네덜란드가 책임을 진 것처럼, 일본도 책임을 져야 하는 것이 아닌지를 묻고 싶습니다. (현재 남아 있는 반다 족은 당시 유입된 유럽계 농장주와 현지 인도네시아인들 사이에 태어난 사람 후손들이 주축) 남부 칼리만탄, 반자르마신(Banjarmasin)족을 1638년 VOC가 몰살시키려고 획책했던 사건처럼, 일본도 인도네시아 여성들을 성 노예, 위안부로 철저하게 유린했던 것입니다.

일본은 오랜 기간 누산따라(Nusantara)**를 장악하기 위한 야욕을 준비하면서 인도네시아를 하나의 침략 대상으로 간주했었습니다. 20세기 초부터 일본은 인도네시아를 장악하기 위한 연결 고리를 만들기 시작했습니다. 우리들은 일본이 수마트라, 미낭까바우(Minangkabau)*** 왕이었던 아딧야와르만(Adityawarman) 후손들과 연결하고자 했던 노력을 잘 알고 있습니다. 그중에는 일본이 보낸 사절단들이 실패한 사례도 포함되어 있습니다.

*　인도네시아 수마트라 지역의 한 종족

**　群島라는 의미의 인도네시아의 별칭

*** 수마트라 남부 지역 이름 및 종족 이름

| 인도네시아에 진주한 일본군 장교 |

| 인도네시아에 진주한 일본군 |

그런데 당시 아딧야와르만의 후손들은 이미 이슬람 세력에 의해 대부분 살해당하는 비극을 겪고 있었습니다. 이중 술탄이었던 알람(Sultan Alam Bagagar Syah)은 네덜란드에 의해 지금의 자카르타인 바

타비아(Batavia)로 유배되어 1849년 3월 21일 자카르타에서 사망한 사실도 있습니다. 물론 이 사건은 오래전 일입니다. 미낭까바우의 마지막 왕족 후예는 레노 숨뿌(Reno Sumpu) 공주였는데 여성이었기 때문에 일본의 입맛에 맞지 않았습니다.

일본은 1939년 네덜란드가 나치 독일 수중에 떨어지는 것을 보고 인도네시아에 체류 중인 일본인들을 암암리에 무장 준비를 시키는 한편, 전쟁 없이 인도네시아에 대한 네덜란드 식민통치 정권을 이양받기 위해 여러 사절단을 인도네시아에 보냈습니다.

그 첫 번째가 1940년 고바야시 장관이 이끈 사절단, 그리고 요시가와의 1941년 사절단이 뒤를 이었지만 모두 실패를 하게 됩니다. 실패의 원인은 일본의 과도한 요구였음을 우리는 알고 있습니다. 1942년

| 인도네시아를 침공하는 일본군 |

3월 1일, 일본 군대는 자바 지역에 침입해 들어오기 시작했고 1942년 3월 8일, 서부 자바, 깔리자띠(Kalijati)에서 인도네시아 네덜란드 식민 정부는 항복 문서에 서명했습니다. 이를 통해 일본제국의 인도네시아에 대한 3년 5개월여 기간의 식민지배가 시작된 것입니다. 그리고 '태평양전쟁' 중 연합군 공세로 위기에 몰렸을 때, 일본은 의도적으로 인도네시아 민족주의와 이슬람 세력을 고양시켰습니다.

한편, 디뽀네고로(Diponegoro)*가 실패한 이후 1세기 동안, 인도네시아 귀족 계급들은 네덜란드 식민통치 권력에 절대 순종하도록 유도되었고 그 결과 네덜란드 식민통치에 대한 인도네시아인들의 의미 있는 저항은 사라지게 되었습니다. 동남아 지역에서의 일본의 세력 확장은 동남아시아 지역 사람들이 지금까지 그들을 억압했던 식민 세력인 서구 제국주의자들의 몰락을 기원하기 시작하는 계기가 되었습니다.

그러나 일본의 군부 국수주의자들은 인도네시아 전역에 수많은 고통을 가져 왔고 테러를 자행함으로써 주민들을 굴종시켰고, 그들의 야만적인 행위는 식민통치에 있어 하나의 수단이 되었습니다.

일본이 인도네시아를 점령한 지 채 1년이 되기 전 어느 날 아침, 나는 내 친구들이 일본이 자행한 테러에 대해 귓속말을 하는 것을 들었습니다. 그 테러는 우리 학교 운동장에서 일어 난 것이었습니다. 칼리만탄에서 온 수또모 박사(dr. R. Sutomo)의 동생인 수실로(Susilo) 의사가 우리 학교 운동장에서 살해당한 것입니다. 그 의사는 인도네

* 네덜란드 식민통치에 대항하여 무장봉기한 족자카르타 술탄 왕국의 왕자(1785-1855)

시아에서 말라리아 모기를 발견했고 말라리아 퇴치에 온 힘을 쏟은 사람으로 존경받고 있었던 분입니다.

일본은 칼리만탄에 있는 지식 계층의 인도네시아인들 중 일본 세력에 저항하는 계층을 제거하여 칼리만탄의 일본화를 손쉽게 진행하려고 했었습니다. 처음에는 고등교육을 받은 사람들 중 일본에 저항하는 계층을 목표로 했는데 마지막엔 중학교 졸업자를 대상으로 확대되었습니다. 일본에 저항하는 세력을 제거함으로써 칼리만탄을 제2의 일본으로 만들려는 야욕을 획책하였던 것입니다.

이 과정에서 걸림돌이 되는 지식인들을 가차 없이 처단한 것입니다. 이러한 일본의 만행에 대한 소식을 듣고 인도네시아인들 특히 청소년들은 점차 일본에 대한 저항심을 키웠던 것입니다. 일본이 패망 후, 확인한 결과 실행단계에 옮겨지지는 않았지만 칼리만탄을 제2의 일본으로 만들려는 일본의 야욕이 사실로 밝혀졌습니다.

그럼에도 불구하고 당시 인도네시아에 체류했던 일본인들 전체 모두가 인도네시아인들에게 악랄하게 행동했다고는 말할 수 없습니다. 극소수지만 인도네시아에 체류 중이었던 일본인들 중 어쩔 수 없이 일본 군부 국수주의 체제를 받아 드릴 수밖에 없었던 사람들이 있었던 것도 사실입니다. 그중에 일본 해군 장성이었던 마에다(前田) 제독을 들 수 있는데 당시 인도네시아 청년들에게 널리 알려진 인물로 유명합니다. 그는 인도네시아 독립을 암묵적으로 동의하는 입장을 취했던 극소수 일본인 중 한 명이었습니다. 그렇지만 인도네시아 독립에 동정적인 시각을 갖고 있던 소수의 일본인들이 있었다 하더라도 인도네시아에 대한 일본의 죄악을 우리는 결코 잊어서는 안 될 것입니다.

여기서 인도네시아 자바 출신의 위안부들이 일본이 패망할 때까지 최악의 상황에 처해 있었음을 밝히고자 합니다.

제 3 부

그들은 배에 태워졌다

여러분들과 같은 나이 또래인 젊은 처녀들이 배에 태워질 때 그들의 가족이 항구에서 배웅했을 것이라고 상상하지 마시기 바랍니다. 일본은 등록한 젊은 처녀들의 집을 가가호호 방문하여 직접 만나 데리고 갔기 때문입니다. '일본은 나를 삼륜 오토바이에 태워 갔다.'라고 까르띠니(Kartini)는 증언하고 있습니다.

– 1979년 5월 5일 수쁘리호노(Soeprihono Koeswadi) 기록 인용.

그들은 집 대문 앞에서 가족들과 헤어졌습니다. 당시 눈물겨운 광경을 여러분들도 상상할 수 있을 것입니다. 그녀들을 태운 자동차가 출발하면서 일으키는 흙먼지가 앞으로 그들이 겪을 참혹한 운명을 짐짓 가리는 것처럼 보였을 것입니다. 눈물의 이별 속에서 젊은 처녀들은 앞으로 어떤 일이 그들에게 일어날지 쉽게 상상하지 못했습니다.

그렇게 이별이 있은 후 그녀들은 그들의 가족과 고향 일가친척과의 관계가 완전히 단절되었고, 어느 누구 한 명 만나보지 못했고 서로 편지를 주고받지 못하게 됩니다. 그녀들은 뒤에 남아 있는 가족들과 집 주위 풍경을 뒤돌아보고 또 뒤돌아보면서 떠나갔습니다. 그리고는 그녀들이 도착한 첫 번째 도착지에서부터 그녀들은 절망의 깊은 나락으로 떨어지기 시작하게 되었습니다.

그녀들의 첫 번째 목적지는 중간 집결지였습니다.

동부 자바, 수라바야에서는 그 중간 집결지가 지금의 잘란 시도라왕 바루(Jalan Sidolawang Baru)에 있었습니다.

'그곳에는 5, 6채의 집이 있었다.'라고 이맘이 설명하고 있습니다.

– 1978년 8월 7일 이맘 인터뷰 인용.

"당시 그곳에는 많은 여성들이 있었습니다. 나이 먹은 친구들의 말을 빌리면 그녀들은 일본으로 공부하러 간다고 했습니다. 그때가 1943년이었습니다. 그런데 이상한 것은 많은 일본 장교들이 그곳을 찾아 왔다는 것입니다. 그들은 자동차를 타고 왔는데 어떤 차는 청색 깃발을, 어떤 차는 황색 깃발을 꽂고 왔습니다. 그 이상은 그 집안에서 무슨 일이 벌어지는지 아무도 몰랐습니다. 집 담장은 철조망이 둘러 처져있었고 집 안은 밖에서는 볼 수 없었습니다. 정문은 일본 군대가 보초를 섰으며 그곳에 있는 여성들은 모두 예쁘다는 소문을 들었습니다."

이 인터뷰 내용을 보면 그녀들은 첫 번째 중간 집결지부터 감금되고 감시를 당하기 시작했던 것입니다. 그것은 그녀들의 많은 자유가 이미 박탈되었다는 것을 의미합니다. 그녀들은 벌써 어항 속의 물고기 신세가 된 것입니다.

자카르타 상황은 더욱 참혹했습니다. 영문도 모른 채 끌려 온 젊은 처녀들은 스넨(Senen) 역 근처, 가정집에 수용되었습니다. 집 울타리는 대나무 높은 담장으로 둘러 처졌고 외부에서는 안을 드려다 볼 수 없었습니다. 그것은 외부 사람들이 집 안에서 벌어지는 일을 알 수 없게 하기 위해서였습니다. 분명 좋지 못한 일이 집안에서 벌어지고 있었던 것입니다. 그 안에 수용된 여자들도 감시를 받고 있었습니다. 목적은 분명했습니다. 안에 있는 사람들은 외부 사람들과 접촉을 하면 안 되었고 누구라도 면회할 수 없었으며 따라서 그들에 대한 그 어떤 소식이 밖으로 새 나올 수가 없었습니다. 안에 수용된 사람은 밖으로 외출할 수 있는 자유를 이미 박탈당한 것입니다.

중부 자바, 솔로(Solo)의 집합 장소는 지금의 잘란 슬라멧 리야디(Jalan Slamet Riyadi)에 있었습니다. 그 길거리에 일본 헌병대 본부가 있었습니다. 바로 그 옆에 대나무로 엮은 높은 담장이 처진 집이 있었습니다. 밖에서는 안을 드려다 볼 수 없었습니다. 1934년 생인 수꼬하르조(Sukoharjo) 지역 출신인 수띳그뇨(Sutignyo)에 따르면 그 집 안 사정에 대해 남들보다 조금 더 파악하고 있었다고 합니다. 왜냐면 당시 바로 그 집 앞에서 그의 부모와 삼촌이 얼음과 간식거리를 파는 노점상을 했는데 삼촌이 가끔 그 집안으로 주문 배달을 하러 다녔기 때문이었습니다. 삼촌이 그에게 말하기를 그 집안에는 좋은 가문 출신인 교육 받은 미모의 인도네시아 여성들이 많이 있었다고 합니다. 그들은 일본으로 공부하러 간다고 했습니다.

그런데 어느 날 삼촌이 의심스럽게 말하기를 그 집을 찾아오는 일본 군인들은 술에 취해 난폭하게 행동했고 종종 서로 싸우는 모습을 보였기에 이상한 생각이 든다고 한 적이 있다고 합니다. 그곳에 있던 처녀들은 사, 오십명 정도였는데, 삼촌은 그녀들의 이름과 고향은 모른다고 했습니다.

– 1978년 7월 31일, 부루 섬, 와나레자에서 하룬 인터뷰 결과.

확언하건 데 모든 큰 도시에는 이런 중간 집결지가 있었다는 것입니다. 그곳에서 인도네시아 처녀들은 그들을 태우고 갈 배를 기다리면서 앞으로 겪을 비참한 삶의 항해를 시작한 것입니다.

아직 생존해 있는 증인인 까디르(A.T. Kadir)는 다음과 같이 증언하고 있습니다.

그는 인도네시아 처녀들을 태운 배와 함께 동부 자바, 수라바야에서 남부 술라웨시(Sulawesi) 마까사르(Makasar)까지 항해한 적이 있다고 합니다. 당시 그의 나이는 일곱 살이었는데 그의 부친은 네덜란드 선박회사 직원 출신으로 가족 모두와 함께 마까사르로 전근을 가라는 명령을 일본 군부가 내렸다고 합니다. 그는 당시 그가 승선한 배의 이름과 크기를 기억하지 못하지만 수라바야 항구에서 일단의 처녀들이 노무자들과 함께 승선한 사실은 정확히 말하고 있습니다. 아직도 그가 기억하는 것은 젊은 여자들을 인솔한 일본인 이름입니다. 그 이름은 마사키로 그 당시 수라바야 시청에 있었던 일본 육군 사령부의 장교였다고 합니다. 그 배는 두 척의 일본 전함의 호위를 받았는데 그중 한 전함은 수끼니(Sukini)라는 군인이 인솔했다고 합니다.

– 1978년 부루 섬, 와나다르마에서 까디르가 수띳노와 진행한 인터뷰에서 밝힌 내용.

더 확실한 증언은 1925년 중부 자바, 뿌르오레조 출신인 수까르노(Sukarno Martodihardjo)가 하고 있습니다. 그를 만나기 위해서는 나는 부루 섬 남쪽 지역을 14 킬로미터 정도 걸어가야만 했습니다. 오랜 기간 그가 나를 찾아오지 않았기 때문에 내가 직접 찾아가야만 했던 것입니다. 가는 길은 여러 위험한 요소들이 도처에 도사리고 있었습니다. 조심스럽게 걸어가야만 했습니다. 와이 아뿌(Wai Apu) 강을 건널 때 강 양안이 이미 무너져 내려 매우 위험했으며, 숲속 길은 두꺼운 진흙으로 덮여 있어 매우 미끄러웠습니다. 나는 길 위에 아무렇게나 쓰러져 있는 나무토막을 조심스럽게 밟고 지나가야만 했습니다.

그런데 그 힘든 발걸음은 나를 실망하지 않게 했습니다. 나는 와나끈차나(Wanakencana) 병원에 입원한 그를 만났습니다. 회복 중인 그는 나를 반겨 맞이했습니다. 삼 일 전에 회색 빛 턱수염을 다듬었다고 합니다. 그는 청색으로 된 옷을 입고 있었는데 병원장은 우리들의 만남을 위해 특별실을 마련해 주었습니다.

수까르노는 1944년 중부 자바 스마랑에 있었던 해양전문학교를 졸업하고 자바 오노쿠 카이샤 해운(Pelayaran Jawa Onoku Kaisha)이라는 선박회사에서 새로 건조한 250톤 목선인 '제 36 수라 마루(Sura Maru No. 36)'호의 항해사로 임명되었다고 합니다. 배의 선장은 미아라는 일본인이었다고 합니다. 선박 건조가 완료되어 시험 항해 후, 배는 자카르타로 보내져 일본 군부가 소유권을 갖고 있다는 것을 증빙하기 위한 행정 절차를 완료하고 해군 소속이 되었다고 합니다. 원거리 항해 조건이 갖추어진 후, 배의 선원들은 항구를 떠나지 못한다는 금족령이 내려졌다고 합니다.

"우리 배는 자카르타 항구인 딴중 쁘리옥(Tanjung Priok) Kade-1에서 출항 준비를 했습니다. 그때가 1945년 3월이었는데 우리 배가 캄캄한 밤중에 출항하기 전, 몇 대의 트럭이 항구에 도착해서 처녀들을 내려놓았습니다. 트럭에서 내린 일단의 처녀들이 승선했는데, 전부가 우리 배에 탄 것이 아니라 일부는 다른 배에 승선했습니다. 준비된 배는 모두 다섯 척이었는데 250톤 목선이 세 척, 500톤급 이상인 철선이 두 척이었습니다."

여기서 수까르노가 '캄캄한 밤중'이라고 말한 배경을 설명할 필요가 있다고 봅니다. 1944년 이래로 연합군 비행기들이 야간 공습 횟수를 점차 늘렸기 때문에 건물로부터 불빛이 밖으로 새어 나가지 못하게 등화 관제를 실시했습니다. 모든 전구는 어두운 청색이나 흑색 천으로 감쌌는데 주로 종이를 사용하였습니다. 자동차도 예외는 아니었습니다. 모든 흰색 물건은 검게 칠해야 했고 자동차의 범퍼, 조명도 예외는 아니었습니다.

다시 수까르노의 증언을 계속하겠습니다.

"배가 출항하기 전, 선장으로부터 승선한 처녀들과 절대 대화를 하지 말라는 지시를 받았습니다. 왜냐면 그들은 일본 정부의 책임 안에 있는 사람들이었기 때문이라고 했습니다. 따라서 접촉은 엄격히 금지되었습니다.

우리 마음에 의심이 생기기 시작했습니다. 그들을 어디로 데려가는지? 무엇을 위해서? 그녀들은 백색 군복을 입은 군인들 호위 속에 지휘관용 교량을 이용하여 승선했습니다. 호위병 중 한 명이 선장에게 무언가 건네주었습니다. 그런 후 그들은 하선하였습니다. 배는 장막으로 가려져 밖에서 안을 볼 수 없게 철저하게 위장을 하였습니다."

그가 기억하는 그녀들의 나이는 15세에서 19세 정도였습니다. 승선한 그녀들 대부분의 표정은 기쁜 얼굴이었다고 합니다. 어떤 사람은 일본 노래를, 어떤 사람은 학교 노래를, 아니면 일본 군가까지 부르는 사람들이 있었다고 합니다.

"그녀들은 대부분 들떠서 웃고들 있었습니다. 위에서 지시가 있었기 때문에 나는 그저 바라볼 뿐이었습니다. 그들은 기뻐했습니다. 선택된 학생들로 '태양의 나라' 일본에서 공부를 계속할 수 있었기 때문이었습니다. 모든 사람이 그런 기회를 잡을 수 있는 것은 아니었습니다.

그녀들이 승선할 때, 치마와 블라우스 그리고 모자가 모두 하얀색인 옷을 제복처럼 입었고, 검은색 구두와 하얀색 양말을 착용하고 있었습니다. 그녀들은 각자의 옷이 들어 있는 가방을 지참하고 있었고 승선한 후 그녀들은 자유롭게 옷을 갈아입었는데 그중에는 손목시계를 착용한 사람도 있었습니다. 그녀들의 머리는 자유롭게 꾸몄으나 배가 출항한 후 모두 짧은 단발로 정리되었습니다. 그녀들 대부분은 미모였습니다."

"물론 우리 선원들 몇 명은 항해 중 특정의 소녀들과 소통하는데 성공하였습니다. 싱가포르에 배가 도착하기 전, 방까(Bangka) 해협을 지날 때 나도 그중 한 명을 만났습니다. 사실 그들도 우리 인도네시아 선원들과 접촉하기를 시도했다고 합니다. 나는 수미야띠(Sumiyati)라는 처녀를 만났는데 그녀는 동부 자바 꺼디리(Kediri)군, 빠산뜨렌(Pesantren) 면사무소 서기의 딸이었습니다. 그녀는 상업학교를 졸업했는데 일본식 학교 이름은 기억나지 않습니다. 지금의 실업계 중학교 정도로 그녀의 나이는 17세였습니다."

처녀들은 일본의 사탕발림 약속에 대해 의심을 품기 시작했다고 합니다. 수미야띠 역시 일본이 선전한 내용이 사실과 달라 속아 넘어간 것을 깨닫기 시작했다고 했습니다. 수까르노가 그곳에서 만난 처녀 중에는 중부 자바, 족자카르타에서 온 바이니(Raden Ajeng Baini)도 있었습니다. 그녀가 말한 그의 부모 이름을 이제 기억하지 못하지만 그녀의 이름을 보아 분명 귀족 가문 출신이었습니다. 그녀는 수까르노가 자바로 돌아가면 그녀의 부모를 만나, 그의 소식이 전해지기를 간절히 희망했다고 합니다. 그녀의 애절한 요청은 앞으로 그녀가 겪을 참담한 미래를 예견이라도 한 듯 들렸다고 합니다. 그러나 아쉽게도 수까르노는 그녀의 부모를 만날 수 있는 기회를 갖지 못했다고 합니다.

그의 말을 종합해 보면 처음에는 일본 식민정부가 그녀들의 계획에 부응하는 선전을 했기 때문에 모두 희망에 들떠 있었다고 합니다. 그러나 항해를 시작한 지 며칠 만에 그녀들의 희망은 점차 깊은 의심으로 변하기 시작했다는 것입니다. 어떤 소녀들은 울기 시작했고, 심지어 어떤 처녀들은 자살을 시도했으나 친구들에 의해 제지당해, 성공하지 못한 사례가 배안에서 벌어졌다고 합니다.

1894년생인 마쿠둠 사띠(Makhudum Sati)는 인도네시아 네덜란드 식민정부에 의해 1942년 오스트레일리아의 외진 섬으로 강제 수용되었었습니다. 그러다가 1945년 어느 날, 일행 7명과 이리안(Irian)* 쪽

* 인도네시아 동부 지역에 있는 섬. 섬의 동부 지역은 뉴기니아 임

으로 다시 수용되기 위해 배를 타고 이동 중 '수요일(Wednesday)섬'*에 잠시 기항한 적이 있다고 합니다.

그때 그곳에서, 중부 자바 스마랑에서 온 인도네시아 위안부 출신 여성 17명을 만났다고 합니다. 섬에 있던 일본군들은 이미 항복한 상태였고 여자들 대부분 배고픔과 질병에 시달리고 있는 중이었다고 합니다. 그중에는 보행 자체가 힘들어 보이는 여자도 있었다고 합니다. 그녀들 모두는 중학교를 졸업한 학력을 갖고 있었으며 인도네시아 독립 후 지도자로 양성되기 위해 도쿄로 학업을 계속하기 위해 배를 탔다고 말했다고 합니다.

그중 한 명이 마쿠둠에게 밝히기를, 그녀들이 탄 배가 '수요일 섬'의 항구에서 약 1.5 마일 정도 떨어진 거리에 도착했을 때, 일본군 장교들이 집단으로 달려들어 돌아가면서 강간을 시작했다고 합니다. 향후 독립된 인도네시아의 지도자가 되겠다는 그녀들의 꿈은 여지없이 산산이 부서진 것입니다.

그녀들은 배에서 탈출하여 정조를 지키려고 애를 썼으나 누구 하나 성공하지 못했다고 합니다. 어떤 처녀는 배의 돛에 올라가 바다로 투신했으나 일본인들 손에 잡혀, 손과 발이 묶인 채 매질을 당했다고 합니다. 이러한 경험을 직접 겪은 사례가 중부 자바, 스마랑 출신인 위안부였던 까르띠니의 진술에서도 발견되고 있습니다.

– 1978년 5월 5일, 수쁘리호노(Soeprihono Koeswadi) 기록 인용.

이러한 집단강간은 선박 안에서, 집결 장소에서 그리고 항구에서

* 오스트레일리아 New South Wales 북쪽에 위치한 섬

무자비하게 자행되었습니다. 수까르노는 자기가 탄 배에서는 그러한 만행이 목격되지 않았다고 밝히고 있지만, 분명 같은 배에 동승했던 처녀들이 그들이 겪은 일에 대해 같은 인도네시아 남성에게 밝히기를 주저했기 때문일 것이라고 추측이 되고 있습니다.

"다섯 척의 배 중 자카르타에서 승선한 여성 일행이 탄 두 척의 철선은 싱가포르에 기항한 후, 자바에서 생산된 설탕을 하역하였습니다. 당시 자바에서 싱가포르 또는 방콕으로 가는 배들은 언제나 자바 산, 설탕을 선적하고 있었습니다. 싱가포르에서 물을 보충받으면서, 우리 선박을 호위하고 있던 일본 전함으로부터 기별을 기다렸습니다. 전함으로부터 연락이 와서 저녁 7시경 우리 배는 방콕을 향해 출발했습니다. 사실 우리들의 항해 일정은 계획대로 진행되지 못했습니다. 위험 신호가 있을 때마다 우리는 신변 안전을 지키는데 최우선으로 대처했기 때문입니다."

1주일 후, 수까르노가 탄 배는 방콕에 도착했다고 합니다. 방콕에서 어떤 위원회 같은 단체에서 인도네시아 처녀 일행을 맞이했다고 합니다. 그중에는 적십자사 요원같이 푸른색 제복을 입은 사람도 보였다고 합니다. 이때 승선했던 인도네시아 여자들의 숫자는 약 이백 명에 달한다고 수까르노는 밝히고 있는데 이 숫자는 그녀들을 승선시키기 위해 동원되었던 항구에서 본 트럭 숫자에 근거한 것이라고 합니다.

"그녀들 대부분은 미모였으며 내가 만났던 수니야띠(Suniyati) 자신도 예뻤습니다. 일본은 인원 선발에 있어서 미모 수준까지도 감안한 것입니다.

수니야띠가 말하기를 일본 식민정부의 선전 중에 일본의 희망대로 인도네시아가 후일 독립을 할 때 국가를 위해 헌신할 젊은이들이 필요하고, 이들을 위한 교육이 중요하다는 것이 있었다고 합니다. 녹음기를 틀듯이 군수비서부터 이장까지 입에서 입을 통해 이 일본의 허위 선전은 마을 구석구석까지 퍼져나갔다고 합니다.

또한 일본 식민정부에서 관리직을 맡고 있는 사람들은 그들의 딸들을 일본 선전에 부응하는 좋은 시범 사례로 내놓을 것을 강요받았다고 합니다. 특히 일본에 금붙이 등 고가의 장신구나 물건을 헌납하지 못하는 인도네시아인 관리들은 그들의 딸들을 내놓으라는 압력을 지속적으로 받았다고 합니다."

우리가 기억하고 있듯이 일본은 1944-1945년 기간에 인도네시아 전체 국민에게 값비싼 장신구나 보석을 식민정부에 갖다 바치라고 협박하고 강요를 하였습니다. 그 목적은 '대동아전쟁' 승리였습니다.

두 번째 항해도 그 목선을 사용하였는데, 인도네시아 처녀들의 동승은 없었다고 수까르노는 밝히고 있습니다. 여기까지가 수까르노가 직접 인도네시아 처녀들을 태우고 같이 항해한 경험담입니다.

아마 이것이 인도네시아 위안부 처녀들을 태우고 항해한 첫 번째 기록이 아닌가 생각됩니다. 물론 끼사(Kisah)*에 비슷한 내용의 짧은 글이 실린 적이 있습니다. 그 내용은 인도네시아 선원들이 인도네시아 처녀들이 동승한 선박을 일본인들로부터 탈취하여 오스트레일리

* 인도네시아 문예지 중 하나

아로 항해하여 갔는데 연합군의 공격으로 침몰 되었다는 내용입니다.

그 이야기의 진실이 어디까지인지는 아직 밝혀지지 않고 있습니다. 루드룩(Ludruk)* 중 샴수딘(Syamsuddin)의 작품인 '마지막 환자' 중에 위에 언급한 비슷한 사건이 그려지고 있습니다. 연극에서는 인도네시아 선원들이 일본인으로부터 배를 탈취하여 안전하게 오스트레일리아에 도착했고, 그 배에 동승했던 사람 중에 의과대학 여학생은 오스트레일리아에서 학업을 계속해서 의사가 되었다는 내용입니다. 그런데 이 연극의 대본이 얼마만큼 진실에 가까이 있는지는 알 수 없는 상황입니다.

최소한 다음과 같이 정리할 수 있을 것 같습니다.

첫째, 여자들은 각자의 집에서 한 명씩 일본이 준비한 운송 차량에 태워졌고, 중간 집결지를 거친 다음, 인도네시아 자바 지역을 벗어났다.

둘째, 그녀들은 인도네시아 지역뿐만 아니라 다른 지역에도 보내졌다.

* 춤과 음악이 같이 어울리는 인도네시아 동부 자바 지역의 전통 연극

제 4 부

버려진 여자들

1945년 8월 일본이 2차 세계대전에서 패망한 후, 자바 지역에서 끌려간 여성들은 불난 양계장 속의 닭처럼 희망 없이 내 버려졌습니다. 일본은 그들이 저지른 악행이 외부로 알려지는 것을 원하지 않았습니다. 왜냐면 연합군 측은 분명 일본의 전쟁 범죄를 단죄하려고 했기 때문입니다.

그런 측면에서는 일본의 은폐 시도는 어느 정도 성공했다고 볼 수 있습니다. 이렇게 성공했다고 말할 수 있는 것은 일본의 만행에 대해 고소, 고발한 인도네시아의 주체가 없었기 때문입니다. 그 이유는 무엇일까요?

첫째. 일본이 패망한 후 일본 범죄에 대한 고소권을 갖고 있던 인도네시아 자체가 고소, 고발할 수 있는 관련 증빙 자료를 전혀 갖고 있지 못했고

둘째. 인도네시아는 완전한 독립을 쟁취하기 위한 무장 투쟁 중인 혁명기에 있었고,

셋째. 독립을 쟁취한 후 신생 인도네시아는 지루한 정쟁에 휘말렸고,

넷째. 인도네시아 정부 자체의 무능력과 무관심에 기인했기 때문이라고 볼 수 있습니다.

위안부 문제를 해결하기 위한 인도네시아 정부의 무능력은 관련 위원회 결성조차도 할 수 없을 정도였습니다. 인도네시아 – 일본 간, 전쟁 배상에 대한 일련의 회동에서도, 이 위안부 문제는 언급되지 못했습니다. 이렇게 인도네시아 위안부 출신 여성들은 정부의 그 어떤 공식적인 확인 없이 스스로가 내팽개쳐진 사람들이 되어 갔습니다.

그들은 그리운 가족이 있는 고향으로 돌아오지 못한 채 인도네시아 지역 안 또는 타국에서 사람들의 기억에서 깨끗이 사라진 사람들로 죽어갔고, 살아가고 있습니다. 그들은 법률적인 그 어떤 도움도 인도네시아 정부로부터 받지 못하고 있습니다.

그들의 가족들조차도 그녀들이 겪었던 비참한 삶에 대해 침묵하고 있는 배경을 여러분들은 이제 알게 되었을 것입니다. 그녀들이 사라지고, 잊혀진 것을 어쩔 수 없는 하나의 불가항력으로 간주하는 가족들의 포기한 마음이 더욱 우리를 슬프게 만들고 있습니다. 그들은 그녀들이 어디서 죽었는지, 무덤이 어디에 있는지 알지 못합니다.

그렇게 그들은 가족과 고향을 등졌고, 결국에는 인도네시아 지역 안에서 또는 해외에서 내팽개쳐진 상태에서, 그녀들은 주위의 여건을 받아드리고 순응하면서 모진 삶을 이어 나가게 되는 것입니다. 인도네시아 위안부 출신 사람들에 대한 자세한 내용이 지금까지 알려진

것이 많지 않습니다. 왜냐면 이해 당사자들조차도 그 문제가 공론화되고 속속들이 밝혀지는 것을 꺼리고 있기 때문입니다.

여기에 많이 부족하고 제한된 내용이지만, 그녀들에 대한 증언과 자료들이 있습니다.

인도네시아 남부 술라웨시 마까사르에서 담배를 팔던 까디르(A.T. Kadir)는 1978년 수떡노와 진행한 인터뷰에서 다음과 같이 밝히고 있습니다. 그는 위안부였던 수끼니(Sukini)를 만날 기회가 있었다고 합니다. 그녀는 지금 마까사르 생선시장 근처에 있었던 일본 군인호텔에 있었다고 합니다. 그런데 오스트레일리아와 구르카(Gurkha) 족이 주축이 된 연합군이 마까사르를 무력 진압했을 때, 도시 전체는 전쟁터로 변하여 그 와중에 수끼니를 포함해서 그 호텔에 있었던 다른 위안부 여성들의 운명이 어떻게 되었는지는 알 수 없게 되었다고 밝히고 있습니다.

한편 수까르노가 승선한 목선인 '제 36 수라 마루'는 방콕에서 승객과 설탕을 하역하고 싱가포르로 되돌아 왔다고 합니다. 수까르노에 따르면 항해 중, 인도네시아 선원들은 배에서 이루어진 처녀들과의 접촉 결과를 서로 이야기하면서 그녀들의 운명을 안타깝게 생각했다고 합니다. 선원 중 한 명은 배 안에서 일본 군인에 의해 처참하게 윤간당한 인도네시아 처녀 이야기를 전했다고 합니다.

그녀들이 고향에 있는 가족들에게 전해 달라는 전언을 어떻게 할 것인지도 서로 의견을 나누었다고 합니다. 수까르노의 배는 자바로 직접 귀항하지 않고 동남아 해역을 계속 돌아다니면서 싱가포르, 방콕, 필리핀, 홍콩 등에 기항했다고 합니다. 언제나 일본 전함이 수까르노가 탄 배를 호위했고 해안선을 끼고 항해를 했다고 합니다.

그는 배 안에서 처녀들과 접촉한 동료 선원들의 이름을 기억하고 있었습니다. 그 중에는 수까르노와 해양학교 동기 동창이었던 중부 자바 솔로 출신인 항해사 사이드(Said), 꾼 하스모노(Kun Hasmono) 마까사르 출신인 안디 덴당(Andi Dendang) 등이 있습니다. 모두 젊은 항해 보조기사였는데, 꾼 하스모노는 동부 자바 빠머까산(Pamekasan)에서 학교를 마쳤고 안디 덴당은 마까사르에서 학교를 졸업했다고 합니다.

싱가포르 기항 중 그들은 1945년 8월 17일에 있었던 인도네시아 독립 선언 소식을 들었고 그 즉시 선박에 인도네시아 국기를 게양하고 꾸스노(O.P. Koesno)가 선장이 되어 인도네시아로 돌아왔다고 합니다. 그 후, 목선인 '제 36 수라 마루'는 인도네시아 선박조합에 가입을 했고 선박 이름도 라셈(Lasem)으로 변경했다고 합니다. '라셈'은 인도네시아 정부 지시를 몇 차례 계속해서 수행했기 때문에 선원들이 배에서 만난 처녀들의 전언을 그녀의 가족들에게 전할 기회가 주어지지 않았다고 합니다.

"몇 차례 '라셈'은 자바 지역을 벗어나 항해한 후, 배는 중국 국민당 깃발을 게양하고 선박 이름도 'Tian Huang'이라고 변경되었습니다. 우리는 철선을 구입하기 위해 고무, 차, 설탕을 싣고 싱가포르로 출항했습니다. 성공적으로 선적물과 철선을 서로 매매 교환한 후, 배를 자바로 가져 왔습니다. 그 철선의 이름을 '가자 마다Gajah Mada'*로 했고 모항은 서부 자바 치레

* 인도네시아 마자빠힛(Majapahit) 왕조(14세기)의 유명한 재상 이름

본으로, 그리고 수깜또(Soekamto)가 선장이 되었습니다. 인도네시아로 돌아오기 전에 우리는 기차를 타고 인도차이나반도를 종단하여 방콕으로 가는 여행을 잠시 했었습니다."

수까르노가 계속 말하기를,

"1947년 9월 어느 날 아침, 우리는 방콕 시내를 걷다가 정말 우연히 수미야띠를 다시 만나게 되었습니다. 예상치 못한 만남이었습니다. 만약 그녀가 먼저 아는 척을 하지 않았으면 우리는 그녀를 알아보지 못했을 것입니다. 그녀는 이미 태국식 전통 의상을 입고, 피부색도 태국인과 비슷하게 변해 있었습니다. 그녀는 우리를 집으로 초대했습니다. 그녀는 이미 태국 남성과 결혼을 했다고 밝혔습니다. 수미야띠의 남편은 작은 공장에서 일하는 노동자였는데 그들의 집은 가난에 찌들어 보였고, 집은 도시 외곽에 있었는데 자바 지역 농부들 집처럼 초라했습니다."

그날 아침, 그녀의 남편이 돌아올 때까지 수까르노 일행은 수미야띠와 지난 이야기를 했고, 특히 그녀가 겪었던 비참한 상황에 대해 자세하게 들었다고 합니다.

"'제 36 수라 마루'에서 하선한 후 수미야띠와 그 일행은 어떤 장소로 이동했다고 합니다(수까르노는 그 장소 이름을 기억하지 못했습니다). 그 건물은 밖에서 안을 드려다 볼 수 없을 정도로 높은 대나무 담장이 둘러쳐져 있었다고 합니다. 이틀에 걸쳐 기숙사에 있는 여학생들처럼 건강검진 등 간단한 절차를 밟았다고 합니다.

일주일이 지난 후 그녀들은 후방에서 휴식을 취하는 일본군 병사들의 성 노리개로 내 던져졌고 그녀들은 그 어떤 도움의 손길도 없이, 반항할 마음도 먹지 못한 채 가혹한 운명 앞에 무릎을 꿇게 되었다고 합니다. 그녀들에게 있어 물리적 폭행은 이미 낯설은 것이 아니었다고 합니다. 기숙사 사감처럼 위안부들을 감독하는 일본 여성이 있었는데, 그녀는 일본 군인들에게 최상의 즐길 거리를 주기 위해 애를 썼다고 합니다.

자바에서 같이 온 50여 명의 위안부들과 함께 계속해서 줄지어 들이닥치는 일본 군인들을 상대하면서, 점점 그들은 성적 노예로 변해 갔다고 수미야띠는 눈물을 흘리면서 말했습니다. 각각의 위안부들은 방 하나씩 배정받았는데 방 번호가 적힌 표를 든 일본 병사들은 그 번호에 맞춰 방으로 들어왔고, 방 앞에서 먼저 들어간 병사가 나올 때까지 줄을 지어 기다렸다고 합니다. 위안부들은 '근무시간'이 있어 그 시간 이외에는 병사들은 방에 들어올 수 없었다고 합니다."

일본이 항복한 후, 그녀들은 어미 닭을 잃은 병아리 신세가 되었습니다. 자바로 돌아가길 원했으나 가는 길을 몰랐고 수중에 돈이 없었습니다. 그들은 일본으로부터 급여를 받았는가? 아닙니다! 단지 그들은 일정한 날에 소액의 위로금을 받아, 허가를 받고 도시 구경할 때 사용하던지 기숙사 밖에서 간단한 음식을 사 먹을 때 사용했다고 합니다.

"그들은 모두 돌아가기를 원했으나 방법과 돈이 없었습니다. 보호자도 없었고 친구도 없었습니다. 해외였기 때문에. 대부분 돌아가길 원했으나, 심각하게 훼손되어 이미 몸이 더럽혀진 도덕적 결함 때문에 그녀들은 가족의 남아 있는 명예를 그나마 지키기 위해 고향으로 돌아가는 것을 주저했다고 합니다.

수미야띠 역시 돌아가기를 희망했습니다. 그런데 이미 그녀는 남편이 있는 몸이 되었고 따라서 귀국할 수 있는 희망이 더 희박해진 것입니다. 그녀는 내게 다음과 같이 말을 했습니다.

'나는 이미 몸이 망쳐진 상태입니다. 또한 남편이 있습니다. 이곳 먼 곳에서 인도네시아 독립 투쟁을 위해 무슨 일이든 돕겠습니다. 그렇게 크게 일하지는 못하겠지만.'

그녀는 인도네시아 독립과 그에 따른 직면한 문제들을 신문을 통해 잘 알고 있었습니다. 그녀는 우리 선원들에게 인도네시아로 돌아가게 되면 아직 살아 있을 부모님에게 슴바 숭껌(sembah sungkem)*을 대신해 달라는 요청을 했습니다.

그녀는 같은 위안소에 있던 동료들 중 일본이 항복한 후 몇 명은 일본으로 강제로 끌려갔는데 어디로 갔는지는 알지 못한다고 했습니다. 태국에는 인도네시아 출신 위안부가 약 15명이 살고 있다고 했습니다. 그녀는 그들의 주소를 알지 못했습니다. 그들은 각기 흩어졌고 경제적인 어려움으로 서로 만날 기회가 없었다고 합니다. 태국인 남편 사이에는 1947년까지 아이는 없었습니다. 수미야띠는 지금의 남편과는 항구에서 일을 찾아 헤맬 때 서로 만나게 되었다고 합니다. 그녀의 남편은 우리가 헤어질 때까지 돌아오지 않았고 그 이후 나는 그녀를 다시 만나지 못했습니다."

* 무릎을 꿇고 상대방 손을 잡고 이마를 상대방 무릎이나 발에 대는 자바 식의 극진한 인사법

여러분들은 이제 왜 수미야띠가 슴바 숭껌을 수까르노에게 부탁했는지 그 이유를 이해할 수 있을 것입니다. 가족의 주소를 알고 있었지만 그 동안 그녀는 의도적으로 편지나 소식을 그녀 가족에게 보내지 않았던 것입니다. 결국 가족들과의 관계는 단절되고 말았던 것입니다. 그들은 과거에 존재하지 않았던 사람으로 버림받고 잊혀지게 된 것입니다.

물론 그중에는 뜻밖의 기회를 얻은 사람도 있었습니다.

– 1978년 9월 와나뿌라에서 유디(Yudhi)와 수잇노(Suyitno, 1934년생) 간 인터뷰 한 내용 인용.

중부 자바 족자카르타 출신인 수잇노는 1944년도에 그의 마을에서 벌어진 사건을 정확히 기억하고 있었다. 어느 날 그의 집 이웃이었던 B.R.M.J (성명을 밝히지 않고 영문 대문자 이니셜로 처리) 집으로 일본인들이 찾아와, 당시 중학교 2학년에 재학 중이었던 B.R.M.J의 17세 딸인 H를 데리고 갔다. 알려지기로는 H는 일본에 가서 학업을 계속할 것이라고 했다. H가 집을 떠난 후, 한동안 그녀로부터 소식은 전해지지 않았다. 주민들 역시, 머릿속에서 H에 대한 기억이 점점 희미해져 갔다. B.R.M.J는 자바 귀족 계급에 속해 있는 가문 출신이며 당시 마두끼스모(Madukismo) 설탕제조회사의 이사직을 담당하고 있었다.

그런데 뜻밖에도 1961-1962년경에 H에 대한 소식이 다시 들리기 시작했다.

어느 날, 구날란(Gunalan)이라는 젊은 청년이 B.R.M.J 집을 찾아 왔는데 그가 바로 H의 아들이었다. 구날란은 H의 편지와 사진을 가지고 와, 외할아버지인 B.R.M.J에게 전달했다. 구날란은 싱가포르에서 인도네시아로 왔는데 인도네시아 서부 자바 추룩(Curug)에 있는 비행학교에서 교육을 받기 위해 온 것이라고 했다.

구날란은 H가 일본으로부터 버림을 받고 그동안 어떻게 살아냈는지를 외갓집 식구들에게 전했다. 일본은 학업을 위해 H를 일본으로 데려가지 않았고 싱가포르에 있는 한 군인호텔에 위안부로 배치시켰다고 한다. 그 후, 호텔을 몰래 도망쳐 나온 H는 싱가포르에서 같은 마을 출신인 W를 만나 정식부부처럼 행세하면서 숨죽이며 살았다고 한다. W는 일본 보조병인 헤이호에서 몰래 빠져나온 도망병이었다.

일본이 항복한 후 그들은 식당 하나를 열었다고 한다. H와 W, 모두 인도네시아에 있는 그들의 가족들로부터 어쩔 수 없이 기억에서 지워져 가는 사람들이 되고 있었다. 여기서 우리는 위안부로 끌려나간 사람들이 그들의 가족에 대해 느끼는 윤리적 부담감이 얼마나 큰지를 알 수가 있다. 1944년 집을 떠난 후 1961-1962년까지 약 17-18년이 경과하는 동안 그녀는 가족에게 연락을 취하지 않은 것만 보더라도 그 부담감이 얼마나 컸는가를 알 수 있다.

그런데 비행 조종사 과정을 밟고 있는 유능한 그의 첫아들인 구날란을 그녀의 부모에게 보냄으로써 그동안 그녀가 겪어야 했던 윤리적 부담감을 어느 정도 덜어내기를 희망하지 않았나 생각해 볼 수 있다.

이렇게 잊혀진 사람 중에 생각하지도 않은 기회를 잡은 사람도 있지만 대부분 그들 가족과 연락을 의도적으로 하지 않았습니다. 그것은 위안부 출신 여성들이 스스로 느끼는 윤리적 부담감 때문만 아니라 일본의 유혹과 강압 앞에 그 내용을 자세히 파악하지 않고 자식을 제공한 그들 부모에 대한 위안부 출신 여성들의 항의와 원망의 표시

이기도 했습니다. 버려지고 잊혀진 사람들은 아직도 비참한 삶 속에서 생활하고 있습니다.

그 좋은 예로서 부루(Buru) 섬 내륙에 있는 알푸루(Alfuru)* 종족 사회 속에서 우리가 버리고 잊은 위안부 출신의 여성들이 발견되고 있다는 것입니다. 나와 내 동료들은 그녀들의 비참한 생활을 직접 목격했습니다. 바로 그녀들에 대한 이야기를 이제 여러분에게 전하고 싶은 것입니다. 이야기를 이어가기 전에 인도네시아 출신 위안부에 대한 사항을 다음과 같이 정리하고 싶습니다.

첫째. 위안부 출신 여성들은 지금까지 일본의 공식적인 사과와 적정의 배상을 받지 못한 채 내팽개쳐져 있다.

둘째. 버려진 위안부 출신 여성들은 각자의 삶을 비참하게 이어갈 뿐, 희망을 버린 지 오래다.

셋째. 그녀들은 인도네시아 정부로부터 법률적 지원을 받지 못하고 있다.

넷째. 그녀들의 가족들로부터도 관심을 받지 못하고, 잊혀져 가고 있다.

다섯째. 그 결과 1979년까지 약 35년 동안, 그녀들은 버려져 망각된 사람들이 되었다.

* 인도네시아 말루꾸 제도에 산재해 있는 미개한 반유목 부족

제 5 부

부루(Buru) 섬의 잊혀진 처녀들

여기서 부루 섬에 반체제 정치범으로 억류되었던 나를 포함한 우리 동료들이 그곳에서의 경험을 여러분에게 말하고자 하는 것은 아닙니다. 사실 그것은 그렇게 대단한 경험은 아니었습니다. 우리들은 역사 사실이나 문학 작품 속에서 사람들이 잊혀지고, 버려진 사례와 이야기에 대해 잘 알고 있습니다.

우리에게 익숙한 마하바라타(Mahabharata)*와 라마야나(Ramayana)**도 유폐되고 억류된 운명에 대해 많은 이야기를 하고 있지 않습니까? 인도의 서사시를 제외하더라도 세계 문학에 있어서도 등장인물이 강압에 의해 유폐되고 억류되는 이야기를 줄거리로 삼은 작품이 많습니다.

* 인도 3대 고대 서사시 중 하나. '위대한 바타라 왕조'라는 의미이며 총 20만 개가 넘는 운문이 250만여 개의 단어로 이루어져 있다

** 인도 3대 고대 서사시 중 하나. 비슈누 신의 제7대 화신인 코살라국의 왕자인 '라마'의 파란만장한 무용담. 7편 2만 4천 송(頌)으로 이루어졌다

인도네시아에서도 보벤-디굴(Boven-Digul)*에 대한 Dr. Schoonheyt의 1930년대 글이 있고, 6권으로 된 『Lari dari Digul』(디굴로부터 탈출)이라는 책이 민족운동 촉진을 위한 비용 마련 때문에 발간된 적이 있습니다. 그 후 오늘까지 인간의 억류와 유폐를 테마로 한 문학 작품이 인도네시아에서도 많이 출간되었습니다.

그런데, 이 글을 통해서 우리들이 그동안 몰랐던 인도네시아 처녀들이 버림받고 내팽개쳐진 또 다른 유폐와 망각의 이야기를 나는 여러분에게 전하고 싶습니다. 이 이야기는 버림을 받았고, 지금도 받고 있는 그 사람들을 내 동료가 직접 또는 간접으로 만나 하나하나 모은 것을 내가 정리한 것입니다.

아마 여러분들 대부분이 태어나기 전인 1969년 8월 16일, 오후, 반체제 정치범으로 낙인찍힌 약 800명의 우리 일행은 중부 자바, 남쪽 해안에 있는 누사 깜방안(Nusa Kambangan) 항구를 떠나 부루 섬으로 향하는 배 위에 있었습니다. 여러분들이 잘 아시는 것처럼 그 다음 날인 8월 17일은 인도네시아가 독립**을 선포한 지 24주년이 되는 날이었습니다.

고철 덩어리인 배는 항해 중 두 번씩이나 기관 고장을 일으켰습니다. 낡은 배 엔진은 허덕거리며 천천히 굴러가는 자전거 속도로 3천 톤의 선체를 앞으로 끌고 나갔습니다. 11일 후에 우리들은 부루 섬 까옐리(Kayeli) 만에 있는 남레아(Namlea) 항구에 어렵사리 도착했는

* 인도네시아 네덜란드 식민정부가 운용한 악명 높았던 범죄자 수용소. 뉴 기니 섬 서쪽에 위치

** 3년 5개월여의 일본 식민통치를 받은 후, 1945년 8월 17일 독립 선포

데 그동안 물고기 밥으로 먹히지 않은 것이 이상할 정도였습니다.

항구에 도착하자마자 즉시 군인들은 우리를 섬 안쪽으로 이동시켰습니다. 그런 다음 다시 부루 섬 오지인 아뿌(Apu) 강 상류 지역으로 끌고 들어갔습니다. 바로 그곳이 인도네시아 정부가 우리들의 집단 억류지로 지정한 곳이었는데 사바나 지역으로 주위 환경은 매우 황량하였습니다.

다시 말씀드리지만, 내가 부루 섬에서 겪은 경험은 대단한 것이 못됩니다. 그것보다 더 기막혔던 사실은 당시 우리보다 먼저 그 섬에 버려지고 잊혀진 사람들이 있었다는 것입니다.

그들은 다름이 아니라 도쿄와 싱가포르에서 학업을 계속시켜 주겠다는 일본의 기만에 찬 약속을 믿고 고향을 떠나온, 이제는 늙어가는 자바 출신 처녀들이었습니다. 지금까지 우리 그 누구도 그들의 존재에 대해서, 그들의 비참한 운명에 대해서 전혀 관심을 두지 않았던 바로 위안부 출신 여성들이 그곳에 있었습니다.

우리 일행이 도착한 후 또 다른 일행들이 속속 부루 섬에 도착하여 전체 수용 인원이 1만 명 정도가 되었습니다. 첫 번째로 도착해서 자리 잡은 집단 억류지를 우리들은 와나야사(Wanayasa)라고 지칭했습니다. 와나야사에서 생활한 지 몇 년이 지난 1972년도에 예상치 못한 일이 벌어졌습니다.

나와 같이 반체제 정치범으로 억류된 동료 한 명이 우리보다 먼저 부루 섬에 버려진 사람 두 명을 만난 사실이 알려졌기 때문입니다. 그 동료는 동남아시아 해역의 항해 경험이 풍부한 선장 출신인 수딴또(R. Sutanto)(1929년 중부 자바 스마랑 출생)였는데 그들과의 직접 만남은 1972년 9월 어느 날 오전 8시경, 부루 섬 북쪽에 있는 오지 중 하나인 사바나자야(Savanajaya) 지역에서 우연히 이루어졌다고 합니다.

수딴또의 이야기는 다음과 같습니다.

그때 나는 우리가 '말다툼'(인도네시어로 승께따(Sengketa)) 언덕이라고 이름 붙인 곳에 있었다. 물론 이 지명은 지도에서는 발견되지 않는다. 그 언덕 이름의 유래는 사람들이 그 곳에서 앞으로 나갈 길을 찾는데 서로 다른 네 가지 의견이 나왔기 때문이라고 한다. 그 지역은 산악지대였으며 우리는 산을 포함해서 각 지형마다 이름을 붙였다.

사실 부루 섬 현지 원주민들은 생활하는 데 있어 지명이 별로 필요한 것처럼 보이지 않았다. 우리는 각 언덕마다 이름을 붙였다. 예를 들어 '긴 언덕'이라는 의미인 부낏 빤장(Bukit Panjang), '만남의 언덕'이라는 부낏 뻐르뜨무안(Bukit Pertemuan), 그리고 '따일란 언덕'(Bukit Tailan) 등이 그것이다. 마지막 지명인 '따일란 언덕'은 백단유* 수집 팀에 소속된 란(Lan)이라는 동료가 그곳에서 대변을 보았기 때문이다. 그의 임무는 백단 나무껍질을 모아 기름을 짜는 일이었다.

내 임무는 백단 나무를 찾는 일이었다. 그날 나는 사바나자야 지역에서 백단 나무를 찾고 있었다. 그때 알푸루 종족 여자 두 명이 백단 나무가 듬성듬성 나 있는 목초지대의 오솔길을 따라 걸어오고 있었다. 그들은 라껫(Rakek) 산 쪽으로 향해 가고 있었는데 그들의 신체는 거의 같아 보였다. 키는 크지도 작지도 않았고 용모와 몸 움직임

* 백단 나뭇조각을 고압 증기로 증류하여 얻는 향유. 비누, 화장품 등의 원료

도 거의 비슷했다. 나이는 오십 대로 보였으며 두 명 모두 젊었을 때는 미모였을 매력적인 흔적이 얼굴에 아직 남아 있었다.

그들 옷은 낡았지만 수수했고 피부 역시 깨끗했다. 다행스럽게도 알푸루 종족 사람들이 흔히 겪는 일종의 풍토 피부병인 까스까도(Kaskado)*를 앓은 흔적이 없었다. 그들 몸은 나름으로 가꾼 것으로 보였다. 내 생각에는 그들이 자매처럼 보였다. 왜냐면 남편이 있는 알푸루 여성들처럼 창이나 칼을 찬 남자들의 호위를 받지 않고 있었기 때문이었다. 그들이 손에 쥔 것이라고는 가방처럼 보이는 짐뿐이었다. 그녀들은 힘든 삶을 사는 것처럼 보였지만 건강 상태는 좋아 보였다. 머리카락 일부는 이미 하얗게 백발로 변해 있었다.

"어디 가시나요?"

내가 먼저 말을 걸었다. 뜻밖에 그들 입에서 현지인들과는 다르게 정확한 인도네시아어가 발음 되었다.

"여기 사람 같지 않은데요?" 내가 다시 물었다.

"어디서 오셨나요?".

"자바에서 왔어요."

"자바 어디지요?"

"중부 자바에요."

나이가 좀 더 든 여자가 더 많은 이야기를 했다. 그들은 중부 자바, 어느 지역에서 왔는지는 말하지 않았다. 우리는 자바어로 말하기 시작했다.

"어떻게 여기까지 오셨는지요?"

* 열대 풍토병 중 하나인 피부병

"사실 오래전에 일본에 가서 공부를 계속하기를 원했었지요."

"그런데 어떻게 여기 계시는 것이지요?"

"모르겠어요. 그들 일본이 우리를 여기로 데리고 왔어요."

"그것이 언제였나요?"

"1944년이에요."

"지금은 어디서 사시나요?"

"여기서 멀어요."

그들은 더 이야기하지 않았다. 그들 이름조차도 비밀로 하는 것 같았다.

"자바로 돌아가고 싶지 않으세요?"

그들은 돌아가고 싶은 마음도 희망도 없다고 말했다. 왜냐면 가족이나 친구들을 다시 만날 엄두가 나지 않기 때문이라고 했다. 그리고는 그들은 입을 다물었다. 나 역시 할당량이 주어진 백단 나무 찾는 일이 더 급했다. 내가 먼저 가겠다고 양해를 그들에게 구했다. 헤어지기 전에 그들은 이곳 우리 일행 중에 자바 사람들이 있느냐고 내게 물었다. 아직 확실히 알지 못하지만 이곳 우리 동료 중 약 85 퍼센트 정도는 자바 사람이라고 생각되며 나 역시 동부 자바 사람이라고 말해주었다.

"이곳에 자바에서 온 사람들이 있다는 것을 들어서 알고 있어요."

그녀들이 대답했다.

인도네시아가 일본 식민통치를 받을 때 인도네시아 여학생들을 일본으로 보내 학업을 계속 시켜준다는 이야기를 나는 들은 적이 있다. 그 대상자 중에는 내 여자 친구도 있었는데 당시 그 아이는 중학교 1학년이었다. 그런데 그 여자 친구를 1950년경에 중부 자바 스마랑에서 우연히 만났었다. 다행스럽게도 그 친구는 일본으로 출발하지 않은 것이다. 사바나자야 지역에서 자바 출신 두 여성을 만난 이후, 나는 그들에 대해 생각할 여유가 없었다. 다만 그들이 어디서 사는지 물어보지 못한 것이 마음 한구석에 남아 있었다. 2, 3개월 후 내 동료 중 한 명이 그녀들을 만났다는 소식이 들려 왔다. 그때도 그녀들은 두 명이었다고 하는데 역시 이름과 거주지를 밝히지 않았다고 한다.

아마 여러분들은 왜 그녀들이 이름과 거주지를 끝까지 비밀로 했는지를 이상하게 생각할 것입니다. 우리들 역시 그 이유를 몇 년이 지난 후 비로소 알게 되었습니다.

다음은 내 동료인 수유드(Suyud-1936년 중부 자바, 스마랑 출생)가 부루 섬에 버려진 위안부 출신인 여성을 만난 이야기입니다.

– 1978년 집단 억류지 와나 끈차나(Wana Kencana에서 수유드와
탄 호엔 휘(Tan Hoen Hwie)와 인터뷰한 내용 인용.

정확하게 며칠인지는 기억나지 않지만 1972년 7월 어느 날 오후 2시경, 내가 아푸 강 근처 밭에 있는 농막에서 쉬고 있었는데, 알고 지내는 살리삭(Salisak)이라는 이름을 갖고 있는 오십 대 남성인 현지 주민이 나를 찾아 왔다. 그가 말하기를 정치범으로 억류 되어 있는 우리 동료 중, 중부 자바 스마랑에서 온 사람을 찾는 현지 여성이 있다는 것이었다. 그런데 내가 바로 스마랑 출신이었다.

살리삭을 따라 그가 살고 있는 마을로 갔는데, 거기서 나는 중년

의 한 여인을 만났다. 그녀의 이름은 수띠나(Sutinah)라고 했다. 우리들의 만남은 대나무로 엮은 집에서 진행이 되었다. 내 소개를 했을 때 그녀는 엷은 미소를 지어 보였다. 내가 보기에는 그녀는 부루 섬 원주민으로 보이질 않았다. 그녀의 피부는 전형적인 자바 사람이었다. 까스까도나 코끼리 피부병*을 앓은 흔적이 없었다. 그녀의 얼굴에는 아직도 젊었을 때 예뻤을 흔적이 남아 있었고, 관자놀이에 있는 까만 점이 인상적이었다.

그녀는 내가 정말 스마랑에서 왔는지를 물었다. 내가 그렇다고 대답을 하니까 더욱 친절하게 응대해 주었다. 그녀는 스마랑 출신이고 거주지는 스마랑의 한 구역인 주르나딴(Jurnatan)이라고 했는데 부모 이름은 말하지 않았다. 다만 그녀의 아버지는 스마랑에 있었던 가스 제조 공장의 임원이었다고만 밝혔다.

그녀는 장녀였고 밑으로 하르요노(Haryono)라는 남동생이 있다고 했다. 그런데 바로 하르요노와 내가 스마랑에 있는 까니시우스(Kanisius) 중학교 동기 동창이었던 것이 그녀와의 대화를 통해서 밝혀졌다. 사실 이제는 거의 기억에서 사라졌지만, 오래전에 하르요노로부터 그의 누이에 대한 이야기를 들을 적이 있었다. 하르요노는 이제 스마랑에서 살지 않고 자카르타로 이사 간 것으로 나는 알고 있었다.

수띠나는 왜 그녀가 부루 섬까지 왔는지를 이야기해 주었다. 그녀는 학교에 보내 주겠다는 일본의 꼬임에 넘어가 말루꾸 제도에 있는 이 부루 섬으로 일본 군인을 위한 위안부로 끌려 왔다고, 지난

* 만성적인 림프 부종으로 팔, 다리의 피부가 비대해지는 질환

날 그녀의 모진 삶을 밝혔다. 그녀는 부루 섬, 남레아 지역에 배치되었고 매일매일을 지옥처럼 보냈는데 현지 종족 청년의 도움을 받아 같은 처지의 두 명의 동료와 함께 위안소를 힘겹게 탈출할 수 있었다고 했다.

수유드는 그녀와 같이 탈출한 동료 두 명의 이름을 확인하지 못한 것을 후회했다.

수띠나는 탈출을 도와준 그 현지 청년과 부부생활을 시작했고 그의 남편은 지금 와이 띠나(Wai Tina) 마을의 촌장이 되었다고 밝혔다. 말끝에 그녀는 자바에 있는 그녀의 부모와 형제들을 보고 싶다고 말했다. 그녀는 내가 나중에 자유의 몸이 되면 같이 자바로 돌아가고 싶다고 말하기도 했다. 당시 내 운명도 억류 되어 있는 정치범 신분이었기 때문에, 그 어떤 희망도 없었다. 단지 그녀의 희망에 쓰디쓴 웃음으로 대답을 했을 뿐이었다.

이상이 내 동료인 수유드의 확인입니다.

나는 부루 섬 산악지대에 살고 있는 알푸루 종족 청년들 몇몇이 기리뿌라(Giripura) 집단 억류지에 있는 정치범들을 만나기 위해 찾아왔었다는 소식을 아뿌 강 상류에 있는 동료에게서 들었습니다. 여기서 여러분들이 알아야 할 것은 기리뿌라 집단 억류지는 부루 섬 가장 내륙에 있다는 것입니다.

우리가 밭에서 집단 노역을 하고 있을 때 청년들은 그들 모친의 메시지를 들고 왔습니다. 메시지는 '그곳에 가서 방금 도착한 자바 어머니의 자식들인 너희 형제들을 만나봐라'라는 내용이었습니다. 그들이 사용하는 언어는 현지, 토착화된 멀라유(Melayu)어*였습니다. 그들은 그렇게 간단히 말을 전하고 무슨 일이 있는지 황급히 산으로 돌아갔습니다. 그런 후, 그들은 다시 나타나지 않았고 관계는 자연스럽게 단절이 되었습니다.

처음에는 우리 동료들은 그 이유를 몰랐습니다. 그 후 수집된 여러 정황과 증거들을 통해 그녀들이 일본에 의해 버려진 위안부들임을 알게 되었습니다. 우리는 과거 일본 군대에 의해 자행된 야만적인 행위로, 이렇게 문명화된 지금 이 시대에 젊은 처녀들이 할머니가 될 때까지 족쇄가 채워진 세월을 살아내고 있다는 사실에 경악했습니다.

다음은 부루 섬에 남아 있는 위안부 출신 여성과의 예상치 못한 만남의 기록입니다.

– 수띡노(Sutikno W.S) 기록 내용 인용.

1973년 연말 어느 날, 아침에 집단 억류지 와나수르야(Wanasurya)에 있는 농막으로 한 여성이 찾아 왔다. 그녀는 체격이 컸으며 알푸르 종족 여성들과는 달리 피부는 깨끗했고 까스까도나 다른 피부병을 앓은 흔적이 없어 보였다. 그녀의 인도네시아어는 유창했고 자바 식 발음으로 말을 했다. 그녀는 스마랑 출신인 술라스뜨리(Sulastri)라고 자기소개를 했고, 눈물을 흘리면서 다음과 같이 나에게 도움을 요청했다.

* 오스트로네시아어족에 속하며 7세기 이전부터 인도네시아 남부 수마트라를 중심으로 발전, 확대되었으며 인도네시아 국어(Bahasa Indonesia)로 공식 지정된 언어

"만약 당신이 자바로 돌아가게 되면 나를 꼭 같이 데려가 주세요. 내가 이곳에서 벗어날 수 있게만 해 주신다면 정말 고맙겠습니다. 이곳에서 나는 너무나 많은 고통을 받았는데 여기서 벗어나는 방법과 길을 아직 모르고 있어요. 정말 도와주시기 바랍니다."

그렇게 부탁한 후, 그녀가 살아온 슬프고도 비참한 지난 이야기를 시작했다.

도쿄에서 학업을 계속 시켜주겠다는 일본인 장교의 약속을 믿고 내 부모는 결국 나를 그 군인에게 넘겼다. 처음에는 내 부모는 여러 구실을 들어 그 장교의 제안을 거절했지만 점차 태도가 돌변하여, 그의 제안을 받아 드리지 않는다면 이는 천황 폐하에 대항하는 것이고, 그것은 중한 벌을 면치 못할 것이라는 위협이 있었다.

1944년 어느 날, 끝내 견디지 못한 내 부모와 나는 눈물 속에서 이별하게 되었다. 1945년까지 마까사르에서 일본 군인들의 성적 노리개로 술집에서 술집으로 전전하게 되었다. 그곳에서 인간 이하의 취급과 멸시를 받았는데, 그때 내가 만난 위안부들의 전체 숫자는 대략 2백 명이 넘었고 그중 2십여 명은 스마랑 출신이었다. 그 후 나는 배에 태워져 외진 섬으로 보내졌는데 나중에 그 섬이 부루 섬이라는 것을 알게 되었다.

일본이 패망하고 부루 섬에 있던 위안부 출신 여성들은 아무 대책 없이 해산되었다. 각자가 살길을 찾아야만 했었다. 살아남기 위해 나는 현지 원주민들의 사회 속으로 들어갈 수밖에 없었다. 이곳, 부루 섬에서 내 청춘은 영원히 사라져 버리게 되었다. 아직 원시적이고 반유목민 형태인 수렵, 채집 사회인 알푸루 종족 사회의 일원이 된 것이다. 나는 현지 원주민인 한 남성의 소유가 되었고 또한 마을 공동 소유의 재산이 되는 운명을 맞게 되었다. 내가 살고 있는 지역 이름은 구농 비루-비루(Gunung Biru-biru)인데 나왕목과 고무나무 등 열대 우림으로 뒤덮인 험한 지형이고 따마(Tama)라는 씨족이 장악하고 있는 지역이다.

그녀가 이곳 와나수르야까지 오는 길도 결코 만만치 않았다. 몇 개의 산을 넘고 골짜기를 지나 부루 섬 북부와 남부를 가로지르는 길 아닌 길을 따라 왔는데, 잔인하기로 유명한 와이 띠나 다라(Wai Tina Dara) 씨족 지역도 거쳐 왔다고 했다. 그녀의 남편은 외부 사람과 그녀가 자기가 알지 못하는 말로 이렇게 이야기하는 것을 용인하지 않을 것이라 했다. 특히 자바에서 사람들이 이곳 부루 섬으로 들어온 이후로, 그녀 남편의 의심은 더욱 커졌다고 한다.

그녀는 우리들이 자바로 돌아갈 때, 같이 데려가기를 간절히 희망했다. 그녀의 부모가 사망했는지, 생존해 있는지를 그녀는 몰랐다. 수띡노에게 그녀는 두 명의 동생들이 있다고 밝혔다.

그녀가 속마음을 다 이야기하기 전에 갑자기 알푸루 종족 한 남자가 손에 창과 허리에 칼을 차고 나타났다. 그는 머리에 자바 식 두건을 쓰고 있었는데, 이빨은 검게 빛나고 있었다. 술라스뜨리는 내일 다시 오겠다는 약속을 끝으로 입을 다물었고 급하게 그 자리를 떴다.

다음 날, 그녀는 정말 약속한 대로 다시 왔고 자유롭게 말하는 자유가 없음을 탄식했다. 두 번째 만남에서도 많은 이야기를 들을 수 없었다. 왜냐면 다시 그의 남편이 나타났고, 그녀는 급하게 그 자리를 떠나야만 했었기 때문이다. 그녀의 남편에게 잠시 쉬면서 같이 이야기를 하자고 권유했지만 돌아온 대답은 창끝을 그의 부인에게 겨누면서 내 제안을 거절하는 의미로 머리를 흔들 뿐이었다.

나는 담배 두 봉지를 주머니에서 꺼내 그녀의 남편에게 전했다.

"이것 두 개, 당신을 위한 것이다."

그는 고개를 끄덕이며 나를 쳐다보면서 검게 빛나는 이빨을 들어 보였다.

"고맙다. 그럼 이만 실례한다."

그 이후 술라스뜨리는 더 이상 나타나지 않았다.

이상이 수떡노의 기록이었습니다.

다음은 와나 끈차나 집단 억류지(1974년 이 억류지는 해체 되었다)에서 내 동료인 마아뜨(Ma'at)와 수따디(Sutadi)가 숲속에서 나무를 톱질할 때 만난 한 여성에 대한 이야기입니다.

그녀는 수와르띠(Suwarti)라고 아직도 정확한 자바어를 구사하는 여성이었다. 그녀는 스마랑 출생이었다. 그녀의 집은 바바 수 한 죠(Babah Soe Ham Djoe) 담배 공장 창고 뒤에 있었다.

그녀의 아버지 이름을 아쉽게도 마아뜨와 수따디가 기록하지 못했다. 그녀의 아버지는 스마랑에 있는 가스 슬레꼬(Gas Sleko) 공장에서 일을 했다고 한다. 수와르띠는 일본 도쿄에서 학업을 계속 시켜주겠다는 일본의 속임수에 넘어갔는데 그녀의 출발을 관장했던 쿠추(Kuchoo)라고 불렀던 사람의 이름을 아직 기억하고 있었다.

당시, 인도네시아 여학생들을 소집하고 출발시킨 일을 하는 사람을 왁 잔(wak jan)이라고 불렀다고 한다. 그때 그녀의 나이는 열네 살이었고 초등학교 5학년 과정을 마쳤는데, 당시 일본은 그녀 또래의 여학생들에게 도쿄에 가서 학업을 계속할 수 있다고 선전을 했다고 한다.

"그런 선전은 학교뿐만 아니라 군수, 면장, 구장, 반장을 통해 널리 퍼졌지요. '대동아 전쟁'의 승리와 번영을 위해 우리 같은 소녀들도 그 위대한 사업에 뒤처져서는 안 된다고 했지요. 우리는 결국 그들이 준비한 집단 수용의 기숙사로 줄을 맞춰 들어가게 되었지요. 나는 같은 도시 출신인 스물두 명의 여자들과 함께 빠져나올 수 없는 덫에 걸리게 된 것이지요. 결코 끝날 것 같지 않은 온갖 고초와 고생이 그때부터 시작된 것이지요."

우리와 그녀와의 만남이 이루어진 시기는 1973년이었다. 그녀가 일본이 쳐 놓은 덫에 걸린 연도는 1944년이었고, 따라서 이미 29년이라는 짧지 않은 시간이 지난 후였다. 그녀는 계속해서 이야기하기를, 그녀 일행은 자바를 출발(선박 이름, 규모는 모름)하여 여러 섬을 거친 후 부루 섬 남쪽에 도착했다고 한다. 그녀 일행은 몇 개의 산을 오르내린 끝에 빨라마다(Pala(t)mada) 산기슭에 있는 일본군 지하 요새에 도착했다고 한다.

그곳에서 그녀들은 지금까지 한 번도 경험해 보지 못한 충격 속에, 성에 굶주린 일본 군인들의 먹잇감으로 내던져졌다고 한다. 누구도 그녀들을 도울 수 없었고, 그곳에서 그녀들은 체면, 위신, 자존심, 문화, 문명, 그리고 외부와의 연결 통로가 하나도 남김없이 파괴되었다. 그리고는 일본 패전과 동시에 그녀들은 지하 요새에 내팽개쳐졌다. 그 안에 있던 여자들은 밖에서 무슨 일이 벌어지는지 전혀 몰랐다고 한다. 단지 그녀들이 파악한 것은 일본군 병사가 비밀리에 그녀들 곁을 떠나가고 있다는 사실뿐이었다. 그녀들은 결국 지하 요새를 빠져나오는 길을 스스로 찾아야만 했었다고 한다.

다른 이야기가 또 있습니다. 뜨리스뚜띠(Tristuti Rahmadi Suryosaputro)(1935년 스마랑 출생)는 직업이 달랑(dalang)*이었는데 1978년 8월 부루 섬에서 진행된 인터뷰에서 다음과 같이 밝히고 있습니다.

1974년 어느 날 내가 밭에서 쟁기질하고 있을 때 멀리 있는 대나무 숲 밑에서 중년 여성 한 명이 작은 아이를 안고 조용히 앉아 있었다. 아이는 태어난 지 9개월 정도로 보였는데 그녀의 자식이 아닌 것으로 보였다. 오후 늦게까지 신발도 벗지 않은 채 그녀는 그렇게 꼼짝 않고 가만히 앉아 있었다.

내가 그 여자 곁으로 가서 말을 걸었을 때 그녀가 격식에 맞는 자바어를 하는 것을 듣고 놀랐다. 그녀가 말하기를 자기는 촌장의 부인인데 배가 고프니 싱꽁(singkong)**을 좀 달라고 내게 부탁을 했다. 그녀는 중부 자바, 오노기리(Wonogiri) 지역 경찰관의 딸이라고 자기를 소개했다. 일본은 그녀에게 산파 교육을 시켜주고 교육이 끝나면 병원에서 근무할 수 있게 주선하겠다는 약속을 했고 그것을 믿었던 부모가 겨우 열네 살인 그녀를 일본의 마수에 넘겼다고 했다. 그때가

* 인도네시아 전통 예술인 그림자 연극(wayang kulit)을 진행하는 辯士

** 고구마처럼 생긴 열대작물 중 하나

1943년이라고 그녀가 밝혔다.

그녀는 다양한 계층 출신 여자들 40여 명과 함께 스마랑에 집합하여 기숙사처럼 생긴 중간 집결지에 들어갔고, 그 후 일행은 배에 태워져 말루꾸 제도에 있는 암본(Ambon)으로 보내졌다. 그곳에서도 기숙사에 수용되었는데 일본 군인들이 보초를 서고 감시를 했다고 한다. 그녀 일행에게는 기숙사 안에서 아무 일도 주어지지 않았고 단지 먹고, 잘 뿐이었다. 어떤 공부도, 일도 시키지 않았는데, 다시 나이에 따라 그룹으로 분류되었는데 그녀가 속한 그룹은 배에 태워져 말루꾸 제도에 있는 세람 섬으로 보내졌다고 한다.

그녀 일행은 일본 군인들에 의해 자행된 집단강간을 겪고 나서야, 그들 앞에 닥친 운명이 무엇인지 바로 알게 되었다. 결국 그녀는 일본 군인을 위한 성 노예가 된 것이다. 그 후, 인도네시아 다른 지역 출신 여성들이 위안부로 도착을 했고 그녀와 몇몇 동료들은 부루 섬 북쪽으로 보내졌다. 그곳에서도 그들은 높은 담장이 쳐진 기숙사에서 일본 군인의 감시 아래 생활하게 되었다.

일본이 패전한 후, 그녀들은 버림받았고. 기숙사는 폐쇄된 채 각자 살길을 찾아 뿔뿔이 흩어지게 되었다. 그녀 역시 알푸루 종족 사람에 이끌려 부루 섬, 내륙으로 들어가게 되었다고 한다. 그녀를 데려간 남자는 얼마 지나지 않아 사망했고, 그 남자의 재산 상속인은 그녀를 다시 더 깊은 오지, 내륙으로 데리고 들어가서 지금까지 같이 생활하고 있다고 했다.

나는 그녀의 이름을 물어보지 못했다. 그녀가 떠나기 전에 다음과 같은 희망을 자바어로 내게 전했다.

"만약 선생께서 자바로 돌아갈 때 저도 따라가고 싶습니다. 이제 더 이상 힘든 이곳에서 살고 싶은 마음이 없어요. 그동안 뼈가 부서지도록 온 힘을 다해 길을 만들었고, 논, 다리, 집, 둑을 만들었어요."

그녀와 아이는 대나무로 엮은 집 너머로 사라졌고 다시는 나타나지 않았다.

여기까지가 뜨리스뚜띠가 전한 이야기였습니다.

다음은 1979년에 기록된 와나수르야 집단 억류지에 있었던 사로니(Sarony)가 전한 위안부에 대한 또 다른 이야기입니다.

1973년 10월 19일, 와나수르야에 어떤 늙은 여자 한 명이 나타났다. 그날 216명의 정치범들은 레만(Leman) 강에 다리를 놓기 위해 목재를 나르고 있었다. 누구도 창을 든 알푸루 종족 남자 뒤를 따라 걷는 그 여자를 신경 써서 바라본 사람은 아무도 없었다. 우리가 일하면서 지르는 고함 소리가 모든 것을 삼켜 버렸다. 그때 우리는 우연히 고개를 돌려 그 여자를 바라보게 되었고 그녀는 우리 곁을 스쳐 지나가면서 조용히 물었다.

"혹시 여기 있는 사람 중 스마랑에서 온 사람이 있는지요?"

우리가 대답하기 전에 그 여자는 우리에게 다시 물었다.

"아니면, 중부 자바, 끌라뗀(Klaten)에서 온 사람은 혹시 있는지요?"

뒤를 돌아보지 않고 그 여자는 계속 말을 이어 갔다. 그때 길 끝에서 그녀를 사납게 빨리 오라고 다그치는 목소리가 들렸다. 그녀의 남편이었다.

1974년 중반경, 그녀는 다시 와나물야(Wanamulya) 집단 억류지에 나타났다. 몇몇 동료가 그녀의 인상착의를 기록했는데, 이름은 스리야뚠(Sriyatun), 출생지는 스마랑이고 키는 약 153센티미터 정도 되었다. 몇 개월 후, 와나물야 집단 억류지에서 우리들의 동료인 수하디(Suhadi)는 농막 앞을 지나가는 그녀와 다시 만나게 되었다. 같은 고향 사람을 만나기 위해 의도적으로 그녀가 찾아 온 것으로 보였다. 그녀는 수하디에게 일본에 속아서 부루 섬까지 왔다고 말했다.

아쉽게도 그는 그녀의 부모 이름, 고향 주소를 파악하지 못했다. 그녀는 우리 일행 중 그녀의 가족을 아는 사람이 혹시 있지 않을까 계속 찾았다고 한다. 그러나 수하디와 그녀 간 만남은 다시 이루어지지 않았다. 1974년 2월, 어느 금요일에 동료들이 아뿌 강변 밭을 개간하고 있을 때 Pwd*라는 이름의 동료가 그 여자를 다시 만날 수 있었다고 한다. 그녀는 약 열한 살 먹은 남자아이와 동행하고 있었는데 그 만남 역시 잠시였다고 한다. 따라서 그녀에 대한 이야기를 많이 알아낼 수 없었다.

위안부 출신인 수미야띠(Sumiyati)하고는 여러 차례 만남이 이루어졌습니다. 그러나 그녀에 얽힌 이야기는 많이 알아내지 못했습니다. 그녀와의 만남은 부루 섬에 있는 몇 군데 집단 억류지에서 이루어졌습니다. 다음은 수미야띠에 대한 이야기입니다.

정치범들이 부루 섬에 처음 도착했을 때 식량 자급을 위한 경작지

* 개인 신상 정보 보호 요청으로 이름을 약자로 표기

가 충분하지 못했다. 야채는 들판에서 부족분을 채집했는데, 이때 현지 원주민들과의 접촉이 이루어졌다. 초기에는 정치범들과 현지 주민 간 접촉이 없었고, 심지어는 서로가 경원시 하는 분위기였다. 왜냐면 정치범들은 범죄자, 또는 살인자라는 낙인이 찍혔고 이런 소문이 현지 원주민들에게는 하나의 심리적 압박으로 가해졌기 때문이다.

와나물야 집단 억류지에서 약 4 킬로미터 거리에 와이 로(Wai Lo)라는 원주민 마을이 있었는데, 식량 부족으로 인해 정치범들은 먹을 것을 구하기 위해 그 마을을 찾게 되었다. 거기서 우리 동료인 slr* 은 이제는 중년 여성이 된, 위안부 출신인 수미야띠를 만나게 된다. 그녀는 나뭇잎으로 벽을 막은 오두막에서 살고 있었다. 오두막 안에 작은 부엌이 있었고 지붕 역시 나뭇잎으로 엮었다. 몇 차례 slr은 그곳에서 고구마가 심어진 집 뒤에 있는 밭의 잡초를 뽑아 주었고 밭 정리하는 것을 도와주었다. slr이 집단 거주지로 돌아올 때 그녀로부터 물과 바나나를 받아 가지고 오곤 했다.

그 후, 우리 동료 세 명이 죽순을 숲에서 찾기 위해 구눙 껀추르(Gunung Kencur) 언덕 (생강이라고 지역 이름이 붙은 것은 수십 헥타르의 풀밭에 야생 생강이 자생하고 있었기 때문에 붙여진 이름이며 얼마 후, 이 지역은 논으로 바뀜)에서 무거운 짐을 이고 가는 수미야띠를 만났다. 그녀는 중부 자바의 끌라뗀 출신이며, 지금은 부루 섬의 와이 로(Wai Lo) 강 상류에서 산다고 했다.

우리 동료들이 수미야띠를 만난 시기가 1972년도였는데, 1년 후인 1973년 slr은 그의 동료 한 명과 함께 수미야띠의 오두막을 찾았

* 개인 신상 정보 보호 요청으로 이름을 약자로 표기

다. 오두막 안에는 인기척이 없었고 집 주위는 잡초가 무성했다. slr과 그의 동료는 집 뒤에 있는 밭의 잡초를 깨끗이 정리해 주었다. 그때 뜻하지 않게 부엌 쪽에서 신음 소리가 들려 slr이 달려가 보니 수미야띠가 부엌 바닥에 쓰러져 있었다. 급하게 그녀를 부엌 화덕에 누이고 남은 구급약으로 치료를 했다. 그녀는 황달을 앓고 있었으며 가슴이 많이 부풀어 오른 상태였다.

slr이 수미야띠를 치료한 후, 몇 년이 지난 다음에 그녀에 대한 소식이 다시 들렸다. 당시 부루 섬에 사상충증* 전염병이 창궐했는데, 이 질병은 오랜 기간 이곳 원주민들을 괴롭혔다. 이 전염병에 걸린 이곳 원주민들의 모습은 낯설지 않은 풍경이 되었다. 다행스럽게도 정치범들 사이에는 이 전염병이 돌지 않았으나 서서히 감염의 전조 증상이 보이기 시작했다. 특히 대퇴부가 붓는 사람들이 증가하기 시작했다. 따라서 의무실에서 일하고 있는 동료들은 '사상충증 전담반'을 구성해서 그 전염병의 원천인 원주민 마을들을 주의 깊게 관찰하기 시작했다.

1975년 어느 날, '사상충증 전담반'은 와이 로 마을을 조사하기 시작했다. 이때 와나까르따(Wanakarta) 집단 억류지에서 온 수바르조(Subarjo)가 일을 돕기 위해 동행을 했다. 일행은 한 오두막을 거쳐 갔는데, 그곳에서 그들은 커피를 대접받았다고 한다. 그 오두막에는 늙은 여자와 함께 젊은 여자 한 명도 같이 살고 있었다고 한다. 수바르조가 확언하건데 그 젊은 여자는 그 늙은 여자의 딸이 아닐 것이라

* 모기 등에 의해 옮겨지는 일종의 기생충 감염. 림프관에 서식하며 피부가 두꺼워지고 부종을 유발

했다. 왜냐면 서로가 친하게 보이지 않았기 때문이라 했다.

젊은 여자가 강으로 갔을 때 늙은 여자가 일행에게 자기 이름은 수미야띠라고 소개했다고 한다. 그녀는 자와 끄르모 잉길(Jawa Krmo Inggil)*을 사용했고 태도는 공손했다고 한다. 서로 나이가 비슷한 수바르조와 수미야띠와 자바어를 사용하여 대화를 했다고 한다.

"언제쯤 부인은 자바로 돌아갈 수 있다고 생각하나요?"

그녀는 머리를 끄덕이며 대답을 했다.

"아! 선생님, 여기는 무척 힘들고 어렵고 매우 불안정합니다."

"부인 남편은 어디로 갔나요?"

"오늘 아침에 친구들과 와나 야사(Wanayasa)**로 외출했습니다."

수바르조는 이 마을 주민 대표들을 '사상충증 전담반'이 와나야사로 소집했을 것으로 생각했다.

"왜 이렇게 집 안이 조용하지요. 아이는 없나요?"

갑자기 수미야띠가 자리에서 일어났다. 왜냐하면 계단 아래에서 낯선 이방인들을 보기 위해 아이들이 모여드는 소리를 들었기 때문이었다. 그녀와 말을 끝내기 전에 자기는 와이 로 마을 촌장 부인이라고 소개를 했다. 그날 동료 몇몇은 분석을 위한 토양 채취로 바빴다. 토양의 채취 및 포장을 끝내고 집단 거주지로 돌아오는 길에 와이 로 주민 일행을 만났는데, 그 안에 수미야띠가 있었다고 한다.

그 후, 수미야띠와 예상 밖의 만남은 이루어지지 않았습니다. 여

* 자바어의 격식체로 한국어의 존댓말과 유사

** 부루 섬에 있는 집단 억류지 중 하나

기서 우리는 원주민인 알푸루 종족 남편들이 그의 부인들이 부루 섬을 떠나 자바로 돌아가는 것을 거세게 반대하고 있음을 알 수 있었습니다. 이러한 반대는 현지인 남편들이 부인을 바라보는 시각에 근거하고 있습니다. 즉, 부인은 남편의 재산이고 다른 재산과 마찬가지로 다른 사람과 교환할 수 있고 매매할 수 있으며, 동생이나 아버지에게 물려 줄 수도 있다는 생각이 바로 그것입니다.

더 심각한 것은 부인을 노동력의 원천이고 남편의 삶을 위해 존재하는 대상으로 인식한다는 것입니다. 따라서 외부에서 온 낯선 사람이 그 부인들과 마주쳐도, 직접적인 대화 자체가 불가능한 것이 현실이었습니다. 우리 정치범들이 부루 섬에 도착한 이후, 원주민 부인들은 더욱더 감시를 받게 된 것입니다.

부루 섬의 여자들은, 땅콩을 수확할 때나 건기*가 되어 습지의 수위가 낮아져 고기를 잡을 때 또는 천수답에 모를 심을 때 집단으로 동원이 되곤 했습니다. 이때 위안부 출신 여성들은 마을 주민들 가운데에 위치시키고 칼과 창을 든 남성들이 그들을 감시하고 있었습니다. 이러한 상황에서 그녀들에게 가까이 다가가서 말을 거는 것은 불가능했습니다. 더구나 그녀들이 잔악하기로 소문난 부루 섬, 오지에 사는 산 종족의 부인일 경우 더욱 그러했습니다. 따라서 부루 섬의 현지 여자들과 대화 없이 지내는 것이 더 좋았습니다. 자연스럽게 이러한 대화 단절에 대해, 오래전에 버려진 사람들과 최근에 버려진 사람들 간에 암묵적인 이해가 형성되었다고 볼 수 있습니다.

그러한 상황이 지속 되다가, 1976년에 의미 있는 사건으로 기록될

* 부루 섬은 건기, 우기, 두 계절이 있으며 4월부터 9월까지가 건기임

수 있는 위안부 출신 여성과의 만남이 이루어졌습니다. 1976년 2월 4일 수쁘리호노(Soeprihono Koeswadi)의 기록 내용을 인용해서, 여러분들에게 수쁘리호노가 위안부 출신인 까르띠니(Kartini)를 만난 이야기를 다음과 같이 전합니다.

태양은 거의 머리 위까지 와 있는 것 같았다. 그날 나는 부루 섬 북부에 있는 안호니(Anhoni) 언덕 기슭 숲 가운데 있는 오두막에 있었다. 거기서 우리 일행 여덟 명과 사탕야자 나무인 에나우(enau)에서 설탕을 추출, 제조하는 임무를 수행하고 있었다.

일행 중에 동료인 사르디(Kang Sardi)가 있었는데 그의 임무는 설탕 제조였다. 나와 사르디는 설탕을 추출하기 위한 준비를 하고 있었고 다른 사람들은 사탕야자를 증기로 찌기 위한 땔감을 구하러 숲속으로 들어가 있었다. 나와 사르디 사이의 대화는 사르디가 갑자기 부루어로 누군가에게 말하는 바람에 중단되었다.

"안녕하세요?"

"네. 잘 지내고 있어요."

아주 가난에 찌든 삶이 우리 앞에 그 모습을 나타냈다.

"이리로 들어오세요."

어깨까지 아무렇게나 내려온 머리카락, 바싹 마른 입술에 땀에 젖은 한 중년의 여자와 한 명의 여자아이 그리고 방금 사르디와 대화를 나눈 남자가 오두막 안으로 들어왔다. 그들은 부엌에서 설탕 추출을 준비하고 있는 사르디와 대화를 시작했다.

그 중년 부인은 여자아이의 어머니 같았다. 그녀는 알푸루 종족 여자들과는 달라 보였다. 머리는 비녀를 꽂아 잘 정리했고, 끄바야

(kebaya)*는 이미 낡아 빛이 바랬지만 주름을 잡아 잘 갈무리가 되어 있었다.

남자는 창을 땅에 꽂고, 칼을 허리춤에서 풀은 다음 우리 곁에 앉았다.

"어디 가세요?"

내가 물었다.

"이곳에 온 것이요."

그 여자아이는 중년 부인에게 귓속말을 했지만 들을 수는 없었다.

"물 마시고 싶어요."

아이는 목말라 했다.

"그럼 물을 마시고 와."

"아니에요. 찬물을 마시고 싶어요."

"여기 찬물이 있다."

여자아이는 급하게 맘껏 물을 마시기 시작했다.

"저 부인은 자바 사람처럼 보이는데 그렇지 않은가요?"

내가 자바어로 사르디에게 물었다. 그는 눈빛으로 그렇다는 암시를 내게 보내 주었다.

"그럼 여기서 잠시 기다리세요. 설탕이 완성되면 우리는 돌아갈 것입니다."

"나는 빈랑**을 찾아볼게요."

남자는 그렇게 말하면서 자리에서 일어났다.

* 인도네시아 여성의 전통 의상 중 상의

** 檳榔, 야자과에 속하는 열대성 상록교목. 열매를 씹으면 약간의 환각 증세가 나타남

그리고는 그 중년 부인과 잠시 대화를 했는데 부루어로 했기 때문에 나는 이해할 수 없었다. 남자는 다시 칼을 허리에 차고 오두막 부엌을 나섰다. 그리고는 땅에 꽂혀 있는 창을 다시 뽑아 들고 사르디를 향해 물었다.

"사탕야자 수확이 잘 되었나요?"

"그런대로 잘 되었어요."

남자는 오두막 앞에 있는 강을 따라 걷기 시작했다. 사르디는 내게 자바어로 말을 건넸다.

"자, 지금 저 부인의 남편이 없으니 궁금한 것을 물어보지요."

부인이 물었다.

"자바 어디에서 오셨는지요?"

중년 부인이 자바어로 물었을 때, 나는 놀라 거의 기절할 뻔했다.

"족자카르타입니다. 부인."

나는 주저 없이 대답했다.

"아, 그렇군요. 내 집과 가까운 곳이네요. 나는 스마랑에서 왔습니다."

"여기 사신지 오래되었나요? 부인."

"일본 시대부터 여기서 살고 있어요."

갑자기 부인 얼굴이 슬프게 변했다.

"이름이 어떻게 되세요? 부인"

"내 이름은 까르띠니이고, 아버지는 내가 어렸을 적인 네덜란드 시대 때 군청에서 일을 했지요."

"그런데 부인은 어떻게 여기까지 오게 된 것이에요? 그 이야기를 해 줄 수 있으신가요?"

"그때 아버지께서는 나를 도쿄에 보내 학업을 계속 시키고 싶다고 말씀하셨지요. 그 말씀이 있은 후 얼마 되지 않은 어느 날 오후, 일본인이 집에 와서 나를 자동차에 태우고 집 가까이에 있는 끈달(Kendal)로 데려 갔지요. 그 날 내가 가지고 간 것이라곤 옷이 들어 있는 두 개의 짐 가방뿐이었지요. 스따겐(Setagen)이라는 허리띠와 뻴랑이(Pelangi)라는 어깨띠가 그 안에 들어 있었어요. 그 뻴랑이는 웃옷에 걸치는 바람막이용인데 아직도 보관하고 있어요."

까르띠니는 계속해서 이야기했다. 끈달에 있었던 기숙사에는 까르띠니와 같은 또래의 여자들이 이미 많이 집합해 있었고, 모두들 해외에 나가 학업을 계속한다는 사실에 들 떠 있었다고 한다.

"자기 이름이 세뜨로(Setro)라는 여자가 우리들을 안내했는데 화장실, 욕실 등의 위치를 알려 주었고 나중에 배에 탔을 때 허리띠인 스따겐을 꼭 조이라고 이야기해 주었어요. 끈달에서 일주일을 체류했고 그 후 우리들은 창문이 가려진 자동차에 태워져 출발했지요. 아침에 출발했는데 점심 때쯤 잘 모르는 어떤 장소에 도착했지요. 그런 다음 철저한 감시 속에 우리들은 승선했지요. 기숙사에서 따라온 어떤 일본 사람이 배에 오르는 우리들 숫자를 한 명씩 세었지요. 배에는 이미 여러 지역에서 온 내 또래의 친구들이 있었습니다. 나는 배를 탄 후 먼저와 있던 또래 친구들과 인사할 겨를이 없었어요. 왜냐면 끈달 기숙사에서 따라온 그 일본인이 나를 불렀기 때문입니다. 그의 방에 들어가자마자, 그는 웃으며 내 몸을 거칠게 더듬기 시작했지요. 그의 입에서 '이쁜 아가씨'라고 중얼거리면서 그리고는 나를 끌어안고 강제로 입맞춤을 했지요. 나는 두려움에 몸을 떨면서 비명을 질렀지만 그 대머리 일본인은 막무가내였지요. 그렇게 내 뻴랑이는 눈물을 닦는데 사용되었지요.

나를 도와줄 사람은 아무도 없었어요. 다시 나는 배 안에 있는 어느 방으로 강제로 끌려갔어요. 그때 뺄랑이는 내 얼굴을 가리는데 사용되었지요. 그는 나를 강제로 침대에 다시 눕혔어요. 그리고는 얼마가 지났는지 모르지만, 깨어났을 때는 내 몸은 부서질 것 같았고 옷은 다 흐트러져 있었지요. 몸 구석구석이 아팠어요. 이제 이렇게 늙은 여자가 무엇을 망설이며 말하겠어요. 부끄러워할 필요가 없겠지요. 그 날, 내 음부는 빨갛게 부어올라 쓰라렸고 피로 붉게 물들었지요. 나는 그저 슬피 울뿐이었어요. 그는 계속해서 나를 범했고 그때마다 나는 기절을 했지요. 결국 나는 울음도 나올 수 없는 상태가 되었지요. 배가 멈출 때까지 나는 계속 방에 감금되어 있었지요. 그동안 내가 몇 번이나 기절했는지 알 수가 없었어요. 나는 이제 처녀가 아니었지요. 배가 항구에 도착한 후에야 나는 배에서 내릴 수가 있었지요. 그 대머리 일본인으로부터 벗어 날 수 있어서 그나마 마음이 놓였습니다.

우리 일행은 어느 집으로 보내졌지요. 그곳에도 대머리인 일본인들이 많이 있었지요. 그런데 끈달에서부터 따라온 그 대머리 일본인은 다시 보이지 않았지요. 그들은 좀 더 예의가 있어 보였어요. 나는 그들만 위해서 일했지요. 밤이 되면 그들은 나를 번갈아 가며 안았지요. 내 동료들도 모두 같은 운명임을 서로 알고 있었어요. 옷이라고는 내 몸에 걸친 것이 전부였어요. 그들은 내게 그 어떤 것도 주지 않았지요. 그중에 자바어를 할 줄 아는 일본인이 치마 한 벌을 준 것이 전부였지요. 얼마 있다가 그 일본인은 스마랑에서 나와 같이 온 동료 두 명과 함께 말루꾸 제도에 있는 모로따이(Morotai)로 갔습니다. 그중 내 동료 한 명은 말라리아에 걸려 사망했다는 소식을 나중에서야 듣게 되었지요. 나는 밤낮을 가리지 않고 일본인들을 위해 일을 했는데 그들은 해안가에서 돌을 옮기는 노무자들을 감독하는 일을 했지요. 그 후 중국에서 위안부들이 도착했고 그때부턴 나는 일본인과 잠자리를 같이 하지 않았어요. 왜냐면 종종 아팠기 때문이에요. 그때 나는 그곳을 도망칠 궁리를 시작했어요. 어느 날, 나는 숲속으로 도망치는데 성공했고 그곳에서 나무를 자르고 있는 알푸루 종족 남자를 만났지요. 그는 나를 그의 집으로 데려갔고 결국에는 한 가족처럼 되었지요. 그런데 얼마 후 그 남자가 죽고 나는 다시 혼자 내버려지게 되었지요. 그래서 나는 다시 그곳에서 몰래 도망쳤고 그런 다음에 지금 남편을 만났고 ----."

나는 그녀에게 자바로 돌아가고 싶지 않으냐고 물었다.

"물론 돌아가기를 원하지요. 그러나 --- 어머니도 그립고, 아버지, 형제들 --- 그러나,"

여기까지 그녀의 말이 이어지다가 끊어졌다. 왜냐면 그녀의 남편이 가까이 왔기 때문이었다. 나 역시 돌아가야 하기 때문에 대화가 이어지질 못했다. 나는 사르디가 준비한 설탕을 짊어지고 그 숲속 안에 있는 오두막을 떠났다. 그 후, 나는 다시 그녀를 우연히 만나게 되었다. 그녀 일행은 모두 네 명이었다. 그중 한 명은 막 청소년기로 접어드는 남자아이도 한 명 있었는데 신체가 건장하고 머리카락은 굵고 억세 보였다. 그의 남편은 머리에 두건을 쓰고 있었는데 항상 그녀 곁에 있어서 그녀와 이야기 할 수 없었다.

여기까지가 수쁘리호노의 기록입니다.

아직까지 우리는 까르띠니가 어디에 사는지 확인할 수 없습니다.

아마도 수띠나 또는 술라스뜨리처럼 이곳 원주민 사회에 완전히 동화되어 살고 있는 것으로 추측해 볼 뿐입니다.

수쁘리호노와 까르띠니 간 만남이 이루어진 후 5개월이 지난 어느 날, '반둥지질연구팀(Bandung Geology Team)'이 부루 섬 내륙 깊숙한 곳까지 진입한 적이 있습니다. 그 팀은 1976년 7월 와이 띠나(Wai Tina) 지역으로 들어갔고 같은 달에 조사를 마치고 그 지역을 빠져나왔습니다.

그 사실은 부루 섬 산악지대를 통치하던 추장인 빠띠 와엘(Pati Wael)의 집 거실 벽에 있는 낙서로 확인할 수 있습니다. 그 벽 왼쪽에 "와이 띠나에서 돌아왔다. 1976년 7월 23일", 그 오른쪽에는 "Bandung Geology Team, Geological Survey of Indonesian Mapping Division, July/September 76"이라고 쓰여 있었습니다. 팀원 중 한 명이 기리뿌라 집단 억류지 책임자인 목따르(Mokhtar)에게 그가 산악지대에서 까르띠니를 만난 결과를 다음과 같이 전했다고 합니다.

'그녀는 이미 늙었고, 이제는 자바로 돌아갈 마음이 없어 보였다.'

위 사실에 비추어 보아 목따르는 까르띠니가 산악지대를 통치하는 추장인 빠띠 와엘의 처라고 생각했다고 합니다. 그러나 그녀가 어디 살며, 누구의 부인인지는 결코 알 수가 없었습니다. 그녀에 대한 추가 내용이 수쁘리호노 기록에서 발견되고 있습니다. 즉, 사르디는 1978년 이슬람교도들 정월 초하루 명절인 르바란(Lebaran) 때, 부루 섬 내륙에 있는 까르띠니 집을 방문한 적이 있다고 적고 있습니다.

사르디는 아디뿌라에서 새벽 3시에 출발하여 도보로 8시간 걸려 그녀의 집에 도착했고 다시 오후 4시에 까르띠니 집을 출발하여 밤 11시에 아디뿌라에 도착했다고 기록하고 있습니다. 그런데 아쉽게도 사르디는 까르띠니가 어디에 살고 있는지를 기록하지 않았습니다. 사르디는 1978년 연말에 사면이 되어 자바로 돌아갔습니다.

여기서 우리는 부정할 수 없는 확실한 사실을 파악할 수 있습니다. 즉 일본이 자행한 만행 때문에 버려진 여성들이 아직도 엄연하게 생존해 있다는 현실이 바로 그것입니다. 이렇게 문명화된 세상에 결코 믿을 수 없는 허황된 이야기가 사실이 되어 존재하고 있다는 것입니다. 부루 섬 이외의 다른 지역에서도 같은 운명의 여성들이 이미 사망했던지 아니면 힘겹게 생존해 있을 것입니다.

물론 내가 여러분에게 말하는 것이 완벽하지 않고 많이 부족한 내용임을 잘 알고 있습니다. 그 이유로는,

첫째. 그녀들과의 만남이 우연히 그리고 짧은 시간 안에 제한적으로 이루어졌고, 알푸루 원주민 남성들의 의혹과 시기심 속에서 그 만남이 진행되었다

둘째. 집단 억류지에 있었던 정치범들은 자유로운 상황이 아니었고, 현지 주민들과 접촉이 사실상 금지 되어 있었다

셋째. 정치범들은 부루 섬 도착 후 살아남기 위한 생존이 더 우선했기 때문에 딴 문제에 신경을 쓸 겨를이 없었기 때문이다.

이 글을 여러분에게 쓰고 있는 이 시간까지 35년 동안 그녀들은 사랑하는 가족과 고향을 등진 채 버려진 사람으로 살고 있습니다. 지금까지 그녀들을 직접 만나 청취한 내용과 간접으로 취합한 내용을 정리하면 다음과 같습니다.

1. 1943년부터 1945년까지 일본 군국주의의 속임수에 빠져 위안부가 된 인도네시아 처녀들이 부루 섬에 생존해 있다
2. 그들은 문화와 문명 세계로부터 격리된 채 비참하고 미개한 삶 속에 있다.
3. 가족들조차도 그녀들을 찾을 노력을 보이지 않고 의도적으로 망각하고 있으며 인도네시아 정부 자체도 그녀들이 존재하지 않았던 사람처럼 간주하고 있다
4. 그녀들은 가족과 상봉을 시도해 보지 못했고 그 가능성도 준비되지 않았다
5. 그녀들은 그들의 가족을 그리워하고 있고 대부분은 귀향하기를 원하고 있으나 그 방법을 모르고 있다
6. 그녀들의 남편이나 부루 섬 지역 사람 앞에서 외부 사람에게 자신들의 출신 지역 언어, 특히 자바어로 말하기를 주저하고 있다
7. 그녀들은 비참한 삶의 굴레 속에 있다. 그녀들의 고단한 일상은 나이보다 더 늙어 보이게 했고 전염병 감염과 의료시설 미비로 인해 그들 중 많은 숫자가 이미 사망했다

제 6 부

시띠(Siti F.)의 흔적

여기저기 작은 숲이 있고 갈대가 우거진 황무지에 있는 와나야사(Wanayasa) 집단 억류지에서 우리는 F라고 부르는 중년 여성을 알게 되었다. 그녀는 와이 아뿌(Wai Apu) 강 건너편에 살고 있었다. 그녀는 키가 작았고 날씬했다. 피부는 알푸루 종족과 별반 다르지 않게 검었다. 그녀는 현지 멀러유어 구어체 언어를 사용하였다. 1969년에 처음 그녀를 만났는데 우리는 그녀 나이를 약 46세로 추정했다.

그녀의 특색 중 하나는 행동이 알푸루 여성들과는 달랐다는 것이다. 그녀는 지도력이 있어 보였고 주민들로부터 존경을 받았는데, 이는 알푸루 여성들에게서는 볼 수 없는 현상이었다. 남성이나 여성들 모두는 그녀의 명령과 지시를 따랐고 심지어는 그녀의 남편도 그녀의 지시를 따랐다. 그녀의 발걸음은 자바의 귀족 계급 가족에게서나 볼 수 있는 절제된 것이었다. 그러한 발걸음으로 그녀는 갈대밭과 숲을 드나들었다. 발걸음만 봐서도 그녀는 분명 현지 여자가 아니었다. 그녀의 옷과 머리는 늘 정갈하게 정돈이 되어 있었다. 그녀의 머리카락은 짙은 검은색이었고 현지 사람들처럼 적갈색이 아니었다.

나는 그녀를 와이 아뿌 강가에 있는 우리 정치범 수용소 관리를 총괄하는 다엥 마시가(Daeng Masiga) 대위 집에 갔던 11월에 만났다. 그녀는 망고 나무 아래 앉아 주민들에게 사구(sagu)*를 숙성시키는 방법을 가르쳐 주고 있었다.

내 관심을 끈 것은 오지그릇으로 만들어진 판을 사구를 숙성시키는 데 사용하고 있다는 것이었다. 그녀는 그 오지그릇을 다엥 마시가 대위 집에서 빌려 왔다고 했다. 그녀는 와이 아뿌 강을 오고 갈 때 작은 배를 이용하였다. 그녀는 항상 어린 여자아이를 데리고 다녔다. 그녀는 다엥 마시가 대위 일행이 부임하여 도착했을 때 현지 주민들이 추는 환영의 춤인 차깔레레(cakalele)를 이끌었고 그녀 자신도 무대에 올라가 알푸루 종족의 음악에 맞춰 춤을 추었다고 한다.

다엥 마시가 대위는 판잣집 하나를 지어 그녀에게 주었는데 집 짓는 것은 와나야사 집단 억류지에서 온 우리 동료들이 했다. 그 집은 마을에서 유일한 나무 판잣집이 되었다. 1972년 다엥 마시가 대위는 나와 수쁘랍또(Suprapto) 교수와 함께 와이 아뿌 강을 건너 와나레자 집단 억류지로 같이 갔다. 그곳에서 생각지 않게 자카르타, 홍콩, 오스트레일리아 그리고 네덜란드에서 온 일단의 기자들과 만났다**. 돌아오는 길에 우리는 잠시 까르띠니의 집에 들렀다. 그녀는 우리에게

* sago라고도 한다. 나무줄기에 녹말 성분을 함유하고 있고 주식 재료로 활용할 수 있음

** 수하르또 정권은 국제사회 압력으로 인해 정치범 집단 억류지를 서방 외신 기자들에게 비정기적으로 공개했음

커피를 대접했는데 식탁보가 깔린 탁자가 준비되어 있었고 부엌에서는 음식이 만들어지고 있었다.

나는 그녀가 사용하는 말을 주의 깊게 들었다. 그녀는 새로운 구어체 멀라유어를 사용하고 있었다. 또한 분명 알푸루 종족 모습과는 다른 까르띠니의 손 움직임, 눈초리, 옆얼굴을 유심히 바라보았다. 사실 그때까지 나는 그녀와 대화를 나눈 적이 없었다. 그때 마을 사람들과 그녀가 이야기하는 것이 들렸는데 그들 대화에서 빠르렌떼(parlente)라는 말이 들렸다. 그 말의 뜻을 처음에는 이해하지 못했다가 어렸을 때 삼촌들이 옷을 멋지게 입은 상태를 뻐르렌떼(perlente)라는 말로 표현했던 것을 기억해 냈다. 퍼르렌타이(Perlentai)의 의미가 모험, 방랑자 등의 뜻이 있다는 것을 오래전 책에서 읽은 기억도 같이 났다. 그런데 이 부루 섬 오지에서 빠르렌떼는 '농담', '거짓말'이라는 의미로 사용되고 있는 것을 나중에 알게 되었다. 분명 이 어휘는 라틴어(불어 : parler)에서 유래된 것으로 포르투갈의 영향이 아닌가 생각되었다.

나중에 알려진 사실은 F 부인은 서부 자바 순다(Sunda)* 사람이라는 것이었다. 그것은 그녀가 혹시 우리 동료 중에 서부 자바에서 온 꼬사시(Kosasih)라는 이름의 사람이 있는지를 찾고 있다는 소식을 취합한 결과였다. 사실 나와 같은 집단 억류지에 있는 동료 중에 꼬사시라는 이름을 갖고 있는 사람이 있었으나, 그녀가 찾고자 하는 사람이 아니었다. 당시 열 개 정도의 집단 억류지가 부루 섬, 북부 지역에 산재해 있었다. 그녀가 집단 억류지를 하나하나 찾아다니면서 꼬

* 서부 자바 지역을 일명 순다(Sunda)라고 함

사시라는 사람을 찾고 있다는 소문이 이어져 들려 왔으나 오랫동안 그녀는 찾는 사람을 만나지 못한 것으로 보였다.

자바에서 부루 섬으로 온 여성들이 일본군에 속아, 강간을 당하고 불행한 삶을 사는 사람들이라는 소문이 커질수록, 그녀도 그중 한 명이라고 자연스럽게 여기게 되었다. 집단 억류지가 어느 정도 안정이 된 후, 우리 동료들은 부루 섬에 남아 있는 자바에서 온 여성들의 상황을 직, 간접으로 파악하기 시작했다. F 부인에 대한 파악은 사로니가 맡았다. 다음은 사로니와 F 부인 간 현지 멀라유어 구어체로 진행된 질의응답 내용이다. (S : 사로니/SF : 시띠(Siti F.))

S 나는 오랫동안 음박유 사야(mbakyu saya)라는 이름을 찾고 있었는데 그 이름을 갖고 있는 사람이 부인이라는 것을 알게 되었습니다.

SF 아, 그렇군요. 그것은 알려지지 않은 내 이름이에요.

S 부인은 오래전에 자바에서 왔는데, 당시 부인과 같이 이곳에 온 동료들의 이름을 말해줄 수 있습니까?

SF 한 명의 이름이 기억나네요. 마르리나(Marlina)라고 부루 섬 해안가에 살았지요. 아마 그 친구도 이곳 사람처럼 이름을 바꿨을 것이에요. 그녀는 해안가에서 부기스(Bugis)* 남성과 결혼해 살고 있을 것이에요.

S 몇 명의 동료들과 이 섬에 들어왔는지요?

SF 세 명이었어요.

S 부인의 본래 이름은 무엇인가요?

* 인도네시아 술라웨시(Sulawesi) 지역을 중심으로 한 해양 종족

SF 지금 그것이 알려지는 것은 바람직하지 않아요.

S 방금 한 명의 친구 이름을 말해주었는데 다른 사람 이름도 기억나는지 그리고 그들은 현재 어디서 살고 있는지요?

SF 와이 띠나(Wai Tina) 지역에 있는데 이제 나이가 들어 아픈 것으로 알고 있어요. 그 친구의 이름은 띠띠(Titi)이고 아버지 이름은 누르 다완(Nur Dawan)이라고 알고 있어요.

S 부인은 어디 출신인가요?

SF 서부 자바 수방(Subang)이에요.

S 어떻게 여기까지 왔는지요?

SF 면사무소에 전부 모여서 일본인들이 준비한 자동차로 반둥까지 갔지요. 다시 기차에 태워져 이동했는데 나를 포함한 처녀는 세 명 그리고 군인은 삼십 명이 넘었어요. 그리고는 배를 탔는데 이제 그 배 이름은 잊었어요. 나는 5일 내내 계속 잠을 잤는데, 이름 모르는 섬에 도착한 후 배에서 내렸어요. 6일 정도 그 섬에 머문 다음 도쿄로 출발한다고 했지요. 그리고는 우리를 바다가 내려다보이는 집으로 데려갔습니다.

S 배에서 바라보았던 섬 이름을 혹시 기억하는지요?

SF 일본인들은 레베스(Lebes)라고 했는데 내가 거주하게 된 섬은 플로레스(Flores)*였습니다. 마을 이름은 끼사르(Kisar)였는데 플로레스와 자바 여자들이 많았습니다.

S 부인은 그들과 인사를 했나요?

SF 감히 그렇게 할 수 없었어요. 3 명씩 한 조가 되어 집을 배당받았습니

* 인도네시아 중부, 소 순다 열도 중앙에 있는 섬

다. 처음에는 옷, 먹을 것, 돈을 충분히 받았기 때문에 부족하지는 않았습니다.

S 얼마 동안 그렇게 있었나요?

SF 3, 4개월 정도에요.

S 배에 같이 있던 사람들과 부인과 같은 집에 살던 여자들 이름은 기억나는지요?

SF 일본사람인데 아타추카상이라고 배에 있을 때 인솔자 이름이에요. 그리고 끼사르에서 우리를 관리한 사람 이름은 와타키상이라고 일본인이었는데, 그는 나를 이곳 부루 섬까지 데리고 온 사람이에요.

S 부인은 일본을 따라온 것입니까 아니면 일본이 강제로 데리고 온 것입니까?

SF 일본은 거짓말을 했지요. 그들이 말하기를 학교에 보내 준다고 했는데, 아 ----.

S 부인은 언제, 어디서 속았다고 알게 되었습니까?

SF 플로레스, 끼사르에서 알게 되었지요. 나는 계속 울어야만 했습니다. 몸은 고통스러웠고, 일본인들은 쉴 새 없이 내 몸을 망가뜨렸지요. 생각해 보세요, 그때 나는 아직 어렸고, 아타추카상은 무섭고 강했습니다.

S 부인 친구들은 어떻게 됐지요?

SF 불쌍하게 그들도 계속 울었습니다. 아타추카상과 종종 함께 목욕했는데 몸은 계속 아팠지요.

S 살았던 집은 어땠습니까?

SF 목재로 된 집이었는데 판자로 되어 있었고 다른 현지 사람 집과는 달랐습니다.

S 언제 부루 섬으로 왔습니까?

SF 부루 섬, 남레아로 일본군이 진입해 들어갔지요. 그때 아타추카상이 남레아에 있는 돌로 지은 집을 내게 할당해 주었지요.

S 자바에서 부인과 같이 온 동료 두 명과 이야기 한 적이 있습니까?

SF 있어요. 그런데 각기 살길이 바빠 지금까지 겨우 한 번 정도 만났어요. 나는 산으로 올라갔고 그들도 나처럼 이미 늙었지요. 힘도 없고 몸은 아프고, 마을 사람들 말로는 그들은 이미 세상을 떴다고도 합니다.

S 와이 띠나에 있는 사람들 이름은 어떻게 되나요?

SF 이제 기억나지 않아요. 마을 사람들 말로는 그들도 자바에서 왔다고 하는데, 만나고 싶어 나는 계속 그들을 찾았지요. 그런데 생각해 보니, 그것 역시 부질없는 일이었습니다. 왜 산 사람과 결혼했는지 잘 모르겠어요. 자기 삶은 자기가 찾아야 하는 것인데.

S 예전에 부인과 함께 한 일본사람들 이름을 말할 수 있습니까?

SF 남레아에 열 명 정도가 있었는데 지금은 그 이름들을 기억할 수 없어요.

S 부인의 부모 이름과 형제자매는 어떻게 되나요?

SF 신경 쓰시지 않는 것이 좋겠어요. 나는 당신이 어려움에 처해지는 것을 원하지 않아요. 그것은 내 어머니를 힘들게 하는 일이기도 합니다.

S 형제들은 어떻게 되나요?

SF 한 핏줄을 나눈 오빠를 잊을 수 없습니다. 한 명의 오빠가 있습니다.

S 이름이 어떻게 되나요?

SF 됐습니다. 그만하지요. 물어보지 마세요. 선생님은 아직 정치범으로 구속된 몸이에요. 물어보지 마세요. 아마 내가 말하면 마을 사람들이 내게 독약을 먹일 수도 있고 아니면 매질을 할 것이에요.

S 플로레스에서 부루 섬까지 어떤 배를 타고 왔나요?

SF 잊었어요. 일본인 소유의 작은 배였어요.

S 몇 명이나 배에 탔지요?

SF 일본인이 스무 명 넘게 탔어요.

S 배에서 음식은 어땠어요?

SF 좋았어요. 돈도, 담배도 그리고 맥주도 주었지요.

S 부인은 그때 술을 마실 수 있었습니까?

SF 일본인들이 강제로 먹였지요. 머리는 빙빙 돌고. 그런데 시간이 지나니까 괜찮았어요. 일본인들은 그런 내 모습을 보고 웃고, 좋아했지요.

S 부루 섬에 남아 있는 부인 동료들 이름을 기억할 수 있나요?

SF 알고 있는 이름은 그것뿐이에요. 나머지는 모릅니다.

S 남레아에 있을 때 부인은 아직 어린 나이였는데 부인을 돌봐준 사람은 누구에요? 일본인들이 돌봐 줄 리는 없었을 것이잖아요.

SF 한 명 있었어요. 이름은 빤둥(Pandung) 부인이라고 자바에서 왔고 경찰관 부인이었어요.

S 부인은 자바로 돌아가고 싶지 않으십니까?

SF 원하지요. 그런데 이미 늙었고 그리고 여기 있는 아이들도 불쌍하고요. 이 아이가 내 손자에요. 이름은 스리 와휴니(Sri Wahyuni)인데 자기 엄마와 멀리 떨어지지 못하지요.

F 부인이 자바에 있는 그의 가족에 대해 이야기 하기를 거절했기 때문에 인터뷰는 계속될 수 없었다고 합니다.

와나레자 집단 억류지에 사는 하룬은 그의 기록에서 F 부인에 대해 다음과 같이 남기고 있습니다.

나와 내 동료들은 그녀 가슴 속 깊은 곳에 아픈 비밀을 간직하고 있는 줄 몰랐다.

나는 와나레자에서 열리는 이런저런 행사에서 F 부인이 참석하는 것을 가끔 보았다. 그녀는 우따라말라헹(Utaramalaheng)에 거주하고 있으며 키는 153 센티미터 정도였다. 입은 옷 종류나 색상으로 보아 그녀가 부루 섬 원주민이 아님을 알게 되었다. 얼굴은 이미 많은 주름이 생겼지만 아직 탄탄한 체격을 유지하고 있었다. 눈초리는 예리했고 주변을 늘 집중해서 바라보곤 했다.

그녀는 종종 부루 섬 원주민인 그의 늙은 남편과 내 막사를 찾아왔다. 그녀는 주로 육두구* 콩을 시장에서 구입하기 위해 왔는데, 그의 남편은 알푸루 남성으로 보이기 위해 머리에는 늘 바틱(Batik)** 두건을 썼다. F 부인은 부루 섬의 멀라유어와 말루꾸어를 유창하게 했다. 얼굴은 둥글었고 정면을 바라보는 얼굴은 그림자 연극인 와양(Wayang)***에 등장하는 인물인 스리깐디(Srikandi)****를 연상케 하는 젊었을 때는 미모였을 얼굴이었다.

* 肉荳蔻. 인도네시아가 원산인 향신료 일종

** 인도네시아 특산인 천연 나염 직물

*** 인도네시아 전통 그림자 연극. 와양 꿀릿(Wayang Kulit)이라고도 한다

**** 인도 서사시 '마하바라타'에 나오는 주인공 아르주나(Arjuna)의 부인

그녀는 두 명의 자식이 있었는데 딸은 마까사르(Makasar)* 사람과 이미 결혼을 했고 슬랑(Selang)이라는 이름의 아들은 스무 살이었다. 그녀의 말을 빌리면 이 두 명의 자식들은 지금 남편과 사이에서 태어난 아이들이 아니고 과거 부똔(Buton)** 출신 남자와 같이 살 때 생긴 아이라고 했다.

1978년 8월 첫째 주에 들려 온 뜻밖의 소식으로 우리들 모두는 놀랬습니다. F 부인이 오낑(Oking)과 친척이라는 소식이었습니다. 애칭으로 오낑이라고 부르는 다스위안(Daswian)은 와나레자 집단 억류지에 거주하고 있는 내 동료 중 한 명인데, 그는 서부 자바의 수방 출생이며 진중한 성격을 갖고 있는 사람이었습니다. 와나레자에 거주하고 있는 사람들은 이 소식을 들었습니다. 나는 다른 사람들보다 이 문제를 더 심각하게 받아드렸습니다.

"오낑씨, 당신과 F 부인 간 친척 관계인 줄 어떻게 알게 되었는지 궁금합니다."

나는 그에게 물었습니다. 그때가 1978년 8월 8일이었습니다. 그와 나는 단둘이서만 이야기를 했고 그는 숨김없이 이야기했습니다. 물론 오낑은 다른 사람들이 자기 이야기를 듣는 것을 원하지 않았습니다. 그와 나눈 이야기의 전모는 다음과 같습니다.

내가 처음 그녀를 만났을 때, 그의 얼굴이 내 할머니인 싱아디까

* 인도네시아 술라웨시 섬, 남단에 위치한 지역 이름. 과거에는 우중 빤당(Ujung Pandang)이라고 불렀음

** 인도네시아 술라웨시 섬, 남단에 있는 섬

르따(Singadikarta)의 얼굴과 많이 닮아 있어 내심 이상한 느낌이 들었다. 그때가 1973년이었다. 그녀에게 가까이 다가가려고 했으나 그때마다 예상치 못한 난관이 있어 성공하지 못했다. 당시 상황은 늘 그랬었다.

내가 듣기로는 그녀는 집단 억류지에 있는 정치범 중에 꼬사시라는 이름의 사람을 찾고 있다고 알려졌었다. 마침 와나다르마 집단 억류지에서 그녀는 꼬사시라는 사람을 만나는 데 성공했으나, 그녀가 찾고자 했던 사람이 아니었다는 소식도 들려 왔다. 1978년 8월 4일, 나는 와나레자에서 와나사리 지역으로 가고 있었는데 갑자기 비가 쏟아져 할 수 없이 그녀의 집으로 잠시 비를 피해 들어갔다. 마침 그녀는 집에 혼자 있었다. 기다렸던 기회가 온 것이었다. 그녀가 꼬사시라는 이름의 인물을 찾고 있다는 사실과 할머니를 많이 닮은 얼굴을 보고 속내를 털어놓고 이야기할 수 있는 시간이 왔다고 나는 생각했다. 그녀가 친절하게 내게 말을 건넸다.

"당신은 자바 어디서 왔는지요?"

"서부 자바에서 왔습니다."

그녀는 다시 내게 물었다.

"어느 도시에서 왔지요?"

"수방에서 왔습니다."

그녀의 표정이 급하게 변하면서 눈동자의 초점이 흔들리는 것을 볼 수 있었다. 나는 그 이유를 정확히 알지 못했다.

"수방이라고 했지요. 혹시 꼬사시라는 이름을 알고 있어요?"

"어디 꼬사시인가요?"

꼬사시는 수방과 관련이 있는 인물이라는 그녀의 말을 듣고 나는 속으로 얼마나 놀랐는지 모른다. 내가 예상한 것처럼 그녀의 입에서 바로 그 이름, 내 아버지 이름인 꼬사시가 말해졌기 때문이었다. 나는 그녀의 숨겨진 이야기를 더 알고자 했다. 그녀와 이야기를 하면서 나는 일부러 순다어를 중간중간에 끼어 넣어 사용하였다. 그러면서 그녀가 그 의미를 알고 있는지를 확인하였다. 그런데 그녀는 순다어를 알아들을 뿐만 아니라 대답도 순다어로 하였다.

"나는 서부 자바에서 왔고, 선생도 서부 자바 출신이 맞지요?"

"부인은 수방에서 거주한 적이 있습니까?"

"나는 수방에서 산 적이 있고 그곳에 친오빠가 있는데 이름이 꼬사시입니다."

나는 그녀의 얼굴을 뚫어지게 바라보았다. 정말 내 눈앞에 있는 사람이 내 아버지의 여동생인가? 여동생이 한 명 있었는데 일본 시대 때 사라졌다는 아버지의 이야기가 머릿속을 흔들었다. 그런데 아쉽게도 그녀의 남편이 갑자기 나타나는 바람에 우리들의 대화는 중단될 수밖에 없었다. 1978년 8월 7일, 나는 그녀의 집을 다시 찾아갔다. 그때는 내 부모님의 사진을 갖고 갔는데 마침 그녀는 집에 혼자 있었다.

"부인은 수방에 있는 싱아디까르따라는 사람의 이름을 기억하고 있는지요?"

이렇게 물어본 후, 그녀의 얼굴을 살폈다.

"아니면, 숙끄마사뿌뜨라(Sukmasaputra)라는 이름을 아는지요?"

F 부인은 고개를 숙이더니 한참을 그렇게 있었다. 그녀의 눈에는 이미 눈물이 고여 흐르기 시작했다.

"내가 아마, 다른 사람을 알고 있는 것 같습니다."

속삭이듯 그녀가 말했다.

오랫동안 그녀는 대답을 하지 못했다. 그녀의 흐느낌은 점차 통곡으로 변하기 시작했다.

"정말 사랑했는데 ----."

그녀는 끄바야로 얼굴을 가렸다. 그녀의 통곡은 끝날 줄 몰랐다. 나는 참을성 있게 기다리고 기다렸다. 나는 부인과 마음으로 서로 이어지는 줄이 서로 엉켜 가는 것을 느꼈다.

"그들과 부인과의 관계는 어떻게 되나요?"

오랜 시간이 흐른 뒤, 그녀가 대답했다.

"나와 한 핏줄인 형제들이에요."

더 이상, 내 감정을 억누를 수가 없었다. 나는 가지고 온 사진을 꺼내 보였다.

"나는 싱아디까르따 할머니의 손자입니다. 수방 군수 보좌관 출신인, 꼬사시의 아들입니다. 부인이 말하는 바로 그 형제 말입니다."

나도 눈물을 주체할 수 없었다. 그녀의 무릎에 이마를 갖다 대며 큰절을 했다. F 부인의 통곡 소리는 점점 커져만 갔다. 우리 둘은 비참한 상황에서 만나게 된 운명을 한탄하며 한참 동안 격한 감정에 북받쳐 눈물을 흘렸다. F 부인의 통곡은 끝날 줄 몰랐고 나 역시 그러했다.

이때 F 부인의 아들인 슬랑이 갑자기 나타났다. 나는 이미 그를 알고 있었다. 슬랑은 한참 우리를 지켜보았다. F 부인은 방으로 들어갔고 슬랑은 계속 내게 질문을 했다. 나는 이렇다 할 대답을 하지 못하고 집단 억류지로 울면서 돌아왔다. 얼마 지나지 않아 슬랑이 내 막사를 찾아 왔다. 나는 그를 말 없이 꼭 끌어안았다. 슬랑은 이미

F 부인으로부터 내가 그의 고종사촌 형임을 들어 알고 있었다.

"어떻게 어머니가 여기까지 오게 되었는지 아느냐?"

나는 슬랑에게 물었다. 그런데 F 부인은 그의 아들에게 조차도 그녀가 지나온 이야기를 하지 않은 사실을 알게 되었다.

"이 어미가 지난 이야기를 하면 내 운명이 다시 그렇게 될까 두렵다."

그렇게만 말을 했다고 슬랑이 밝혔다. 슬랑이 지난 이야기를 해 달라고 다그치면, F 부인은 자바에서 가져온 어깨걸이*와 까인(kain)**을 쳐다보면서 하염없이 울었다고 한다.

이 기록을 완성하기 위해 나는 많은 노력을 기우렸습니다. 오낑에게 접근했고 슬랑을 알게 되었습니다. F. 부인의 이름 앞에 시띠(Siti)라는 성이 붙는 것도 알게 되었습니다. 다음은 시띠 F. 부인에 대한 추가 사항입니다.

시띠 F.는 1927년생이다. 서부 자바 수방 군수 보좌관 출신인 사람의 딸이다. 시띠 F.의 형제로는 꼬사시라는 오빠(오낑의 아버지), 여동생인 수간디(Sugandi), 수까에시(Sukaesih)가 있다.

그녀는 일본이 인도네시아를 점령했을 때 스카클스쿨(Schakelschool)***에 재학 중이었다. 부모는 그녀가 일본에 가서 계속 학업을 하는 것에 동의했다. 같은 또래의 여학생 네 명이 수방에서

* 인도네시아 여성 전통 복장 상의인 끄바야를 착용 시, 어깨에 내려 두르는 천

** 천염 나염인 바띡으로 만든 천이며 옷을 만드는 데 사용

*** 인도네시아 식민통치 정부인 네덜란드의 학제. 초등학교 5학년 수료한 학생이 네덜란드어를 공부하기 위해 입학하는 7년제 학교

출발했다. 자카르타 항구에서 수백 명의 다른 여학생들과 함께 배를 타고 출발했다. 그런데 배는 도쿄로 가지 않았다. 그녀는 플로레스로 끌려갔다가 끝내 부루 섬에 내팽개쳐지는 신세가 된 것이다. 1945년 8월 15일, 일본이 항복한 소식을 그녀와 동료들은 듣게 된다. 살아 있는 위안부 출신 사람들은 자바로 돌려보내 줄 것을 일본 군인에게 요구했다. 그런데 그들의 요구는 거절되었고 더욱더 철저한 감시가 이어졌다.

시띠 F.와 몇몇 동료들은 도망치는데 성공했고, 북부 부루 섬에 있던 부똔 출신인 한 어부가 그녀를 보호하게 되었고, 둘은 부부가 되어 두 명의 아이를 갖게 되었다. 남편의 사망으로 두 명의 아이와 함께 그녀는 부루 섬에서 다시 버려지게 된다. 그 후 얼마 지나지 않아 알푸루 종족 남자가 나타나 그녀를 부인으로 삼게 된다. 남자는 시띠 F. 부인을 부루 섬 높은 산악지대인 사바나 지역으로 데리고 들어가게 되는데 그곳은 세상과 단절된 지역이었다.

제 7 부

'자바 얼굴'로 알려진 볼란사르(Bolansar)의 흔적

사람들은 그녀를 볼란사르로 부르고 있습니다. 사실 부루 섬에서 그녀의 정식 이름은 '자바의 얼굴'이라는 뜻인 무까 자와(Muka Jawa)입니다. 그런데 마을 사람들은 그녀를 볼란사르로 부르고 있습니다. 사실 볼란사르는 '란자르 부인'이라는 뜻인 이부 란자르(Ibu Lanjar)인데 이곳 주민들이 잘못 발음을 해서 볼란사르가 된 것입니다. 부루어에는 j 철자가 없습니다. 따라서 해안가 일부 지역과 특정 인물의 이름을 제외하고는 단어 중 j 철자는 c 또는 s로 대체가 되고 있습니다. 예를 들어 지꾸(jiku) = 치꾸(ciku) = 시꾸(siku)가 되고 있습니다. 따라서 Ibu는 Bu로 약칭될 수 있고, Lanjar의 j는 s로 대체가 되어 Bu Lansar가 된 후, 다시 Bulansar에서 Bolansar가 된 것입니다.

볼란사르는 또는 무까 자와는 부루 섬 내륙에 버려진 위안부 출신 여성입니다. 1978년 그녀는 몇 차례 산 아래로 내려와, 기리뿌라 집단 억류지에 온 적이 있습니다. 볼란사르 또는 무까 자와는 소금을 사러 내려왔고, 마을에서 와양이나 가멀란(gamelan)* 공연이 있을 경우 부루 섬 여자들과 다르게 그녀는 공연 내용을 즐겼다고 합니다. 그녀는 집단 억류지 안에 있는 상점에서 긴 까인을 구입하려고 했는데 사고자 하는 것이 없어 상점에 돈을 맡겨 놓는 경우도 있었다고 합니다.

지금까지 그녀와 집단 억류지에 있는 동료들 간 몇 차례 만남을 통해 그녀가 중부 자바 뻬말랑(Pemalang) 출신이라는 것을 알게 되었습니다. 우리들은 좀 더 많은 사실을 알기 위해 그녀가 있는 산 위로 가기로 했습니다. 우리들의 대표로 로미(Romy), 사띠뚜사(Satitusa), 와이 두랏(Wai Durat), 세 명이 뽑혔습니다.

다음은 볼란사르를 만나기 위한 여정이며, 로미의 기록을 중심으로 한 것입니다.

오전 11시 30분이 되어서야 우리는 선물, 비상식량 등을 챙기고 출발할 수 있었다. 총 55kg 정도의 짐을 우리 셋이서 나누어 짊어졌다. 물론 평탄한 길에서는 그렇게 무거운 무게가 아니었다. 우리 여정은 8시간 도보 여행이 될 것으로 예상하였다. 예정보다 늦어졌기 때문에 식사를 하는 둥 마는 둥 하고 우린 출발을 했다.

짐은 석유가 6리터, 쌀, 설탕, 커피, 성냥, 조미료 그리고 가장 중요한 소금이 꾸려졌다. 집단 억류지가 있는 와이 아뿌 저지대에서는 르바란 축하 북소리가 끊임없이 들려오면서 우리들의 출발을 배웅하

* 인도네시아 유률 타악기 집단

는 듯 했다. 이번 여정에는 기리뿌라 집단 억류지의 동료 한 명도 동참했는데 그는 백단유를 정제하러 가는 사람이었다. 그가 길 안내를 해주기로 했다. 출발한지 30분이 채 되지 않아 우리들은 메따르(Metar) 마을에 도착했다.

다른 마을과 비교하여 메따르는 어느 정도 발전된 것처럼 보였다. 여덟 채의 집이 있었는데 나름으로 정리가 되어 있었다. 우리는 즉시 사띠뭉(Satimung) 집으로 향했다. 그는 두 명의 처와 세 명의 아이가 있었다. 부인 중 한 명이 최근에 아이를 출산했는데 피부가 깨끗한 그녀는 아이에게 젖을 물리고 있었고 남편이 먼저 출발했다는 소식을 전해 주었다. 우리는 짐 일부를 메따르 주민들에게 나누어 주고 출발을 했다.

마을에서 벗어나자마자 주민들의 밭도 보이질 않았다. 태양은 머리 위에서 작열을 시작했고, 강가의 모래가 밑창 떨어진 신발 안으로 점점 스며들어 오기 시작했다. 좀 더 걸어가다가 우리는 갈대숲으로 들어섰는데, 길이 잘 보이지 않기 시작했다. 와임 께단(Waim Kedan) 강을 따라 우리는 걷기 시작했다. 물결이 무척 거셌다. 네 번 정도 그 강의 지류를 건넜다.

물이 거의 마른 와임 께단의 한 지류에 우리는 도착했다. 돌투성이인 그곳에서 우리들은 강의 상류 쪽을 찾으려 했다. 그때 갑자기 사띠뚜사가 소리를 쳤다. 안경이 그의 주머니에서 사라졌기 때문이다. 안경이 없으면 그는 거의 눈 뜬 장님 꼴이었다. 나와 와이 두랏은 왔던 길을 따라 다시 걸어가 안경을 운 좋게 찾았으나 30분 정도 아까운 시간을 허비하게 되었다. 허비한 시간을 보충하기 위해 우리들은 산을 오르는 속도를 좀 더 높이면서 걸었다.

어깨에 로딴(rotan)* 줄기로 둘러멘 짐은 점점 무거워졌다. 15kg이라 하지만 산을 오를 때에는 만만치 않은 무게였다. 약 2km 정도 앞으로 나갔을 때 강이 사라지고 모래펄만 남게 되었다. 쓰러진 나무를 뛰어넘고 밑으로 기면서 물이 마른 와임 께단을 조금씩 따라 걸었다. 그곳에서 내 신발은 견디지 못하고 완전히 망가졌다. 나는 열대수목 중 하나인 꾸뭇(Kumut) 나무에 특별한 관심을 갖고 바라보게 되었다. 산에 사는 이곳 사람들은 그들 의복의 재료가 되는 이 나무가 사라지는 것을 두려워했다. 잘 만든다면 청바지 천처럼 질길 것으로 보였다. 자세히 보니 와임 께단 계곡에 수천 그루의 꾸뭇 나무가 자생하고 있었다.

오후 2시경 왼쪽 절벽으로 난 오르막길을 발견했다. 그곳을 따라 걷다 보니 갈대밭이 나타나고 마을로 향하는 길이 나왔다. 우리들은 와레소(Wareso) 강줄기에 접어들었다. 수십 개의 언덕과 계곡에서 거친 땀방울을 쏟은 후에 와임 께단과 연결되는 와레소 강가에 도착한 것이다. 나왕 목과 꾸뭇 나무가 하늘을 찌르고 있었고 나무 덤불은 계곡 아래를 덮고 있었다.

오후 시간이라 숲속은 한기를 느낄 정도였다. 강물은 바위 사이로 세차게 흐르고 맑아 보였다. 우리 앞에 큰 폭포가 나타났다. 우리는 손으로 물을 떠서 목을 축였다. 삼십여 분 정도 휴식을 한 후, 우리는 배고픔을 참고 와레소 강 지류를 따라 오르기 시작했다. 이 강을 이곳 사람들은 오빨라(Opala) 강이라고도 불렀다. 고개는 갈수록 험해졌다. 눈에 들어오는 것은 컴컴한 수풀 속 풍경뿐이었다. 강가의 돌

* 열대 등나무

은 북부 부루 지역 강 보다 더 컸으며 강물 흐름은 우리 발을 붙잡았다. 주위를 아무리 둘러보아도 숲에서는 먹을 수 있는 과일이 보이질 않았다. 그리고 고개 너머는 건조 지대가 펼쳐져 있었다. 풀 한 포기도 살기가 어려워 보였다.

이제 와레소 강으로부터 멀어지면서 우리들은 빠말리(Pamali) 강 쪽으로 접어들었다. 강물이 더 거셌고 강에 흩어진 돌들은 그 크기가 거의 코끼리 정도로 컸다. 우리들은 네 발로 기다시피 그 돌들을 타고 넘었다. 어떤 경우에는 우리들 끼리 서로 어깨를 딛고 바위를 넘기도 했다. 맨손, 맨발인 우리들 손과 발은 쓰리고 아파 왔다. 우리는 볼란사르 또는 무까 자와 부인이 소금과 긴 까인을 구하기 위해 이렇게 험난하고 위험한 길을 따라 오고 갔다는 사실에 놀랐다. 날개에 검은 점이 있는 한 무리의 노랑나비가 큰 바위에 모여 있다가 흩어졌다. 우리 일행이 멀어지자 나비들은 다시 그 자리에 모여들었다. 나비들이 바위 위에 모여드는 이유가 궁금했다.

사띠뚜사 손목시계는 오후 2시 30분을 가리키고 있었다. 우리는 갈 길을 더 서둘러야 했다. 그런데 발은 이제 빠르게 오르막길을 오르지 못했다. 바위에 쓰러진 나무토막들은 발목 관절과 무릎 관절을 지치게 했으며 몸의 균형을 계속해서 무너뜨리고 있었다.

우리 앞에는 약 100 미터 정도 되는 가파른 고개가 다시 나타났다. 한 발, 한 발씩 조심스럽게 내디뎠다. 내 숨소리는 작열하는 태양 아래 쟁기를 힘겹게 끄는 물소의 숨소리를 닮아 갔다. 사띠뚜사 상태는 더 심각해져 갔다. 와이 두랏은 약 5 미터 앞장서서 우리 일행을 이끌었다. 에필라헹(Efilaheng) 고개 중간쯤에서 우리들 숨은 거의 턱에 차서 넘어갈 정도가 되었다.

배도 고팠고 맨발은 발걸음을 제대로 디디지를 못했다. 비탈길에서 나뭇가지, 풀뿌리를 움켜잡는 손이 이제 떨리기 시작했다. 짊어진 짐은 더욱더 몸을 짓누르기 시작했다. 와이 두랏 역시 넓적다리가 떨리고 있었다. 그는 발걸음을 내디딜 때마다 넓적다리에 손을 얹고 힘을 주면서 앞으로 나갔다. 사띠뚜사 얼굴은 창백해져 가고 있었다. 나 역시 몸에서 힘이 빠져나가는 것을 느꼈지만 다른 방법이 없었다. 우린 남은 설탕을 혀로 핥으며 쉬는 수밖에 없었다.

5분 휴식 후, 우리의 여정은 계속 이어졌다. 폭포에서 떨어지는 물소리는 새로운 활력소가 되었다. 사람이 산다는 표시나 흔적은 아무 곳에도 보이지 않았다. 약 15분 정도 계속 앞으로 계속 걸어 나가니 폭포 소리가 좀 더 명확하게 들렸다. 대나무 통으로 만든 물받이가 보이고 싱꽁을 심은 밭이 보여 사람이 인근에 산다는 것을 알 수 있었다. 그 왼쪽으로 약 100 미터 길이의 계곡이 거대한 숲으로 덮여 있었다. 맑은 강물은 우리가 지나온 죽음과도 같았던 길을 따라 급하게 흐르고 있었다. 와이 두랏은 마을이 가까이 왔으니 크게 말하지 말라고 주의 주었다.

사띠뚜사에게 대답을 하려고 뒤를 돌아보는 순간 발이 돌에 채여 나는 중심을 잃고 쓰러졌다. 오른손은 풀뿌리를 급하게 잡았고 왼손은 옆에 있던 싱꽁 줄기를 잡았으나, 부러지면서 이파리만 손으로 잡게 되었다. 놀란 나는 몸을 부르르 떨었고 땀은 비 오듯 쏟아졌다. 겨우 일어나 앉았다. 힘들게 걸으면서 힘을 비축하기 위해 싱꽁의 쓰디쓴 잎을 씹어 삼켰다. 그런 다음 물을 마셨다.

발걸음은 계속 이어졌다. 눈앞에 약 25 미터 정도의 언덕이 또 나타났다. 그 언덕 너머에 나뭇잎으로 엮은 네 채의 집이 보였다. 우리는 에필라헹 마을에 도착한 것이다. 그곳에는 '젊은 얼굴'이라고 말해주면 좋아하는 마르띤 와엘(Martin Wael)이 촌장으로 있었다. 마을 마당에는 비쩍 마른 개들한테 귀를 물린 돼지가 비명을 지르고 있었다. 한 아이가 뛰어가 말렸으나 돼지의 귀는 이미 떨어져 나간 후였다.

마을 주민 모두가 우리 곁으로 모여들었다. 가지고 온 담배, 소금, 석유, 성냥, 비누를 나누어 주었다. 남편들이 물건을 다 받은 후에 부인들이 그 다음에는 아이들이 물건을 달라고 줄을 섰다. 달라는 물건이 각자 달랐다. 서너 살 먹은 아이가 성냥을 달라고 했고, 늙은이들이 껌을 달라고 했는데, 왜 그들이 그것을 요구하는지 잘 이해가 되지 않았다.

마을 주민 중에 한 늙은이가 있었다. 몸은 작고 허약하게 보였으며 기침 해소기가 있어 보였다. 그가 관습 촌장*이었다. 머리는 거의 반백이었으며 나이는 육십 대로 보였다. 눈초리는 날카로웠고 우리의 행동을 유심히 살펴보고 있었다. 그는 마을 주민들이 우리와 친해지는 분위기를 꺼리는 것처럼 보였다. 그러나 이름이 비사라헹(Bisalaheng)이라고 하는 관습 추장도 결국 우리가 건네준 담배에 마음을 열었다.

오후 5시, 우리는 계속해서 앞으로 걸어 나갔다. 에필라헹 마을 주민 세 명이 우리를 안내하게 되었다. 촌장인 마르띤 와엘과 두 명의 젊은이였는데 그중 한 명 이름은 셀링 와엘(Seling Wael)이었다. 그는 피부병인 까스까도를 앓고 있었다. 길 중간에서 우리들은 짐을 나누어지는 것에 대해 잠시 상의를 했다. 와이 두랏은 짐을 나누는 것

* 마을의 관습이나 풍습을 관장하는 우두머리

을 처음에는 꺼리는 것처럼 보였다. 문제는 이러했다. 알푸루 사람들이 같이 걸어갈 때 한 사람은 가벼운 짐을 다른 사람은 무거운 짐을 짊어지면, 가볍게 가는 사람은 존경을 받는 느낌이 든다는 풍습이 있었기 때문이다. 또한 그들 대화 속에서 그들은 인도네시아 공화국을 인정하지 않고 말루꾸 정부를 인정하고 있음도 덤으로 알게 되었다.

고개 위에서 담배를 피며 에필라헹 마을 사람들은 다음과 같이 제안을 했다. 마을 청년 두 명이 마르띤 와엘과 우리들의 짐을 나누어 지겠다는 것이었다. 짐이 그들에게 넘겨졌다. 마르띤 와엘은 가벼운 몸으로 창만 손에 쥐게 되었다. 나 역시 짐 하나만 짊어지게 되었다. 다시 산이 앞을 가로막았다. 지금 우리가 오르고 있는 고개 건너편에 몇 그루의 바나나가 보였다.

그곳에 돼지를 키우는 오두막집 한 채가 보였고 싱꽁 밭이 있었다. 싱꽁이 그들의 주식으로 보였다. 부루 섬 사람들은 먹다 남은 싱꽁 찌꺼기를 키우는 돼지들의 먹이로 사용하였다. 고개를 내려 올 때는 우리는 거의 뛰다시피 내려왔다. 다시 오르막길에 접어들었을 때 사띠뚜사가 잠시 쉬면서 먹을 것을 만들어 요기 하자고 제안했다. 와이 두랏은 약 두 시간 정도 일정을 늦추게 되는 그 제안을 거절했다. 우리는 계속해서 앞으로 걸어 나갔다. 몸은 지쳐 갔고 배고픔은 더해 갔다. 마을 청년 한 명이 무겁고 힘이 드는지 지고 있던 짐을 다시 우리에게 넘겼다. 발걸음이 점점 느려지고 있었다. 사띠뚜사가 잠시 쉬자고 제안을 했다.

그때 갑자기 한 늙은이가 여덟 살 정도의 남자아이와 함께 우리 앞에 나타났다. 그들 손에는 싱꽁이 들어 있는 대나무 광주리가 들려 있었다. 나는 그들에게 싱꽁과 쌀을 서로 교환하자고 제안했다. 와이 두랏은 마지못해 그 제안을 받아 드렸다. 내가 싱꽁을 굽는 일을 맡게 되었다. 사띠뚜사는 바위에 백단 잎을 깔고 거기에 쓰러져서 땀을 식혔다. 사실 사띠뚜사에게 있어 이번 일정은 체력적인 힘을 모두 쏟아내는 무리한 일정이었다. 그의 얼굴은 이미 백지장처럼 창백해져 있었다.

나는 빨리 불을 지펴 싱꽁을 굽기 시작했고, 완전히 익기 전에 그 중 하나를 사띠뚜사에게 권했다. 그는 맛있게 먹었고 나와 와이 두랏도 싱꽁을 먹었다. 우리들은 목이 막힐 때까지 계속 먹었다. 이때 마을 주민들이 우리에게 다가왔다. 그들에게도 싱꽁을 나누어 주었다. 우리는 물 대신 야자 열매 네 개를 주민들로부터 구입을 했다. 야자 열매를 갖고 가는 마을 주민은 오혼라헹(Ohonlaheng) 마을의 촌장이었고 그가 데리고 가는 남자아이는 피부병이 심했다.

잠시 후에 또 다른 일행이 우리에게 다가왔다. 한 가족인 부부와 남자아이 한 명이었다. 여자는 가슴에 광주리를 안고 있었는데 나무 껍질로 만든 것이었다. 그녀 나이는 35세 정도로 보였다. 그녀의 짐도 만만치 않게 무거워 보였다. 남자아이는 야자 열매를 짊어지고 있었고 나이는 대략 10세 정도로 보였다. 그 아이는 이 부부의 세째아이라고 했다. 나는 불에서 싱꽁을 꺼내 그 가족에게 나누어 주었다. 그들은 우리가 허겁지겁 먹는 모습을 보면서 놀랍다는 표정을 지었다. 그리고 그들 집으로 식사 초대를 했지만 갈 길이 먼 우리는 아쉽게 그 초대를 거절했다.

약 45분 정도가 지체되었다. 여정은 오혼라헹 마을로 돌아가는 산사람들 일행과 함께하게 되었다. 오후 6시 30분 우리는 오혼라헹과

와리안라헹(Warianlaheng) 두 지역으로 갈라지는 갈림길에 서게 되었다. 그곳 갈대는 와이 아뿌 계곡처럼 무성하지가 않았다. 그 때 비쩍 마른 쥐새끼 한 마리가 길을 가로질러 갔고 벌써 밤새들의 울음소리가 산 계곡에 메아리치기 시작했다.

얼마 있지 않아 개 짖는 소리가 들려 왔다. 마을이 멀지 않음을 알 수 있었다. 어둠이 내려 앉아 5미터 정도 앞도 잘 보이지 않게 되었다. 우리들은 서로 밀착해서 걸었다. 마르띤 와엘과 셀링 와엘은 부루 섬 노래를 계속 이어 부르고 있었다. 그 노래는 집단 억류지에 있는 내 동료들도 잘 부르는 것이었다.

그중 잘 알려진 것은 에뎅-에뎅(Edeng-edeng)이라는 제목의 노래인데, 이곳 부루 섬 원주민들의 고달픈 삶을 잘 나타내고 있었다. 노래 가사는 일평생 사구를 먹는 운명으로 태어났는데, 사구 얻기가 점점 힘들어져서 결국 싱꽁을 먹는다는 내용으로 되어 있었다. 노래 가사만 보더라도 부루 섬 원주민들은 사구 나무 심을 땅이 지천으로 널려 있는데도 불구하고, 사구를 키워서 먹겠다는 생각은 처음부터 하지 않는 것으로 보였다. 한 곳에 정착하여 작물을 경작하여 먹을 거리를 얻는다는 개념은 이곳 부루 섬 원주민들에게는 아직 낯선 것이었다.

길은 손전등 불빛을 따라 계속 이어졌다. 우리 세 명은 각자 손전등 하나씩 손에 들고 있었다. 우리가 앞으로 넘어야 할 오르막길은 아직 세 개가 더 있었고 내려갈 비탈길은 아직 두 개가 남아 있었다. 그것을 지나야만 와리안라헹 마을에 도착하게 되는 것이다. 손전등 불빛으로 갈대밭 중간에 대나무 기둥이 세워져 있는 것이 보였다. 약 아홉 채의 집터가 보였는데 사람이 살다 떠난 지 얼마 되지 않은 흔적이었다.

와이 다랏은 마르띤 와엘이 부르는 노래를 이어받으면서 같이 웃으며 불렀다. 노래 가사 중에는 '자바는 너무 멀리 있으니 – 우리 이곳에서 결혼해 살자'라는 것도 들렸다. 셀링 와엘이 자바에서 온 처녀들 모두는 피부가 곱다고 말을 걸어왔다. 이제 계곡을 내려가야 할 시간이 되었다. 계곡 바닥은 검게 입을 벌리고 있었다. 차가워진 밤 공기는 우리 몸을 움츠리게 했다.

몸은 점점 지쳐 갔다. 와리안라헹 계곡을 우리는 삼십분 정도 풀과 나무뿌리를 잡아가면서 조심스럽게 내려갔다. 누구 하나 입을 여는 사람이 없었다. 다만 마르띤 와엘과 셀링 와엘이 부르는 노랫소리와 우리 일행 중 어느 누군가가 넘어지는 소리만 들릴 뿐이었다. 나 역시 엉덩방아를 찧고 넘어졌고, 뒤이어 사띠뚜사가 절벽에 난 갈대 뿌리를 잡고 넘어졌다. 와이 두랏만이 넘어지지 않았다. 몸의 중심을 잡는 데 많은 힘이 들었다.

마을의 개들은 무슨 기척을 느꼈는지 있는 힘을 다해 짖기 시작했다. 우리들 손전등이 마을 집 지붕을 비추고 있었다. 드디어 마을에 도착한 것이다. 주민들 모두 나와 우리 일행을 반겨 맞이했다.

마르띤 와엘이 우리 일행이 낮 시간이 아닌 밤 늦은 시간에 마을을 방문한 목적을 자세히 설명했다. 와이 두랏이 한 번 더 우리들의 방문 목적이 형제 같은 사람을 찾는 데 있다고 주민들에게 설명했다. 마을 주민들로부터 방문 허락을 받은 후, 나와 와이 두랏은 저녁밥을 짓기 시작했다. 사띠뚜사는 휴식을 취할 수 있게 했다. 우리들은 주민들을 즐겁게 하기 위해 라디오를 켰는데, 오지라 그런지 방송이 전혀 잡히지 않았다. 우리들은 마을 주민 얼굴 하나하나를 익혀 나갔다. 키 작은 젊은 청년이 우리 일행이 목욕할 수 있는 장소로 안내를 했고 음식 만드는 것을 도왔다.

여자들이 그들 사는 오두막집에서 모두 나왔다. 그들은 젊었다. 전부 다섯 명인데 그중 세 명은 이미 아이가 있었다. 늙은 여자만이 문 뒤편에 숨어 몰래 우리를 내다보고 있었다. 와이 두랏에게 볼란사르라고 불리는 무까 자와 부인을 찾는 임무가 주어졌다. 나는 계속해서 밥을 지었고 커피를 타기 위해 물을 끓였다. 주민들 한 명씩 각자 작은 잔을 내게 내밀었다. 달디 단 커피를 한 사람씩 차례대로 나누어 주었다. 전체 주민 수는 남녀 합쳐 성인이 스물두 명이고 아이들이 있었다. 마을에는 아직 마을 회관이 없었다.

커피를 나누어 주면서 나는 한 노인을 알게 되었다. 머리는 이미 백발이 되었고 대나무 벽으로 된 방에 앉아 있었다. 그가 와리안 라헹 마을의 촌장이었다. 목소리는 카랑카랑했지만 갈라져 있었다. 나는 방 앞에서 두 다리를 뻗고 앉아 있는 오십 대 부인 한 명도 만났다. 그 여자의 피부는 깨끗했고 코가 오뚝했다. 키는 약 153 센티미터 정도였으며 목은 가늘고 길었다. 내가 봤을 때 그는 분명 알푸루 종족 사람이 아니었다. 그녀를 처음 보았을 때 짐짓 나는 놀란 표정을 지어 보였다. 그러나 촌장이 지켜봐서 그런지 그녀는 내 놀란 표정에 반응하지 않았다. 일부러 모른 척하는 기색이 역력했다. 그녀의 귓불 구멍에는 옷핀이 걸려 있었다. 입술 색은 빈랑을 씹은 붉은 치아보다 더 붉었다. 나는 일부러 자바 식으로 그녀에게 커피를 따라 대접했는데 역시 반응이 없었다. 그리고 그녀에게 일부러 자바어를 섞어 말을 했는데 역시 반응이 없었다. 결국 나는 그녀와 대화하는 것을 포기하고 다른 사람에게 커피를 나누어 주었다.

밥이 다 되었고 두 주전자 분량의 커피도 모두 나누어졌다. 우리들은 소금을 반찬 삼아 밥을 먹기 시작했다. 남정네들이 밥을 먼저 먹었고 그다음에 여자들과 아이들이 먹었다. 사실 나는 배가 고팠지만 다시 밥을 하는 것보다는 쉬기로 결정했다. 아직도 할 일이 많이 남아 있었다. 우리가 쉬는 방은 사구 나뭇잎으로 지붕을 했고 벽이 없었다. 대나무로 된 두 개의 방이 서로 마주 보는 형태였다. 두 방 가운데 책상 하나와 몇 개의 의자가 있었다. 방 대부분은 텅 빈 상태였다.

그날 밤 나뭇잎으로 짠 두 장의 큰 돗자리가 우리에게 제공되었다. 남자들이 자는 방 옆엔 여자들이 잤는데, 담요를 덮지 않은 채 잠을 잤다. 나는 바지와 구겨진 상의를 이불 삼아 잠을 청했다. 그런데 마을 사람들과 마르띤 와엘이 글 쓰는 법을 가르쳐 달라고 조르는 바람에 잠들 수가 없었다. 자연스럽게 마을 주민들 한 사람, 한 사람의 이름을 알게 되었다. 그들은 글씨 쓰는 법을 알려고 했다. 문제는 서로 간 의사소통이 원활하지 않다는 것이었다. 그들은 인도네시아어를 하지 못했으며 나는 부루어를 할 줄 몰랐다. 와이 두랏은 주민들의 집을 자유롭게 드나들었다. 그의 확실한 부루어 실력은 주민들 마음을 여는데 큰 도움이 되었다.

와이 두랏은 무릎을 두 팔로 안고 쪼그려 졸고 있는 무까 자와에게 가까이 다가가기 위해 여러 차례 시도한 끝에 몇 마디 대화를 하는데 성공했다. 무까 자와 또는 볼란사르 부인과 와이 두랏간 대화는 부루어로 진행이 되었다.

"어제 부인이 산에서 내려왔었는데 만나보질 못했어요. 그리고 오늘은 이미 시간이 늦어 긴 이야기를 할 수가 없네요."

이렇게 그녀에게 와이 두랏은 말하면서 그녀와 다시 만날 가능성을 열어 두었다.

밤 12시 반까지 우리는 잠을 잘 수가 없었다. 마르띤 와엘과 와리 안라헹 마을 주민 사이에 백단유 정제지역에 대한 시끄러운 논쟁 때문이었다. 그들의 대화는 점차 심각해져 갔다. 큰 소리로 떠드는 그들 목소리는 밤의 정적을 깼다. 나는 의심이 생겼다. 그들의 언어를 전부 알아들을 수 없지만 주민들은 우리가 그들의 백단유 정제에 대한 권리를 빼앗을 것이라고 생각하는 것 같았다. 그들은 권한이 사라지는 것을 두려워했고, 만약 그들이 손해를 입을 경우 어떤 일이든 벌어질 수 있을 것처럼 보였다. 나는 그들의 대화 내용을 녹음하려고 했으나 아쉽게도 라디오에 딸린 녹음기가 작동하지를 않았다.

나는 석유 등잔을 멀리했다. 그리고는 일부러 자는 척을 하면서 내 주위의 모든 움직임을 세심하게 감지하였다. 네 명의 남자가 내 방 앞에서 잤고 세 명의 여자가 그들 옆에 누웠다.

그 광경을 바라보는 내 마음은 편하지 않았다. 만약 우리가 밥을 하지 않았으면 그들은 주린 배로 잠을 잤을 것이기 때문이었다. 한 그릇의 밥과 소금뿐인 반찬이 그들을 편안하게 잠을 잘 수 있게 한 것이다. 한 달에 한 번, 설탕이 들어간 커피 한 잔을 그들이 맛볼 수 있을지도 불확실한 일이었다. 그리고 한편으로 두려운 것은 우리와 주민들 간에 친밀한 분위기가 아직 유지되고 있지만 언제라도 등 뒤로 칼날이 올 수 있는 가능성이 존재한다는 것이었다. 이 산에 사는 사람들은 지금까지 많은 사람들의 목숨을 유린하지 않았는가?

낯선 손이 내 머리를 쓰다듬는 것을 느끼자마자 놀라 벌떡 일어났다. 천만다행으로 그 목소리는 내가 아는 목소리였다. 와이 두랏이었다. 그는 방안에 혼자 자다가 나를 깨웠다. 이미 새벽 다섯 시였다. 아침 식사를 준비할 시간이었다. 나는 쌀을 씻고 불을 지펴야만 했다. 계곡의 찬바람은 소름을 돋게 했다. 몸 구석구석이 쑤시고 아팠으며 특히 발바닥에서 느껴지는 고통이 심했다. 그러나 그 모든 것을 털어내면서 자리에서 일어났다.

그날 아침 나는 일명 두리안(Durian)* 마을이라고도 불리는 와리안라헹 마을을 자세히 볼 수 있었다. 마을은 일 년도 채 되지 않은 새롭게 만든 마을이었는데, 깎아 지를듯한 고개와 고개 사이에 있었다. 약 200 제곱미터 되는 땅에 네 채의 집이 힘겹게 세워져 있었고 그중 한 채는 지붕을 잇지 않은 집이었다. 촌장의 명령이 있으면 주민들은 언제라도 떠날 준비가 되어 있는 집들이었다.

마을 옆에는 나왕 목들이 하늘을 향해 솟구쳐 솟아 있었다. 그중 몇몇 나왕 목은 껍질이 벗겨진 채 말라가고 있었다. 나뭇잎은 이미 다 떨어져 있었다. 서쪽으로 절벽 하나가 있었고 그 건너편에 고개 하나가 이어져 있었는데 수풀로 덥혀 있었다. 그 고개 정상에는 백단 나무가 제멋대로 자라고 있었다. 북쪽은 계곡과 절벽으로 되어 있었다. 우리들은 이 마을을 동쪽 방향에서 들어온 것이다. 백단 나무들이 많은 이 마을은 와이 꼬피(Wai Kopi)에 있던 마을을 옮겨 온 것이다. 이 마을에 우리가 찾고자 하는 볼란사르 일명 무까 자와가 살고 있었다.

* 열대 과일의 일종

나는 문명 세계에서 멀리 떨어진 부루 섬 내륙에 살고 있는 버려진 여인에 대해 이야기를 하려고 한다. 몇 차례 기리뿌라 집단 억류지에 있는 내 동료들에게 그녀는 신세 한탄을 한 적이 있다고 한다. 일본이 전쟁에서 항복한 후 그녀는 일본에 의해 버림을 받았고 어쩔 수 없이 부똔 출신의 남자 손에 이끌리게 되었다.

그 남성이 자식 없이 죽자 두 번째 남자와 결혼을 했고 그 사이에서 두 명의 자식을 두었다. 첫째 아들 이름은 살란땅(Salantang)인데 알푸루 종족인 여자와 결혼을 했다. 두 번째 아이는 딸인데 이름이 무까 닝잇(Muka Ningit)이었고 남편 마을로 따라갔다고 한다. 그 마을에서 버려진 여성, 볼란사르 또는 무까 자와는 산 사람들의 철저한 관습에 얽매인 채 살고 있었다. 두 명의 아이를 낳은 후 그녀에게 불행은 다시 찾아 왔다. 남편이 죽은 것이다. 그 후 그녀는 마을 공동 소유 재산인 과부가 된 것이다.

볼란사르 일명 무까 자와가 야자유와 야자 열매를 소금과 어린아이들 용품으로 교환하기 위해 산에서 내려왔을 때 그녀는 해안가에서 같이 살자는 한 남성을 만났다. 그때 정식 결혼식이 있었는지 모르지만 확실한 것은 마을에서 그녀가 해안가에 가서 사는 것을 허락했다는 것이다. 이럴 경우, 남성 측이 여성 측 마을에 신부 값으로 상당한 돈을 지불해야 하는 것이 관례로 되어 있었다.

마을의 결정은 아직 어린 무까 닝잇은 그의 어머니와 함께 해안가에 가서 사는 것이 허락되었고 남자아이 살란땅은 마을에 남아야 한다는 것이었다. 무까 닝잇은 성장하여 해안가 청년과 결혼을 했고 다섯 명의 자식을 두게 되었다.

무까 닝잇이 결혼함에 따라 볼란사르 일명 무까 자와는 다시 산으로 돌아 가 그의 아들을 돌봐야 했다. 우리가 마을에 왔을 때 그녀의 아들인 살란땅은 마을에 없었다. 그때 살란땅은 밭에서 잠을 자고 있었다. 멧돼지 공격으로부터 싱꽁 밭을 지키는 일을 해야 했기 때문이다. 다음날 살란땅은 마을로 돌아왔다. 그 청년은 몸이 건장했고 깨끗한 피부를 갖고 있었다. 안타까운 것은 피부 전체가 까스까도에 걸려 있었다. 이른 아침부터 마을 여자들은 산에서 얻은 재료로 만든 분으로 얼굴을 하얗게 칠하고 있었다. 그들 얼굴은 방금 회칠한 흰 벽보다 더 희었다. 아마도 그것은 마을을 방문한 우리들을 존경하는 뜻으로 그렇게 한 것으로 보였다. 옷도 가장 좋은 옷을 입었고 아이들은 치장을 하였다.

내가 커피를 따를 때 볼란사르가 도착했다. 그녀의 몸 전체를 자세히 바라보았다. 쳐다보는 시선을 의식했는지 그녀는 즉시 우리 곁을 떠났다. 오른쪽 귀에 귀걸이를 착용했으나 왼쪽 귀에는 귀걸이가 없었다. 잠시 후 그녀는 환한 웃음을 보이며 다시 나타났으나 귀에는 귀걸이가 보이지 않았다. 나는 그녀 곁으로 가서 밥솥을 들어 주었다. 그녀는 불 피우는 것을 도왔다. 이때 한 번 더 그녀의 귀를 볼 수 있었다. 틀리지 않았다. 그녀의 오른쪽 귓불에 귀걸이를 한 흔적이 아직 남아 있었기 때문이다. 왼쪽 귓불 구멍은 거의 막혀 있었다. 그런데 그 귀걸이는 어디로 갔지? 왜 왼쪽 귓불은 귀걸이를 한 흔적이 없지? 나는 앉아서 그녀에게 말을 걸었다. 그녀는 느린 말로 조용히 대답을 했다.

"여기까지 올 필요가 없었어요. 나는 여러분들이 정말 안쓰러워요. 모든 사람에게 말했듯이 나는 그저 이름에 '자바'라는 말이 들어가 있을 뿐, 태생은 부루 섬이에요."

친어머니에게 다가가듯 그녀에게 더 가까이 다가갔다. 그리고 조용히 속삭였다.

"네. 사실 제가 이곳에 온 것은 부인을 어렵게 하기 위해 온 것은 아닙니다."

그녀의 표정은 불안하게 보였다. 주름진 얼굴은 내 입을 주의 깊게 바라보고 있었다. 그리고는 입을 다물었다.

"여기서는 우리를 바라보는 사람이 없어요. 내게 말씀해 보세요. 아마도 부인을 위해 도울 수 있는 그 무엇이 있을 것 같아요."

작은 신음소리 같은 목소리가 내 희망을 꺾었다.

"아니에요. 다시 그 이야기는 안 했으면 좋겠어요."

여기까지 대화가 이어진 후, 다른 여자들이 우리를 돕기 위해 다가왔기 때문에 나는 볼란사르 곁을 떠났다. 다시 내 자리로 돌아왔을 때 그녀는 더욱더 내게 신경을 쓰는 것 같았다. 나는 조용히 말을 이었다.

"사실 나는 부인과 같은 운명인 내 누님을 찾고 있는 중이에요."

이제 희망 없이 늙어 가는 여자는 내 눈을 쳐다보면서 내 마음을 읽으려고 했다. 나는 다시 그녀에게 확신을 심어주듯 머리를 끄덕였다. 그녀는 말없이 부엌을 떠났다가 다시 돌아왔다. 그런데 사띠뚜사가 같이 사진을 찍자고 할 때 그녀는 거절하지 않았다. 그녀가 빈랑 열매를 빻으면서 헝겊 주머니에서 석회*를 꺼낼 때 나는 빨리 그 주머니를 열어 주었다. 주머니 안에는 양철로 만든 오래된 포마드 통이

* 빈랑 열매를 석회와 같이 씹으면 그 풍미를 더 한다고 함

있었고 그 통 안에는 석회가 들어 있었다. 볼란사르 일명 무까 자와는 그 통을 열지 말라는 뜻으로 내게 눈치를 주는 것 같았다. 나는 그녀의 마음을 알지 못한 채 끝내 나는 그 안에 보관된 귀걸이를 보게 되었다. 사띠뚜사가 우리 곁을 떠나 휴식을 취하는 것 같았고 와이 두랏은 살란땅을 만나고 있는지 아직 돌아오지 않았다. 내가 땔나무를 집어 들 때 갑자기 그녀가 내 옆에 쪼그려 앉으며 말했다.

"이제 나에 대해 생각하지 말아요. 이미 여기서 이렇게 사는 것이 익숙해져 있어요. 이제 이곳, 높은 산에 올라오지 말아요. 아무 쓸모없는 일이에요. 나는 그 이야기를 하지 않기로 결심했기 때문이에요."

나는 그녀에게 지난 이야기를 강요할 수 없었다. 그녀는 계속해서 말을 이었다.

"안 됐네요. 지난밤 나는 여러분들을 만날 수가 없었어요. 밥에다 소금을 반찬으로 저녁을 먹었다고 들었어요. 이따가 내가 반찬을 조금 만들어 줄게요."

나는 감사하다고 대답했고 그녀는 잠시 후 고기를 가져왔다. 나는 말 없이 고기를 썰었고 그녀는 다시 양파, 설탕, 마늘을 가져왔다. 나는 음식 재료들을 대나무 탁자에다 준비했다. 그녀는 직접 만든 야자기름에 고기를 능숙하게 볶았다. 여기서 참고할 것은 알푸루 내륙지방 종족들은 음식을 만들 때 마늘, 양파를 사용하지 않는다는 것이다. 그날 아침밥이 다 되었고 우리들은 빨리 먹기 시작했다. 와이 두랏은 살란땅과 같이 돌아왔다. 나는 마을 주민 전체에게 커피와 밥을 나누어주기 위해 바빠지기 시작했다.

나는 다시 그녀에게 접근하려고 했으나 멀리 보이는 그녀의 얼굴에는 마을 관습을 어겼을 경우 받는 처벌에 대한 두려움과 무서움이 나타나는 것 같았다. 그녀도 별 수 없이 연약한 여자임에는 분명했다. 다시 접근을 시도하는 것은 불가능하게 보였다. 우리에게 남아있는 시간은 그렇게 많지 않았다. 아침 9시에 우리는 다시 산에서 내려가 와이 아뿌 계곡으로 돌아가야만 했기 때문이다. 와리안라헹 마을에서 약 열두 시간 넘게 체류했다. 우리는 이 마을에 어젯밤 여덟시경에 들어 왔다.

돌아오는 길에 그녀와 직접 만나 이야기한 와이 두랏으로부터 추가 설명을 들었다. 그 설명을 들으면서 그녀에 대한 우리들의 슬픔은 더욱더 깊어져 갔다. 볼란사르 일명 무까 자와는 우리와의 만남이 너무 늦게 이루어진 것을 정말 아쉬워했다고 한다. 그 마을 주민들이 우리들의 방문 목적을 알게 되어 결국 그녀는 마을 주민 회의에서 마을 관습과 전통을 철저하게 준수할 것임을 다시 선서했다고 한다.

또한 무까 자와는 우리들의 안전에 대해 매우 염려했고 그녀 자신과 아이의 신변 안전에 대해서도 걱정을 많이 했다고 한다. 우리 일행이 도착하기 전 그녀는 관습과 전통을 위해 마을이 손해 보는 일이 없을 것임을 마을 주민 앞에서 엄숙히 선서했다고 한다. 와리안라헹 주민들은 자기들을 이끄는 그녀가 사라지는 것을 몹시 두려워하고 있다고 했다. 만약 그녀가 마을을 떠난다면 같은 처지의 여성들도 마을을 떠날 것이 분명했기 때문이었다.

이 모든 것이 그들은 두려웠고 따라서 그들은 자기 나름의 관습을 지키려고 노력했던 것이다. 마을 촌장 역시 우리들의 방문 목적을 꿰뚫어보고 있었다. 그 자신도 부인으로 데리고 살았던 피부가 맑은 여자를 잃고 싶지 않았던 것이다. 다음은 와이 두랏과 볼란사르 일명 무까 자와가 서로 나눈 대화 내용이다.

와이 두랏 : 무까 이멕(Muka Imek)을 아시나요?

무까 자와 : 잘 알고 있어요. 과거 한집에 같이 살았었어요. 그는 지금 레마항(Lemahang)에서 살고 있어요. 자 이제 됐어요. 그녀도 나와 같은 운명이에요. 이제 더 이상 그 문제로 어렵게 하지 말아요.

와이 두랏 : 기리뿌라에서 우리는 왔는데 만약 그곳에서 부인이 거주를 원한다면 의식주 관련된 모든 문제가 이곳보다 훨씬 좋아질 것이에요. 우리는 부인을 위해 그곳에 집을 새로 지을 수도 있고 부인 건강관리도 기리뿌라가 여기보다 더 좋을 것입니다.

무까 자와 : 이번에 마을을 방문한 일행은 나를 더 힘들게 만들었어요. 마을에 있는 아이들 앞에서 여러분들은 나에 대해서 많은 것을 물어보았어요. 결국 마을 주민 앞에서 관습과 전통을 지키기 위해 말을 하지 않겠다고 선서를 했지요. 나는 이곳 사람들에게 엄격하게 적용되는 관습법 앞에 선서한 것이에요.

와이 두랏 : 부인이 이런 어려운 경험이 과거에 있었던 일 때문에 더 힘든 것이 아닌가요?

이 질문에 그녀는 대답하지 않았다. 그러나 그녀의 얼굴에는 슬픔이 그려져 있었고, 그녀는 우리 동료인 와이 두랏 앞에서 눈물을 흘렸다고 한다. 다른 친구의 말을 빌리자면, 그녀가 와이 두랏에게 말한 것 중, 오래전에 먼 산에서 건너온 사람들과 마을 사람들이 알아듣지 못하는 말로 이야기했다고 몸에서 피가 철철 흘러내릴 정도로 집단 매질을 당한 힘든 경험도 포함되어 있었다고 한다. 이곳 여자들은 부루어 이외의 다른 말을 사용해서는 안 된다는 철저한 금지 관습이 있었다.

와이 두랏이 그녀와 만나 이야기할 때 가까이 다가오는 마을 남성 목소리를 듣고 그녀는 얼굴이 창백해져서 도망치듯 뛰어갔다고 한다. 그 짧은 만남 이후 와이 두랏은 그녀의 또 다른 이야기를 듣기 원했으나, 볼란사르 일명 무까 자와는 땅에다 십자가를 그리면서 다음과 같이 말했다고 한다.

"이 땅에서 나는 태어나 먹고 자랐고, 이 땅에서 나는 죽을 것이에요. 그런 다음 다시 이 땅으로 돌아올 것이에요."

그렇게 말한 후, 무까 자와는 이렇게 말을 끝냈다고 한다.

"당신은 너무 늦게 왔습니다."

일본의 기만적인 약속에 속아, 질곡의 삶을 살아냈고 이제는 희망 없이 늙어 가는 한 여성이 나에게 마지막으로 한 말을 여기에 기록을 한다.

> "이제 다시는 나를 생각하지 마세요. 이렇게 늙은 여자가 무슨 소용이 있어요."

그녀의 마지막 요청은 다시는 이 산에 오르지 말라, 아무 소용이 없다, 이제 당신들은 나를 만날 수 없을 것이다, 오늘 나는 이곳을 떠나 당신들이 찾지 못할 곳으로 갈 것이라는 슬픈 다짐이었다.

돌아오는 길에 나는 다시 한번 고개를 숙였다. 지금까지 내 어머니를 위해 울어 본 적이 없었는데 잠시 만난 한 여인이 나를 이렇게 슬프게 만들고 있었다. 기리뿌라에서 온 우리 동료들이 여러 가지 제안을 했지만 그녀의 마음을 얻고 변화시키는 데는 실패하였다. 우리와 이야기한 벌칙으로 그녀는 마을 관습법에 따라 오늘 어딘가로 떠난다고 했다. 직접 잡은 한 마리 암탉을 그녀가 나에게 주면서 전한 말이 다시 떠 올랐다.

> "정말 안 됐네요. 당신에게 무언가 주고 싶은데 가진 것이라곤 아무 것도 없네요. 이 암탉을 그저 가져가요. 그리고 다시는 나에 관한 이야기는 하지 말아요."

나는 그녀가 건네주는 암탉을 정중히 사양할 뿐이었다.

위안부 출신으로 부루 섬에 버려진 여성들에 대한 조사를 앞으로 하고자 하는 사람이나 기관을 위해 볼란사르 일명 무까 자와에 대한 추가 설명을 다음과 같이 한다.

볼란사르 일명 무까 자와는 중부 자바, 뻐말랑 출신이며 검은 피부를 갖고 있다. 입술은 얇으며 치아는 어금니만 남아 있는 상태다. 키는 약 150 센티미터 정도이며 얼굴은 계란형이다. 오른쪽 귓불에 귀걸이를 하기 위해 구멍이 나 있다. 나이에 비해 몸동작은 날렵했고 늘 헝겊 주머니를 갖고 다니는데 그 안에 빈랑과 석회가 들어 있다. 또 그 안에 양철통이 하나 있는데 귀걸이가 하나만 들어 있다.

부루 섬에 버려진 위안부들에 관심을 두고 조사하는 사람이나 기관이 있다면 와리안라행 마을 촌장 부인인 볼란사르 일명 무까 자와에게 특별히 관심 가져주기 바란다.

제 8 부

끌라뗀에서 온 물야띠(Mulyati)의 흔적

물야띠(Mulyati) 부인 이름은 우리들에게 가장 늦게 알려졌습니다. 부루 섬 안에 있는 위안부 출신 여성들의 이름과 위치를 파악하기 위한 노력 중에 우리 동료 사로니는 시띠 F. 부인을 만났습니다. 그녀의 부루식 이름은 냐 심바르(Nya Simbar)였습니다.

다음은 세 명의 손자와 함께 싱꽁 밭에서 돌아온 시띠 F. 부인과 사로니가 주고받은 내용입니다.

"부인, 나는 부인과 같은 처지로 부루 섬에 어쩔 수 없이 남아 있는 사람들을 만나고 싶습니다. 내가 확신하건데 여기, 이 섬에는 자바에서 온 처녀들이 아직 생존해 있을 것으로 보고 있어요. 부인께서 그 사람들이 어디 있는지 알려 줄 수 있겠어요?"

"저기 뽈리(Polli) 산에 있어요. 그 여자들의 이름은 숫(Sut)과 숨(Sum) 그리고 --- 그들도 이미 늙었어요. 모두가 잊혀진 사람들이에요."

"그 마을이 어디에 있나요?"

"와이 로 위에 뻘리라는 곳인데 산에 있는 마을이에요"

"부인은 그곳에 가 본 적이 있는지, 아니면 최근에 부인이 그들을 만난 적이 있는지요?"

"오래전 이야기인데, 내가 산에 올라가, 그들을 만난 적이 있어요. 그런데 산 사내들이 그들을 더 높은 곳으로 데려갔어요. 다른 곳으로 간 것이지요. 안타깝게."

"그 남자들이 남편인가요?"

"아니에요. 그곳 여자는 재산의 일부분일 뿐 무조건 남자들의 소유물이지요."

숫과 숨으로 줄여서 이름이 알려진 수띠나(Sutinah)와 수미야띠(Sumiyati)는 오래전부터 우리들에게 알려진 위안부 출신 인물이었으나 그들의 남편 이름과 거주 장소가 알려지기 전까지 그들은 우리 앞에 나타난 적이 없었습니다.

사로니는 부루 섬에 남아 있는 위안부 출신 여성들을 찾는 노력을 계속했습니다. 다음은 사로니가 바만니웰라헹(Bamanniwelaheng) 마을 촌장인 리게(Lige)를 만난 이야기입니다.

일반적으로 알푸루 원주민들은 그들의 삶에 대한 자세한 이야기를 외부인에게 하려고 하지 않는다. 그날 사로니는 리게 촌장 집을 방문하였다. 리게는 아직 소녀티가 남아 있는 그의 손녀인 냐 에꼬르(Nya Ekor)에게 사로니가 마실 물을 가져오라고 했다.

"내 동생 같네요."

사로니가 냐 에꼬르를 보면서 말했다. 늙은 촌장은 사로니가 그의 손녀를 칭찬하는 소리를 듣고 웃었다. 이 작은 여자아이도 이미 남편이 있었는데 아직 지참금이 해결되지 않아 분가를 하지 못하고 있었다. 그의 남편인 와란(Waran)은 읽고, 쓰기 배우기를 희망하던 청년이었다.

"내 형제 같네요."

사로니가 다시 이야기했다. 리게가 고개를 끄덕이며 긍정했다.

"여동생이 있는가?"

"네, 촌장님. 먼 훗날 촌장님과 나, 그리고 내 여동생이 함께 만날 수 있는 날이 분명 있을 것입니다. 촌장님께서는 일본에 대해서 잘 알고 계시지요? 자바에서 아가씨들을 데리고 온 그 일본을."

촌장의 오랜 침묵이 이어진 후, 사로니가 다시 말을 이었다.

"보세요. 촌장님. 지금 내 어머니는 자바에서 딸을 기다리고 있어요. 저보고 이 부루 섬에서 제 여동생을 찾아오라고 어머니께서 당부하셨지요. 이곳에서 여동생을 만나 나중에 제가 자바로 돌아갈 때, 같이 돌아오라고 하셨지요.

그 여동생의 큰절을 어머니께서는 받고 싶어 하십니다. 만약 촌장님께서 알려주지 않는다면 저도 자바에 돌아가고 싶지 않습니다. 그냥 이 부루 섬에서 잊혀진 오누이로 살아갈 수밖에 없겠지요."

"그러지 말게. 자네 부모가 불쌍하네. 그들은 학수고대하면서 기다리고 있네."

그런 다음 촌장은 말을 하기 시작했다.

하얀색의 배가 남레아 항구에 접안을 하고 열 명의 일본 군인과 네 명의 예쁜 인도네시아 아가씨들이 내렸다. (촌장은 몇 년도인지 기억하지 못했다) 그는 아가씨들이 일본 군인의 부인임을 확인하지 못했다. 시간이 지난 다음, 촌장은 그 일본 군인 몇 명의 이름을 알게 되었다. 와타키상, 수즈키상, 사토상 등이었으며 당시 촌장은 남레아 댐을 건설하는 노무자로 일을 하고 있었다.

"촌장님. 일본 장교들을 위해 바마니웰라헹 마을에서 큰 잔치가 있었다는 이야기를 들은 적이 있어요. 그 아가씨들도 잔치에 참석했나요?"

그 늙은 촌장에게 담배에 불을 붙여 주면서 사로니가 물었다.

"맞네. 냐 심바르(시띠 F. 부인)도 그 자리에 참석했네. 그녀는 몇 번 이 마을에 왔었고 와이 수한(Wai Suhan)에 간 적도 있지. 그런데 아쉽게도 그곳 촌장은 죽었네. 그가 더 많이 알고 있는데. 내가 알고 있는 것은 얼마 없네."

"촌장님은 그 이름을 어디서 알게 되었나요?"

한참 촌장은 침묵을 지켰다. 그러다가 그의 노무자 시절 이야기를 계속했다.

"일본인들은 그녀들을 수미(Sumi), 앙사르(Angsar) 그리고 말랏(Malat)이라고 불렀지."

"그들은 한집에 같이 살았나요. 촌장님?"

"아니네. 말랏은 자바에서 온 경찰 부인과 함께 살았는데 그 부인이 가끔 필요한 물건을 사다 주었네."

촌장의 이야기는 계속 이어질 수 없었다. 사로니가 14 킬로미터 떨어진 집단 억류지로 돌아갈 시간이 되었기 때문이다.

12일 후, 손 푸마이(Son Fumai) 마을의 촌장 부인 장례식 때 사로니는 촌장을 다시 만날 수 있었다. 사로니 동료들은 먼저 집단 억류지로 돌아갔고 사로니는 석유 등잔 켜는 방법을 알려 주기 위해 마을에 남게 되었다. 이때 사로니는 리게 촌장과 다시 이야기할 수 있었다.

"자바에 스모랑(Smorang)과 깔뗀(Kalten)이라는 마을이 있는가?"

촌장이 물었다.

"네. 있어요."

사로니가 즉시 대답을 했다. 촌장이 말한 곳이 자바에 있는 스마랑(Semarang)과 끌라뗀(Klaten)임을 미루어 짐작할 수 있었다.

"누가 그곳에서 왔는지요?"

"나는 많은 것을 알지 못하네. 말랏은 피부가 검었는데 깔뗀(Kalten)에서 왔다고 경찰 부인이 말을 했네."

"고맙습니다. 촌장님. 혹시 그 경찰 부인 이름을 기억하나요. 아니면 그녀의 남편 이름을 기억할 수 있나요?"

"나는 알지 못하네. 냐 심바르에게 직접 물어보는 것이 좋겠네."

다음 날 장례식이 끝난 후 오전 11시 30분, 사로니는 리게 추장을 배웅한다는 핑계로 마을로 같이 들어갔다. 같이 돌아오는 길에 사로니는 말랏에 대해 리게가 기억해 낼 수 있는 모든 것을 알아내기 위해 노력했다. 리게는 일본이 패망하고 그녀가 마지막으로 살았던 돌로 지은 집에 대해 이야기했다.

"일본은 모든 것을 잃었지. 그래도 사람들은 일본 지시를 기다렸지. 그러나 시간이 지나 일본사람들이 돌아간 후, 사람들은 각자 집에서 나왔네.

말랏이라고 부르는 작은 여자는 종종 울었네. 어느 날 나는 그녀가 급하게 걸어가는 것을 보았지. 산 종족인 와이 로아 사람들이 그녀를 데려간 거네. 그때 말랏은 노무자로 같이 일한 내 친구와 같이 갔어. 나중에 들은 이야기로는 그녀는 와이 떼몬 라뚠(Wai Temon Latun) 마을의 촌장 부인이 되었다고 했네."

말랏과 관련하여 사로니는 시띠 F. 부인 일명 냐 심바르를 만나 그녀로부터 다음과 같은 이야기를 들었다고 합니다.

"말랏이 아니에요. 산 사람들은 혀가 잘 돌아가지 않아 발음을 잘못해요. 말랏이라는 이름은 다-말라(da-mala)에서 왔는데 그 의미는 '얼굴이 검다'라는 부루 말이에요. 물론 그녀는 검었지만 예뻤고 그녀의 진짜 이름은 야띠(Yati)에요."

사로니에게 시띠 F. 부인이 말하기를 와이 떼몬 라뚠 마을 촌장의 부인 중 한 명이 끌라뗀(Klaten) 출신이라는 것입니다.

위의 모든 진술을 바탕으로 불확실하지만 다음과 같이 정리할 수 있겠습니다.

1. 말랏이라고 주민들이 알고 있는 여자의 진짜 이름은 야띠이다. 야띠라고 확인해 준 사람은 그녀와 가까운 시띠 F. 부인 일명 냐 심바르이다. 그러나 일본인과 현지 주민들은 말랏이라고 알고 있었다. 주민들은 그들의 관습법을 통해 주민으로 받아드려진 외부 사람에게 새 이름을 부여하곤 한다. 그러나 말랏은 부루식 이름이 아니다. 왜냐하면 일본사람들이 그녀가 알푸루

종족 사회의 일원이 되기 전에 이미 말랏 또는 야띠라고 불렀기 때문이다. 따라서 그녀의 확실한 이름은 Malat + Yati = Malatyati가 된다. 그러나 자바에서 Malatyati 이름이 일반적이지 않기 때문에 그녀의 자바식 이름은 자바 여자들이 흔히 갖는 일반적인 이름인 물야띠(Mulyati)로 부르는 것이 합당하다고 본다.

2. 그녀는 누르 라뚠(Nur Latun) 계곡의 와이 떼몬 라뚠 마을 촌장인 마떼 떼몬 라뚠의 부인 중 한 명이다. 주민들 말에 따르면 와이 떼몬 라뚠 마을은 강 상류에 있는데 강력한 인물인 촌장이 다스리고 있고, 그는 여섯 명의 처를 두고 있다고 알려졌다. 부인 중 일부는 약탈한 사람이라고 전해지고 있다.

그러나 그렇게 강력한 촌장도 그의 첫 번째 부인한테는 함부로 하지 못한다고 알려졌습니다. 그녀는 여자를 강탈해 온 남편에게 그 잘못을 따졌다고 합니다. 그것은 부루 섬 관습에 비춰보면 절대로 불가능 한 일이었습니다. 왜냐면 부인은 남편에게 무조건 복종을 해야 하기 때문이었습니다.

이렇게 부인이 남편에게 대든 일은 알푸루 종족 사회에서 처음 있는 일이라고 전해지고 있습니다. 이러한 그녀의 당당한 모습은 마을 주민들의 호응을 받게 되었고 결국 그녀는 추종하는 세력과 함께 마을을 떠나 새로운 마을을 만들었다고 합니다.

그녀에 대해 정리하면 다음과 같습니다.

촌장의 부인 중 한 명은 자바에서 온 사람이고, 그녀는 남편에게 대등한 입장을 취했는데 그녀의 이름이 물야띠이다. 그녀는 남편으로부터 독립하여 추종자들과 함께 새로운 마을을 건설하여 거주하고 있다. 그리고 경찰 부인과 리게 촌장의 말을 빌리면 물야띠는 중부 자바 끌라뗀에서 온 사람이라는 사실. 그리고 리게 촌장이 그녀를 마지막으로 본 것은 일본이 연합국에 항복한 직후였으며, 그녀는 잘 울었다는 사실. 그런데 무서움을 타던 여자아이가 이십 년 후에 대담한 성격으로 변화된 사실로 간추릴 수 있다.

이렇게 불확실한 정보를 바탕으로 사로니와 몇몇 동료들은 와이 떼몬 바루(Wai Temon Baru) 마을에 있는 물야띠 부인을 만나겠다는 계획을 세우게 됩니다.

다음은 사로니가 직접 쓴 위안부 출신 물야띠 부인을 만나기 위한 그들의 여정 기록입니다.

자연 장애물이 많았기 때문에 그들의 여정은 20시간 넘게 걸린 강행군이었습니다. 그들의 여정을 통해 부루 섬 내륙 산악지대에 있는 알푸루 종족의 삶이 어느 정도 우리들에게 알려지게 되었습니다. 이는 지금까지 외부에 밝혀지지 않은 내용이었습니다. 사로니의 글을 읽고 내가 일부 수정과 첨삭을 했는데 끝까지 읽기에는 여러분들의 많은 참을성이 요구되고 있습니다.

동료들은 와나께누나(Wanakenuna) 집단 억류지를 감싸고 있는 산록에서 아끽(akik)*이라는 보석 원석을 찾는 데 온 신경을 집중하고 있었다. 그러나 나는 누르 라뚠 계곡 쪽에서 들려오는 처절한 절규 소리를 마음으로 듣고 있었다. 그 계곡은 와이 아뿌 강 상류에 있었

* 일종의 수정 결정체로 준보석

다. 그곳에는 와이 로와(Wai Lowa), 와이 띠나(Wai Tina), 와이 떼몬(Wai Temon), 니소니(Nisoni), 와이 히디(Wai Hidi) 그리고 와이 또리(Wai Tori)라는 알푸루 종족의 마을이 있었다. 알푸루 종족 전설에 따르면 누르 라뜬 계곡에 그들의 선조가 내려와 왕의 권한을 대대로 승계해 주었다고 한다.

이번 여정은 누르 라뜬 계곡에 있는 와이 떼몬 마을로 가서 리다(Rida) 부인을 찾는 것이다. 내 이야기를 계속하기 전에 와이 히디 마을 촌장인 이풀라헤(Ifulahe) 일명 오넨(Onen)이라는 촌장으로부터 들은 부루 섬 전설을 먼저 이야기하려고 한다.

오래전에 두 명의 유랑자가 이 부루 섬에 들어왔다. 그들은 누르 와웰(Nur Wael)과 누르 라뜬(Nur Latun)이었는데 와이 아뿌 강 상류까지 거슬러 걸어 올라갔다.

누르 와웰은 태양이 뜨는 방향으로 터를 잡고 삶을 꾸렸고, 두 명의 자식을 두었는데 각각 끼마 아웰(Kima Wael)과 세후 와웰(Sehu Wael)이라 했다. 끼마 와웰은 강인한 성격으로 주위 환경을 하나씩 정복해 나갔다. 끼마 와웰의 자식과 손자들은 와이 로 강을 따라 자리를 잡았고 점차 그 세력을 확장하였다. 또한 끼마 와웰로부터 '족장' 직위가 계승 되었는데 파다도(Fadado) 족장부터 지금의 이스마일(Ismail) 족장까지가 그 계보이다. 세후 와웰은 다른 방법을 택했다. 그의 형제인 끼마 와웰과 다툰 후 다른 섬으로 이주했는데 그 섬이 바로 세람(Seram)* 섬이다.

* 부루 섬 동쪽에 위치

누르 라뚠은 죽을 때까지 와이 아뿌 강 상류에서 그의 자손들과 함께했다. 그들은 강을 따라 거주했다. 누르 라뚠 계곡은 와나다르마(Wanadharma) 집단 억류지 동남쪽에 있었다. 북부 부루 지역의 종족들은 그들은 누르 라뚠, 끼마 와웰이 그들의 조상이라고 말하고 있다.

우리들의 목적지는 와이 떼몬이었다. 와이 떼몬은 누르 라뚠 계곡에서 시작하는 강 이름이다. 또한 와이 떼몬은 그 강물을 마시는 주민들이 사는 마을 이름이기도 했다. 반유목민 생활을 하고 있어 이동 중인 시간이 많아 그들의 위치를 찾아내기가 쉽지 않았다. 내가 듣기로는 우리가 가고자 하는 마을 주민들이 이미 일 년 전에 마을을 떠났다는 소식을 들었다. 또한 그곳까지 길 안내할 사람이 필요했다.

마을을 옮긴 이유가 와이 떼몬 촌장이 그의 부인 중 일부를 약탈해 왔는데, 그의 첫째 부인이 촌장의 그러한 행태를 비난하고 마을을 떠났는데 그때 동조하는 주민들이 그녀를 따라 갔다는 것이다. 그들은 와이 떼몬 바루라는 새로운 마을을 건설했다고 한다. 남편에 대항한 용감한 부인의 이야기는 입소문이 되어 누르 라뚠 계곡에 있는 모든 마을에 널리 알려지게 되었다.

그 용감한 부인은 누구인가? 내가 찾고 있는 도쿄로 공부하기 위해 떠난 자바 출신 처녀인가? 리다(Rida) 부인인가? 그녀의 본명은 무엇인가? 파리다(Farida)? 아니면 아리다(Arida)? 그 모든 것을 증명해야 한다. 많은 시간이 필요하지만 그녀를 만날 가능성은 그렇게 높지가 않았다. 버려진 여자와 집단 억류지에 있는 나는 자유를 제한받고 있었기 때문이다.

기다리던 기회는 찾아 왔다. 집단 억류지에서 필요한 조미료와 소금을 구입하기 위해 새로운 돈줄이 필요했다. 나에게 백단유 정제를 위한 부지를 찾는 임무가 주어졌다. 그 지역을 가기 위해서는 위험을 무릅 쓰고 장거리를 걸어가야만 했다.

나는 집단 억류지의 첫닭 울음이 울 때 길을 떠났다. 동료들은 아직 깊은 잠 속에 있었다. 수립(Surip)이 나와 함께 했다. 그는 키가 작았고 어제까지 몸살을 앓았다. 그러나 동행하고자 하는 열의가 높았다.

아침 안개가 사방을 모두 덮었다. 습기 때문에 숨쉬기도 갑갑했다. 어제 오후에 내린 비는 흙길을 더욱 미끄럽게 만들었다. 넘어지지 않기 위해 발가락에 더 힘을 주었다.

"몇 명이 동행하나요?"

수립이 물었다.

"네 명. 문제가 없다면."

"백단유 정제하는 방법 말고 소득을 올릴 수 있는 편한 방법이 없나요? 이 일은 많이 힘들어요. 우리는 자체 백단 나무 임지가 없잖아요. 백단 나무 좋은 지역은 이미 다른 집단 억류지 몫이 되었잖아요. 그리고 백단유가 나중에 팔릴지도 모르는 일이구요."

"그런 생각하지 말고, 우리들의 임무는 백단 나무 부지를 찾는 조사다. 수립! 손전등을 켜지 마라. 아마 사냥꾼을 놀라게 할 수도 있으니까."

"이런 날씨면 사냥꾼들도 모두 잠을 잘 겁니다."

그때 절벽 위로 비치는 우리들 손전등 빛에 눈동자 두 개가 빛났다. 내가 일부러 손전등으로 겨누는 자세를 취하니 눈빛이 붉은색으로 변했다.

“멧돼지!”

내가 속삭였다.

“저 녀석을 잡을 장비가 없네요. 작은 칼 밖에 없어요.”

수립은 내 어깨에 둘러멘 비닐 봉지 안에서 칼을 더듬었다. 산바람이 불었다. 모자를 쓰지 않은 내 머리카락에서 이슬이 방울지기 시작했다. 우리는 비가 내릴 때 소와 물소가 지나가서 온통 진흙탕이 된 길로 들어섰다. 숲으로부터 땔감을 실어 나른 마차 바퀴 자국이 빗물 속에 남아 있었다.

한 시간이 지나 집단 억류지의 관개시설을 감시하는 오두막에 도착했다. 주민들은 밥솥 주위에 모여 일하기 전에 아침 식사를 준비하고 있었다. 우리는 몸에서 이슬을 털어내고 주민들과 합석을 했다. 나는 수립을 그들에게 소개했다. 그는 집단 억류지로 최근에 들어 온 정치범이었다.

이번 백단 숲 부지 조사는 와나수르야 집단 억류지와 와나끈차나 집단 억류지 공동으로 실시하는 것이었다. 와나끈차나 집단 억류지에서 참여하는 사람의 이름은 까르노(Karno)와 누르(Nur)였다. 까르노는 사십 대 건장한 체격을 갖고 있었고 아직 흰 머리카락이 보이지 않았다. 인상은 날카로웠고 그가 과거에 얼마나 힘든 경험을 했는지 얼굴에 잘 나타나 있었다. 치아는 이미 빠지기 시작했지만 그의 체력은 우리를 놀라게 했다. 누르는 거의 뛰다시피 관개시설 오두막으로 시간에 맞춰 도착했다. 한 명 더 참여하는데 그는 아직 오지 않았다. 그의 이름은 수기또(Sugito)였다. 와이 로 강 전역에 있는 주민들은 그를 만띠르(mantir), 즉 간호조무사라고 불렀다. 지금까지 그는 많은 수의 주민들 병을 고쳐주었다.

관개시설 오두막 앞에 민둥산이 줄지어 있었다. 3년 전에 백단유 정제시설이 화제가 나 산이 불탔기 때문이다. 그 후, 누구도 그 산에 올라가지 않았다. 수풀은 사라졌고, 한, 두 그루 나무만 남아 있었다. 그 나무들은 화마를 견디어내는 수종임이 분명했다. 자연이 선택한 종류인 것이다. 닭들은 이미 땅으로 내려와 있었고 오리들은 관개시설 오두막 우리에서 밖으로 내보내 달라고 아우성치고 있었다. 누르는 빨리 출발하자고 독촉했다. 수립은 긴 의자에 앉아 내 결정을 기다렸다. 까르노는 짐 싸는 데 분주했다.

"좋다. 그런데 간호조무사는 어떻게 하지?"

"그는 뒤따라 올 것입니다."

누르가 허리춤에 칼을 차면서 대답했다.

"그럼, 아침을 먹고 출발하는 것으로 하지요."

까르노가 제안했다.

"나중에 식사하지. 늦어질 것 같으니까. 니소니 마을까지 일단 들어가는 것이 중요해."

"니소니 마을에서 밥을 해 먹고 간호조무사를 기다리는 것이 좋겠네요."

우리는 출발했다. 똑같이 짐을 나누어 짊어졌다. 그런데 간호조무사에게는 바나나 한 묶음이 더 짐으로 할당되었다. 멀리서 한 사람이 달려오면서 소리쳤다.

"간호조무사는 문제가 생겨서 출발이 힘들 것 같다고 하네요. 아니면 뒤따라 올 수도 있다고도 하네요."

관개시설 오두막에서 400미터 떨어진 저수지에 우리는 도착했다. 저수지 물은 산 아래를 감싸고 있었다. 큰 나왕 원목이 저수지 가운데에 놓여 있었다. 그 왼쪽과 오른쪽은 이미 수풀로 수면이 덮여 있었다. 우리가 지나가는 길은 갈대가 우거진 저수지 길인데 갈대가 무성하게 자라고 있었다. 저수지 건너도 수풀로 우거져 있고 물이 깊어 보이질 않았다. 한 떼의 물고기가 저수지 수면 위 나뭇잎 뒤로 급히 사라졌다. 마치 늦게 일어난 새댁이 시어머니 눈을 피해 도망치듯 바빠 보였다.

우리는 각자의 짐을 등에 지고 산을 오르기 시작했다. 나는 이번 기회에 마음으로부터 듣고 있는 누르 라뜬 계곡의 절규 소리의 정체를 파악하고자 했다. 내 귀에 그 단말마의 신음소리가 점점 확실히 들리기 시작하는 것처럼 느껴졌다. 이번 여정은 특히 조심해야 할 것 같았다. 왜냐면 많은 사건과 사고가 벌어질 수 있고 정치범인 우리에게는 잘못하다가는 길 위에서 불상사를 당할 수 있는 가능성이 상존해 있었기 때문이었다.

우리는 계속 걸었다.

왼쪽으로부터 한 무리의 야생 오리 떼가 먹이를 찾아 날아오르고 있었다. 갑자기 오리 떼들이 소리를 지르며 흩어졌다. 한 쌍의 펠리컨이 야생 오리 떼를 공격했기 때문이다. 야생 오리 떼 우두머리가 소리를 치니, 나머지 야생 오리 떼들이 덩달아 큰 소리를 질러댔다. 그들은 무사히 펠리컨 공격을 막아냈고 한 마리도 잃지 않았다. 큰 부리를 갖고 있는 펠리컨은 바람을 타고 북쪽으로 가볍게 사라졌다. 이 육식 조류 몸체는 백조만 하고, 목은 거의 1 미터에 달하는데 다리는 짧지만 발가락 사이에 물갈퀴가 있어 수영할 수 있다.

누르가 가장 앞장서서 걸었다. 발걸음은 재빨랐다. 몸은 그리 크지 않은데 그는 산에서 태어나서 산을 잘 탔다. 그의 마을에서는 누르는 전망이 밝은 배운 청년으로 평판이 나 있었다. 그는 어깨 위에 짐을 왼쪽 손으로 잡고 오른손으로는 일행 앞에 방해되는 장애물을 헤치고 있었다. 이미 옷은 이슬로 완전히 젖었다. 허리에 찬 칼을 아직 그는 사용하지 않았다. 누르가 앞에 있는 장애물을 좀 더 거세게 제치니, 한 마리의 거미가 내 목으로 떨어졌다. 나는 거의 놀라 소리칠 뻔했다. 내 왼손은 거미를 잡고 땅에다 내팽개치려고 했다. 거미도 상황 파악이 되었는지 급히 내 웃옷 옷깃으로 들어와 내 겨드랑이를 파고들었다.

산기슭은 미끄러웠다. 그리고 그 미끄러운 길은 끝날 기미가 보이지 않았다. 오솔길에는 맑은 물이 흐르고 있었다. 아침 햇살은 산 위에 우산처럼 덮여 있는 검은 구름 때문에 열기를 내뿜지 못하고 있었다. 오른쪽을 돌아보았을 때, 내 눈앞에는 약 25미터 길이의 장벽이 똑 바로 서 있었다. 경고문은 없었지만 '산사태 지역이니 빨리 지나가라! 위험하다!'라고 느껴졌다.

니소니 마을 사람 누구도 글자를 쓰고, 읽지를 못했다. 그러나 그들은 나름의 의사소통 표시는 하고 있었다. 위험 표시는 화살과 풀가지를 엮어 만들었다. 절벽에 붙어 자라고 있는 몇 그루의 나무는 절벽 표면에 뿌리를 드러내고 있었다. 멀리 있는 나무들은 서로 뒤엉켜 마치 큰 뱀들이 서로 싸우는 형상이었다. 무수한 벌레들이 썩은 나무토막을 오르내리면서 그들의 새로운 궁전을 만들고 있었다.

날은 점점 어두워졌다. 태양은 웃지 않고 있었다. 검은 구름이 점점 두꺼워졌고 바람이 구름을 딸랑께라 산으로 몰고 갔다. 우리 앞에 갈대밭이 넓게 펼쳐져 있었다. 눈 앞에 펼쳐진 것은 계속 이어지는 산등성과 그 사이 사이에 숲 뿐이었다. 계곡에는 싱꽁, 고구마, 옥수수밭이 펼쳐져 있었는데 그것은 멧돼지, 사슴들의 표적이 되고 있었다. 우리가 첫 번째 목표로 삼고 있는 마을은 산 위에 있었다. 산꼭대기는 산사태가 나서 흡사 입을 크게 벌리고 있는 멧돼지 턱처럼 움푹 파여 있었다. 누구도 쉽게 오를 수 없는 지형이었다. 딸랑께라 산이었다.

니소니 마을은 지는 해를 바라보는 방향으로 계곡 안에 있었다. 계곡은 푸른 초록색이었다. 만약 해가 질 때가 되면 두 개의 쌍둥이 산 중, 마을 서쪽에 있는 산이 좀 더 일찍 해가 질 것으로 보였다. 우리가 길을 따라 내려가며 마을 쪽으로 향해 가는데, 누르가 강가에서 있는 나무를 조사할 겸 잠시 쉬자고 했다. 이스까민(Iskamin) 나무였다. 주민들은 그 나무껍질로 단물을 짜내 그 물을 정제해서 설탕을 만들었다. 나뭇가지는 하얗고 노란색을 띄었다. 대신 잎은 녹색인데 낭까(nangka)*처럼 두꺼웠다.

니소니 마을로 들어가기 전 주변 경관을 관찰하고 싶었다. 동쪽으로 산들이 겹겹이 이어져 산맥을 이루고 있는데 주민들은 그것을 비루 비루(Biru-biru) 산이라 불렀다. 마을의 반대 방향은 와나끈차나, 와

* jack fruit

나다르마 집단 억류지 지역 쪽인데 산등성은 와이 로아 지역으로 향하고 있었다. 니소니 마을은 말편자 형태의 산들로 둘러싸여 있었다.

"가까이 왔나?"

수립이 물었다.

까르노가 고개를 끄덕였다.

"아래를 봐요. 강이 마을을 감싸고 흘러요. 우리는 나중에 서쪽으로 해서 마을로 들어갈 것이에요."

까르노가 말하면서 니소니 강 쪽으로 걸어 내려갔다.

"이 강물을 주민들이 마시나?"

"물론이지요. 다른 선택이 없으니까."

누르가 대답하면서 강변 모래 위를 계속 걸었다.

"주민들은 이 강물이 성스럽다고 여겨요. 왜냐면 그들의 신인 빠말리 께하(Pamali Keha) 영혼의 은총을 받았다고 생각하고 있기 때문이에요."

강물은 누런색이었는데 사구 숲이나 얕은 늪지를 거쳐 온 것으로 보였다. 강물은 벼가 죽을 정도로 산성이 강해 보였다.

"아! 저것이다."

누르가 밝은 얼굴로 외쳤다.

"간호조무사가 말하길 저것은 스뽀핫(spohat)이라는 나무인데 수지는 광택제로 사용할 수 있다고 말한 적이 있어요. 부루 섬의 진짜 광택제에요."

그는 강가에 있는 나무의 껍질에서 수지를 긁었다. 스뽀핫은 일종의 나왕 나무인데 수지는 노란색이었다. 부루 섬 주민들은 그 나무의 수지를 모아 창 손잡이 부분, 칼집에 발라 광택을 냈다. 특히 매듭

끈에도 그 수지를 칠했다.

마을로 접어들기 전, 망고 나무 숲에서 망고 하나가 뚝 떨어졌다. 한 마리의 큰 박쥐가 망고 하나를 떨어뜨리고 숲속으로 날아 사라졌다. 직경이 약 1.2 미터 정도 되는 나왕 원목이 두 개의 절벽 사이에 놓여 있었다. 우리 넷은 놀란 눈으로 그 통나무를 바라보았다. 거의 큰 물소만큼 큰 나무를 사람들은 단지 칼만 사용하여 벤 것이다. 부루 섬 원주민들은 나무를 자를 수 있는 톱을 아직 알지 못하고 있었다. 칼을 사용하여 며칠이나 걸려 잘랐는지 모를 일이다. 확실한 것은 그 나무의 덩치가 약 15 ㎥ 정도 부피의 합판을 만들 수 있는 크기였다는 것이다. 아마 도시에서는 저 원목 덩어리의 가격이 최소한 25 만 루피아* 정도가 될 것으로 보였다.

우리는 그 나왕 원목을 조심스럽게 밟으면서 니소니 마을로 들어갔다. 나뭇잎으로 지붕을 이은 세 채의 집이 경사진 비탈에 서 있었다. 집 마루를 받치고 있는 기둥 길이가 각기 다 달랐다. 그들은 마당을 손대지 않고 원형 그대로 내버려 두었다. 그들은 칼을 이용하여 기둥을 만드는 것이 땅을 고르는 일 보다 더 쉬운 일처럼 여기는 것 같았다. 우리는 조용히 마을로 들어갔다.

마을 회관에는 불이 아직 지펴져 있었다. 몇 명의 남자들이 불 가에 모여 앉아 있었다. 젊은이들이 동시에 일어나 날카로운 눈초리로 우리를 바라보았다. 그들은 우리들의 출현에 경계심을 보였다. 초대하지 않은 우리의 몸 전체를 샅샅이 훑어보고 있었다. 한 아이가 일어나 뒤로 물러나면서 도망치듯 사라졌다. 앉아 있는 남자들은 움직

* 인도네시아 화폐 단위. Rupiah(약칭 : Rp.)

임 없이 목만 돌린 채, 다가오는 나를 유심히 바라보고 있었다. 긴 머리카락 아래 눈은 빛났으며 내 얼굴을 유심히 노려보고 있었다. 물론 우리 일행 중 내가 그들에게 가장 관심이 가는 모습인 것 같았다. 그들 중 나를 아는 사람은 없었다. 따라서 의심하는 것은 당연한 일이었다.

"나는 형제를 찾으러 왔어요."

내가 말했다.

"어디로 가는 길인가요?"

한 남자가 무거운 목소리로 경계심을 늦추지 않고 물었다. 그는 똑같은 질문을 다시 했다. 나는 어렵게 그가 물어보는 말뜻을 이해했다. 우리의 목적지를 물어보는 것이었다. 나는 즉시 대답을 했다.

"이곳을 방문하러 왔습니다."

니소니 마을 청년들에게 좀 더 알려진 누르가 내가 이곳에 온 목적을 설명했다. 나는 우리 방문 목적을 알고자 하는 남자에게 물었다.

"당신 이름은 어떻게 됩니까??"

"내 이름은 밤부(Bambu)라고 해요.."

그는 폭이 20 센티미터 정도 되는 천으로 만든 하복부 가리개의 끈을 고쳐 입으면서 말했다. 마을 청년들을 쳐다보는 그 남자의 눈빛이 빛났다. 눈초리는 무슨 암시를 주는 것 같았다. 입술은 두껍고 빈랑 색으로 물든 붉은 치아를 가지고 있었다.

"당신 이름은 가짜지요?"

나는 그렇게 물으면서 더 가까이 그에게 다가갔다. 내 질문은 니소니 마을 청년들의 허를 찌른 것 같았다. 남자 형제간인 노로(Noro)와 뿌띠(Putih)가 서로 눈빛을 교환했다. 내가 그들을 쳐다보았을 때 내 눈을 피했다.

"너희들도 나를 속이려고 하네. 내가 너희들 이름을 알고 있는데."

뿌띠가 웃으면서 미안하다고 말했다.

"화내지 마세요."

노로가 대답했다.

"다 괜찮은데, 왜 우리 앞에서 이름을 바꾸어 말을 하는지 모르겠다."

그들은 웃으면서 내 양해를 구했다. 그때 부엌문 쪽에서 아직 어린 티가 가시지 않은 여자 얼굴이 나타났다.

"누구신가?"

"밤부씨 첫째 부인이에요."

이 집안을 잘 아는 까르노가 대답했다.

"또 한 명 있는데, 최근에 와이 로아 산에서 데리고 온 두 번째 부인이에요."

그녀가 음식을 만들기 위해 부엌으로 사라지기 전에 밤부는 첫째 부인에게 소리쳤다.

"무까 까도(Muka Kado), 밥 빨리 준비해요."

무까 까도는 정확히 말하면 이제 겨우 아이에서 성년으로 넘어가는 나이로 보였다. 그녀가 남편 지시에 따라 우리에게 옷을 가져다줄 때 나는 자세히 그녀를 보았다. 얼굴은 계란형이었다. 머리카락은 어깨까지 내려와 잘 어울렸다. 두 눈동자는 잘 움직였으며 쳐다볼 때 재빠르게 움직였다. 피부는 까스까도에 걸린 흔적이 남아 있었다. 알푸루 종족 여자처럼 그녀 역시 긴 천으로 가슴을 둘러 가렸고 한 가닥 나무줄기로 배를 두르고 있었다. 와이 로아에서 온 밤부의 두 번째 부인 복색도 같았다. 아랫도리 천이 높게 올라와 무릎까지 닿았다. 그녀는 무까 까도 보다 더 나이가 들어 보였다. 그녀는 과부였다. 밤부는 칼을 허리춤에서 벗어 놓으면서 말했다.

"산에 사는 사람들은 세상 물정은 잘 모르지만, 나름으로 예절을 지킬 줄 압니다. 나는 여러분들에게 예의를 갖추고 싶습니다."

그렇게 말한 후, 눈썹을 들어 올리고 즐겁게 웃었다. 그리고는 쉰 듯한 목소리로 양해를 구하면서 그는 집으로 돌아갔다. 그가 그렇게 말한 배경은 산에 살지만 상대방을 존경하고, 어떻게 하면 손님을 정중히 맞이할 수 있는지를 알고 있다는 뜻이었다. 그는 우리들의 방문을 존중하기 위해 바지를 입으러 집으로 간 것이다. 불 가까이에는 남자아이들이 몸을 덥히고 있었다. 입고 있는 옷이라고는 한 조각의 구겨진 천 조각뿐이었다. 한 아이가 우리를 눈을 가늘게 뜨고 계속 쳐다보았다. 내가 그 아이 옆에 앉으려고 하자 열 살 정도 되는 아이는 내 곁에서 떠나려고 했다.

"아직 춥다. 여기 그냥 있는 것이 좋겠다."

나는 그 아이의 손을 잡았다.

"자, 나무를 좀 더 넣자."

아이는 당황스러워했다. 나는 아이 손을 놓아 주면서 자리를 떠날 수 있게 했다. 내가 몇 개의 나무토막을 불 속에 넣었다. 아이는 아직 떠나지 않았고 두려움이 사라진 것처럼 보였다. 표정이 밝아졌다. 아이는 내 의도를 이제야 알아차린 것 같았다.

"네 이름이 뭐냐?"

내가 재차 물었다.

"마나 꾸닝(Mana Kuning)이에요."

내 뒤에서 짧고 굵직한 위엄 있는 목소리가 들렸다.

마나 꾸닝은 말없이 마루를 발로 툭툭 찰 뿐이었다. 마을 회관 안으로 들어오면서 대답한 남자는 키가 크고 몸집이 있는 사내였는데 발을 절고 있었다.

"와이 떼몬(Wai Temon) 마을의 라뚠(Latun) 촌장이에요."

누르가 조용히 내게 속삭였다. 그는 이 젊은 촌장을 이미 알고 있는 것처럼 보였다.

"촌장님, 언제 오셨나요?"

나는 친밀하게 그에게 다가가기 위해 물었다. 그는 못 들은 것처럼 대답하지 않았다. 그는 건너편 방 앞에 앉았다. 그의 턱은 빈랑을 씹느라 바빠 보였다. 나는 그에게 악수를 청했다. 그런데 그는 인사에는 관심을 주지 않았다. 눈초리는 날카롭게 나를 계속 감시하면서 내 웃음에는 대답하지 않았다. 나는 내민 손을 거두어 드렸다.

"젊은 촌장님이라고 불러도 화내지 않겠지요?"

나는 그렇게 말하면서 그에게 다시 다가갔다. 내 시선과 그의 눈동자가 마주쳤다. 몇 초 동안 침묵이 흘러갔다.

"바로 접니다."

갑자기 그가 웃었다. 거북한 분위기가 사라졌고 다른 사람들도 따라 웃었다. 부엌 하나가 여덟 개 대나무 기둥으로 받쳐져서 밤부 집 뒤에 있었다. 밤부는 께단(Kedan) 가문의 장남이었다. 부엌은 같은 지붕을 이고 있는 세 가족이 공동으로 사용하고 있었다. 부엌 뒤에는 둥근 모양의 나무가 서 있었고 그 밑에는 작은 나무로 만든 나무 계단이 놓여 있었다. 계단 위에는 꼬챙이에 꿴 바나나가 있었다. 그것은 조상신들을 위한 제물이었다.

니소니 마을 젊은이들은 촌장 지시에 따라 제사 음식을 만들었다.

주로 돼지들의 전염병을 막기 위해, 그리고 사냥에 성공한 것을 조상들에게 알리기 위한 제사였다. 바나나 개수는 그들이 포획한 동물 숫자를 의미하며 꼬챙이는 그들이 사냥에 사용한 창을 의미했다.

이슬비가 내리기 시작했다. 마을 회관 뒤 부엌에서 울음소리가 들렸는데 아이의 배 고프다는 울음소리였다. 그 아이는 와이 두랏의 양자였는데 그동안 와이 로에 있는 여자에게 맡겨 놓았다가 니소니에 있는 그녀의 집으로 아이를 데리고 온 것이었다.

나는 발뒤꿈치를 들고 부엌 계단을 올라갔다. 내 동료 두 명이 밥을 짓고 있었다. 그때 한 여자가 까르노와 수립에게 조리 도구를 주고 있었다. 그녀는 문 옆길을 내주면서 내가 안으로 들어갈 수 있게 했다.

"나잇(Nait)?"

내가 물었다.

"저를 아세요?"

놀라 그녀가 물었다. 그녀는 누르가 안고 있었던 아이 근처에 쪼그려 앉으면서 내게 관심을 보였다.

"아직 서로 악수는 못했지만 오래전에 알고 있었지."

내 소개를 했다. 그녀는 예전에 푸마이(Fumai)에서 산 적이 있어 정치범들과 접촉하고 사귀는데 익숙해 있었다. 그녀는 요하 노로 다완(Yoha Noro Dawan)의 부인이었다. 우리가 이 섬에 오기 전에, 남편이 새 부인을 다시 얻어 그녀는 친어머니가 있는 마을로 돌아온 것이었다. 그의 남편은 이미 이슬람을 믿기 시작했다. 나잇은 숲에서 빈랑나무에 오르다 떨어져 다리에 장애가 있었다. 남편이 세 번째 부인을 얻은 후에는 그녀는 더 이상 남편의 관심을 끌지 못했다.

"당신은?"

다시 내 이름을 그녀가 부르면서 웃었다. 이미 알고 있는 남자들과 자유롭게 크게 웃고 말하는 것이 이 마을 여자들에게는 허용되는 것 같았다.

"뭐가 우습지?"

"아무 것도 아니에요."

나잇은 웃음을 감추었다. 아까 울던 아이를 어르면서 입맞춤을 했다. 아이 뺨에 흐르던 눈물이 금방 멈추었다. 그녀는 품속에 있는 아이에게 부드럽게 속삭이면서 따스하게 입맞춤을 했다. 아이에게 나를 강제로 소개시켰다.

"이 분이 바로 그분이시다. 자 봐라."

나는 아이를 그녀의 품에서 받아 내 품에 안았다.

"내 친구인 간호조무사가 당신 좋은 점을 자주 이야기했지. 당신은 산에 있는 사람 중에 치료가 필요한 사람이 있으면 그를 찾는 데 도움을 주고 있다고 하던데."

"아니에요. 맞지 않아요. 제가 아니고, 간호조무사님이 좋으신 분이에요."

나는 간호조무사가 이곳 주민들을 위해 헌신하고 있는 사실을 잘 알고 있었다. 그녀와 마을에 대해 이런저런 이야기를 했고 그녀의 남자 형제 네 명의 진짜 본명을 알게 되었다. 단지 그녀의 계부인 촌장 이름만큼은 말하길 주저했다. 이곳 관습에 따르면 마을의 아이는 출가하기 전까지는 다른 사람에게 부모 이름을 언급하는 것이 금지되어 있었기 때문이다.

이슬비는 계속 내렸고, 간호조무사는 도착하지 않고 있었다. 물을 길어 오기 위해 나잇이 대나무 통을 들고 강가로 갈 때, 나는 같이 따라나섰다. 바지 단을 걷고 조심스럽게 미끄러운 길을 따라 내려갔다. 대나무 통 두 개는 무거웠고, 약 20 리터 정도 물을 담을 수 있었다. 다리에 장애가 있는 여자가 들기에는 힘든 무게였다.

아이는 대나무 침상에 앉아 있었다. 손은 먹을 것을 입으로 가져가느라 분주히 오르내렸다. 음식 담은 접시가 툭 튀어나온 아이 배 앞에 놓여 있었다. 나를 쳐다보며 이빨이 채 나지 않은 입을 벌리고 턱을 위로 올리면서 아이는 웃었다. 아이가 먹고 있는 것은 싱꽁 부스러기였다. 아이는 삼 개월째 엄마의 젖을 먹지 못하고 있다고 했다. 아이를 키우는 것은 그저 싱꽁 부스러기일 뿐이었다. 아이 피부는 여기저기 붉은 반점이 생기고 있었다. 머리 숙여 먹을 것을 입으로 가져가면서 작은 눈으로 나를 쳐다보고 있었다. 아이는 접시에 있는 것을 집어 들어 나에게 내밀었다. 나는 거절할 수가 없었다. 내가 받기 전에 그 아이는 싱꽁을 쥔 손을 뒤로 숨겼다. 그리고는 다시 내 빰을 향해 손을 내밀었다. 아이는 내 입에 먹을 것을 직접 넣기를 원하는 것처럼 보였다. 내가 음식을 받아먹기 위해 허리를 굽히는 것을 보고 아이는 즐거워 웃었다. 나는 싱꽁 찌꺼기를 씹어 입안에서 동그랗게 만든 다음 삼키지는 않았다.

"아가야 이거 먹지 말고 나중에 다른 것을 같이 먹자."

간호조무사는 여전히 나타나지 않고 있었다. 마을 앞에 있는 마른 나왕 나뭇가지 하나가 갑자기 부러지면서 나무 아래를 치고 떨어졌다. 큰 앵무새 암컷 한 마리가 크게 소리를 지르며 떨어져 나간 나뭇가지 구멍에서 날아올라, 공중에서 날개를 퍼덕였다. 나뭇가지가 떨어질 때 두 마리의 새끼들은 땅에 떨어져 즉사했다. 건너편 숲에 있는 새들이 마치 그 죽음을 같이 슬퍼하는 것처럼 크게 울부짖기 시작했다. 잠시 후, 암컷보다 더 큰 수컷 앵무새 몇 마리가 나타나 허둥대는 암컷을 데리고 공중에 올라 몇 번 크게 선회를 했다. 암컷 앵무새는 새끼들이 떨어져 죽은 지점 위로 낮게 한 번 날더니 어딘지 모르는 곳으로 수컷과 함께 멀리 사라져 갔다.

누르는 아직 와이 떼몬 마을까지 길을 안내할 사람을 구하지 못했다. 와이 떼몬까지 길 안내자 없이 우리 일행이 가는 것은 큰 모험이었다. 나는 와이 떼몬 촌장인 라뚠에게 다시 부탁해 보았다.

"만 베따(Man Beta) 촌장님."

나는 방금 알게 된 본래 이름으로 촌장을 불렀다.

"나는 내 이름과 똑같은 와이 뿔리(Wai Puli) 강을 꼭 보고 싶어요. 나중에 간호조무사가 오면 우리 다 같이 출발하는데 허락하시는 것이지요?"

"강만 본다면 의미가 없지요."

"사실 그것만 할 것은 아닙니다. 계속해서 와이 떼몬 마을까지 갈 것입니다. 아까 말씀하신 고산 지대에 아픈 사람이 많다고 했잖아요?"

그가 턱을 드는 모습을 보고 나는 마음이 놓였다.

"나는 그곳까지 가고 싶습니다. 저를 데려다줄 마음이 있으신 것이지요. 그렇지 않습니까?"

갑자기 촌장은 의심스러운 눈길을 내게 보냈다. 그는 대답하지 않았다. 모두 그의 눈치만 살피고 있었다. 그들은 서로 쳐다만 보았다. 그런 다음 한 사람씩 한 사람씩 내 얼굴을 바라보았다. 그들 시선은 내 이마에서부터 발끝까지 자세히 보면서 전혀 모르는 사람 쳐다보듯 했다. 갑자기 어색해진 분위기를 바꾸기 위해 나는 억지웃음을 지었다.

그때 내 머릿속엔 와나 다르마 집단 억류지에서 창과 칼로 난도질당해 살해된 동료들의 모습이 떠올랐다. 최근에 죽은 희생자는 수하르조(Suharjo)였다. 그는 산에 사는 사람들과 백단유 정제지역 문제로 다투다가 살해당했다고 알려졌다. 현재 우리도 공식적으로는 백단나무 밀생 지역을 찾고 있는 중이다. 만약 일이 잘못되면 우리도 이들의 창과 칼에 난도질당한 새로운 희생자가 될 가능성이 있는 것이다.

"왜 갑자기 조용하지요? 사실 우리는 이제 형제지간이 아닌가요? 나는 거기에서 내 형제도 찾고 싶습니다."

누르 자신도 그들의 긴장과 의심을 없애기 위해 나름으로 노력하고 있었다.

"우리를 데려가 주기 바랍니다. 같이 갔다가 같이 돌아오지요."

누르가 큰 목소리로 웃으면서 말했다. 마나 꾸닝은 오른손으로 머리카락을 쓸어 올리면서 왼손으로는 침상 쪽으로 기울어진 몸을 지탱하고 있었다. 그는 우리들의 모험심에 놀란 것 같았다. 밤부는 칼로 깬 빈랑을 아직 먹지 않고 손에 쥐고 있었다.

"와, 어렵겠다."

그가 큰 목소리로 말했다.

"멀어, 너무 멀어."

빈랑을 집어 입에 넣으며 그가 말했다.

"그럴 필요가 없지. 할 수가 없어."

"멀더라도 우리는 그곳에 꼭 가야만 해요. 멀리 가는 것도 이제 익숙해져 있어요. 우리는 무슨 일이 있어도 그곳에 가야만 합니다."

나는 숨이 가쁘게 말을 이었다. 노로가 얼굴을 돌려 빗줄기를 바라보면서 말했다.

"위험해요."

"뭐가 위험하다는 거지?"

"우선 너무 멀어요. 가는 길 중간에서 잠을 자야 하고 길은 급경사가 무척 심해요."

"그런 문제라면 걱정할 필요가 없다. 너는 우리를 믿지 못하는 것 같구나."

"그것뿐만 아니라 산에는 나쁜 사람도 많아요."

뿌띠가 내 뒤에서 말을 받았다.

"나쁜 사람들이 언제라도 뒤에서 우리의 등을 칼로 찌를 수 있어요."

"우리를 겁주지 마라, 뿌띠."

"아니에요. 우리 마을 사람들은 산에 올라가면 서로를 보호해요."

나잇이 주위에 있는 사람들을 둘러보면서 말했다.

"밤에도 자지 않고 서로의 안전을 지켜요."

그녀의 눈이 나를 향했다. 나는 고개를 끄덕였다. 나는 우리 모두가 서로 조심해야 한다는 것을 잘 알고 있었다. 께단 집안의 장남인 밤부가 차고 있던 칼날에 침을 뱉었다. 그의 그런 행동은 우리들 대화에 간여할 마음이 없다는 듯이 보였다. 그는 몸을 반쯤 침상에 비스듬히 뉘면서 빠마링앗 할머니 방에서 노래 부르고 있는 무까 와엘의 노래를 흉내 내고 있었다. 내가 그 노래 뜻을 이해하지 못했지만 아이의 노래는 신선하게 들렸다.

부엌 계단은 통나무 하나로 되어 있고 옆으로 비스듬히 뉘어져 있었고 비가 오면 더욱 미끄러웠다. 내가 막 부엌 계단을 오르려고 할 때, 나잇 목소리가 들려 발걸음을 멈췄다.

"선생님."

그녀도 나를 따라 계단을 오르려고 했다. 딴 사람이 들을까 봐 그녀가 조용히 말을 걸어왔다. 나는 계단을 오르지 않고 기다렸다. 내가 말하지 못하는 것을 보고 그녀는 다시 말을 이었다.

"나중에 간호조무사님이 자바로 돌아가면 산에 있는 사람들은 약이 없어, 아프던지 아니면 죽던지 둘 중에 하나가 될 것이에요."

"아, 그 이야기는 이제 그만 하는 것이 좋겠다. 말루꾸, 남레아에도 의사가 많아요."

우리들의 이별이 다가오는 것을 느끼고 있는 나잇에게 희망적으로 말했다.

"그곳은 너무 멀어요. 도착하기 전에 모두 죽을 것이에요. 돈이 있어야 하는데 여긴 돈이 없어요."

"돈이 없다는 것은 슬픈 일이지."

나한테 혼자 말하듯 말했다. 그녀 역시 마음이 무거워 보였다. 이곳 현실을 바라보는 내 마음도 서글펐다. 이 섬에 있는 사람들은 단지 살아 있으니까 숨을 쉴 뿐이었다. 먹는 것도 매일 보장되는 것이 아니었다. 나는 이들이 잘못했다고 말할 수 없었다. 이들에게 삶을 헤쳐 나갈 수 있는 길을 가르쳐 주지 못하는 내가 부끄러웠다.

"우리가 숲에서 태어난 것이 잘못이지요."

내 뒤에서 목소리가 들렸다.

뿌띠가 우리 대화에 끼어들었다.

"아니다. 그것이 아니다. 너희들 모두 잘못이 아니다. 너희들은 바보가 아니다. 어쨌거나 여기에서 태어난 것을 후회하지 않는 것이 좋겠다."

나는 희망이라는 의미를 모르는 젊은 청년인 뿌띠를 바라보면서 말했다. 나는 계단에 오르지 않았다. 나는 뿌띠의 손을 잡고 마을 회관으로 돌아왔다.

"뿌띠, 너는 아직 젊다. 야망을 가져라. 너는 이 어둠을 없애야 한다."

부모처럼 그에게 말했다.

"잘 알겠습니다, 선생님. 중요한 것은 제가 선생님이 자바로 돌아갈 때 배웅하는 것이에요. 돌아가서 부모님을 꼭 만나세요."

그가 웃으며 말했다.

"그것은 나중 문제다."

내가 대답했다.

"자, 우리 이렇게 만났으니. 부루 말 좀 가르쳐 줄 수 있겠니?"

그는 부끄러운 듯 웃으면서 나를 그의 큰 형인 밤부 집으로 데리고 갔다. 그의 집은 다른 집과는 달랐다. 크기는 가로, 세로 각각 5×8 미터 정도로 두 개의 방으로 구분되어 있었다. 방 안에는 대나무으로 만든 장 하나만 있었다. 바닥에는 돗자리가 깔려있었고, 베개는 갈색 천으로 된 것 두 개가 있었다. 대나무 장 안에는 빈랑 나뭇잎으로 만든 옷이 포개져 있었다. 베개 위에는 연기 끄름으로 만든 검은색 천으로 된 칼집이 놓여 있었다. 보관하는 칼이었다. 옷장 앞에는 어젯밤 타다 남은 나무토막이 있었다.

나는 방 앞에 땔감으로 쓸 나무토막이 쌓여 있는 곳에 앉았다. 열려 있는 방은 서로 마주 보고 있었으며 밑에서 기둥이 받치고 있는 마루가 깔려있었다. 마루 위에는 같은 지붕 아래 사는 사람들의 물건들이 쌓여 있었다. 베개, 천, 접시, 잔 그리고 잡다한 생활용품이 있었다. 그들 삶에 필요한 모든 것들이었는데 물건 대부분이 갈색을 띄고 있었다. 이는 매일 밤마다 불을 지펴서 생긴 끄름 때문이었다. 특히 대나무로 된 물건들이 갈색으로 더 반짝거렸다.

"부인은 어디 가셨나?"

일부러 모른 척하면서 내가 물었다. 방금 방 뒤에서 나타난 밤부는 뒤를 돌아보고는 눈썹을 위로 올려 스무 살 정도의 한 여성을 가리켰다.

"음."

턱을 약간 위로 올리며 코에서 나는 소리를 냈다. 방문에 서 있던 여자는 내 시선을 피했다. 그녀의 피부도 까스까도를 피하지 못했다. 몸이 많이 피곤하게 보였다. 며칠 동안 그의 마을에서 이곳까지 걸어온 먼 길은 그녀를 지치게 만든 것 같았다.

"저 여자를 얼마에 샀나요?"

부엌으로부터 들려오는 소리는 내 옆에 서 있는 밤부의 관심을 돌렸다.

"자, 아침 식사하세요."

무까 까도가 그의 남편에게 식사를 권했다.

"그러지."

밤부가 대답했다.

"선생님도 우리랑 같이 식사해요."

그녀는 내 손을 부엌으로 이끌면서 말했다.

"감사하지만 우리는 나잇 집에서 다 같이 식사를 할거에요. 내 동료들이 지금 식사 준비를 하고 있어요."

그녀는 내 손을 놓았다.

"두 번째 부인을 와이 로아에서 살 때 어떤 물건을 팔았는지 궁금하네?"

"돼지, 창, 칼, 옷감 등 많이 팔았어요. 문제는 비싸다는 것이지요."

"돼지는 얼마씩 쳐 주었는지?"

"똑같지 않았어요. 큰 것도 있고 작은 것도 있어서."

그는 반지와 팔찌를 낀 손을 들어 마당을 가리켰다. 한 마리 돼지가 큰 엉덩이를 흔들면서 천천히 걸어가고 있었다.

"저렇게 늙은 돼지는 70을 쳐 주어요."

나는 고개를 끄덕였다. 그런 다음 물었다.

"만약 저 정도 큰 돼지가 70이라면 어리고 작은 돼지는 얼마가 되는지?"

"그건 재산 하나로 계산해요."

그는 손으로 허리에 있는 칼을 찾았다.

"이것도 하나로 치지요."

그리곤 눈으로 창을 찾았다.

"아! 창도 하나로 계산해요."

웃으면서 오른손으로 마을 회관 기둥에 있는 창 꽂이를 손으로 가리키면서 말했다.

"여자는 정말 어려워요. 특히 이곳에서는 더 그래요. 여자가 비싸요. 여자 값이 날이 갈수록 비싸지고 있어요. 여자를 얻으려면 일을 더 해야만 해요."

나도 따라 웃었다. 그 말이 우스워서가 아니라 그의 표정이 슬퍼 보였기 때문이다. 그러나 그의 속마음은 자랑스럽게 느끼고 있는 것처럼 보였다. 왜냐하면 값이 400, 500 가는 여자를 두 명씩이나 얻었기 때문이다.

"점점 더 어려워지고 여자들은 문제만 일으키고 있어요."

나는 그 말을 반박했다.

"여자가 모든 것을 어렵게 만든다고 말했는데 자네는 왜 결혼을 또 했는지 모르겠네?"

잠시 그는 생각하는 것 같았다. 표정이 심각하게 변하는 것 같았다. 그는 천천히 부루 말로 다음과 같이 대답을 했다.

"왜 아니겠어요! 내가 심었던 두리안 나무는 두 번씩이나 열매를 맺었으나 나와 무까 까도는 열매를 맺지 못했어요."

어렸을 적에 밤부는 두리안 나무를 심었고, 그때부터 그는 땅콩밭과 사냥에서 얻은 소득에서 일정 부분을 여자를 사기 위해 모아 놓기 시작했다. 께단 집안의 장남으로 이제 20대 성인이 된 그는 티푸(Tifu)에서 온 무까 까도를 부인으로 샀다. 그런데 무까 까도는 아직 성인이 되지 못해 아이를 낳을 수 없었다. 그는 아직 엄마 이야기만 나오면 우는 철부지였다. 두리안이 두 번째 꽃이 필 때 참지 못한 밤부는 동생들의 재산 모두를 빌려서 산으로 올라 가, 와이 로아에 있는 과부를 사 온 것이다.

"아이를 갖고 싶어요. 선생님."

밤부가 깊은 목소리로 말했다.

께단 가문의 형제 네 명이 모두 마을 회관에 모였다. 단지 한 사람, 람로이만 참석하지 않았다. 이야기는 마을 전통에 대한 주제로 옮겨 갔다. 손님인 우리는 그저 들을 뿐이었다.

"조상신은 마을 사람들을 점점 어렵게 하고 있다."

밤부가 말했다.

"전통은 마을 사람들을 바보로 만들고 있다. 전통은 마을 사람들이 공부하고, 쓰고, 읽고, 그림 그리는 것을 금지하고 있다."

형제 중 막내가 이어 말을 했다. 그의 눈은 조상신을 모신 방을 향했다. 그 방은 니소니 마을의 관습 촌장인 마나 께단, 그의 계부의 방인 것이다. 와이 뗴몬 마을 촌장인 만 베따 라뚠은 그의 집 옆에 앉아 있었다. 밤부는 일어나 그의 집으로 들어갔다.

"이제 얼마 있지 않아 우리들의 풍습이 모두 허물어질 것이다."

노로가 흥분된 목소리로 말을 했다.

"이제 얼마 있지 않으면 노인들은 모두 세상을 뜰 것이에요."

"쉿."

우리는 그들의 대화를 중지시켰다. 니소니 마을의 젊은이들은 조상신들이 복을 가져올 능력이 없다고 여기고 있는 것 같았다. 마을 젊은이들은 그들 부모 손에 있는 전통에 대해 불만이 많았다. 우리는 화제를 바꿨다.

"뿌띠, 저기 있는 두 개의 산에 올라가려고 하는데 나와 동행할 수 있을까?"

내가 물었다. 나는 그 산이 이들에게는 성스러운 곳임을 잘 알고 있었다. 그는 대답 대신 눈길을 와이 뗴몬 마을 촌장인 만 베따 라뚠에게 보냈다. 내 손은 여전히 그 두 산을 가리키고 있었다. 뿌띠는 머리를 가로로 지었다. 촌장은 눈을 크게 뜨고 그 성스러운 두 개의 산을 가리키고 있는 내 손을 바라보았다. 그는 의심스러운 눈초리를 내게 보냈다. 나는 앞에 보이는 딸랑께라 산과 푸판 와인 산의 비밀을 알고 싶었다. 강 상류에 사는 노인들 말을 빌리면 창과 칼은 조상신들로부터 은총을 받아야 한다고 했다. 그렇게 말하는 노인들은 언제나 끼블랏(Kiblat)* 방향이 정해져 있듯이 두 개의 산이 있는 방향을 손으로 가리켰다.

비가 점차 약해졌다. 날씨가 바뀌었다. 우리가 기다렸던 간호조무사가 드디어 도착했다. 마음이 한결 편해졌다. 그는 짐을 두 개의 큰 비닐봉지에 담아 가지고 와서 물건이 비에 젖지 않았다. 그는 모든 일을 서둘러 했다. 새로운 업무 분담이 다시 이루어졌다. 간호조무사 손에 있던 카메라를 내가 받았다. 출발은 미정이었다. 촌장이 우리 일행과 동행할 것인지는 아직 불확실하지만, 뿌띠와 노로는 마을 노인들이 승낙하면 동행하겠다고 약속을 했다. 간호조무사는 약을 주기 위해 빠마링앗 할머니 방으로 갔다.

"만약 와이 떼몬 마을 촌장이 우리와 동행하면 이번 여정은 분명 성공할 것 같은데."

"그의 동행 여부를 떠나, 우리는 즉시 출발해야 한다."

나는 그렇게 대답하고 자리를 떴다. 나는 반쯤 열려 있는 방문에 가까이 갔다. 나는 방 안을 숨죽이면서 세밀하게 관찰했다. 이슬비가 다시 내리기 시작했다. 갑자기 번갯불이 건너 숲 위로 떨어졌다. 엄

* 이슬람교도들의 기도를 위한 사우디아라비아 메카를 향한 방향 표시

청난 소리가 사방으로 퍼져나갔다. 그때 동물의 발자국을 쫓던 마을 청년들이 손에 창을 쥐고 빗길을 뚫고 숲에서 나왔다. 방 안으로부터 관습 촌장인 마나 께단의 날카로운 목소리가 들렸다. 그는 화를 내고, 호통을 치며 욕을 하고 있었다. 그 대상은 우리 일행이었다. 그는 마을 청년들에게 우리를 공격하라고 소리를 쳤다.

간호조무사는 빠마링앗 할머니 방에서 손에 약 기구를 든 채 뛰어나왔다. 마을의 청년들은 우리를 공격하라는 관습 촌장의 명령을 의아스러운 눈초리로 듣고 있었다. 나머지 주민들도 역시 주저하는 것처럼 보였다. 모두 침묵을 지키고 있었다. 누구도 우리 쪽으로 나서는 사람이 없었다. 마나 께단의 목소리가 높아질수록 주민들은 두려움에 떠는 것 같았다. 뿌띠와 노로는 창 끝이 가까이에서 동상처럼 서 있었다. 마을 관습 촌장의 명령은 쉬지 않고 목소리를 높였다.

"누가 그들을 이곳에 가라고 했는가? 어느 누가 그들이 이 마을에 들어오는 것을 허락했는가? 무슨 이유로 사진을 찍었는가? 그가 누구냐? 누구냐고? 너희들, 자바 사람들! 무슨 이유로 그들은 우리를 존중하지 않느냐! 우리도 전통, 관습이 있다. 우리 역시 규율이 있다. 무슨 이유가 있느냐, 대답해라! 공격해라, 공격해!"

우리 일행 다섯 명은 앞으로 벌어질 모든 가능성에 대비하면서 주의를 기울였다. 이제 우리는 이 마을에서 쫓겨나게 생겼다. 사실 천으로 하복부만 가린 이 늙은이는 지금까지 문 뒤에 조용히 서 있기만 했었다. 그는 존경받을 입장에서 자기가 배제된 것이 아닌가 생각하는 것 같았다. 그의 목소리는 점점 미친 듯이 갈피를 잡지 못했고 치매 증세가 있는 그의 몸은 심하게 흔들렸다. 목소리는 계속 높아 갔지만 다행스럽게도 마을 청년들이 우리에게 보여 주고 있는 친밀감을 뛰어넘지는 못하고 있었다.

"왜, 화를 내시지요. 촌장님?"

나는 촌장에게 조심스럽게 말을 걸었다. 내 말은 아무 의미가 없었다. 그 노인은 분노가 폭발하고 있었다.

"조용히, 진정해라."

내 동료들에게 속삭였다. 관습 촌장인 마나 께단이 아직은 체력적으로 건강하기 때문에 우리에게 창을 던질 수 있는 가능성을 잘 알고 있었다. 또 우리가 마을 청년들을 좋아하고 마을 청년들은 우리를 좋아한다는 사실도 알고 있었다. 이러한 적대적인 분위기로 급변한 상황을 끝내기 위해 내가 먼저 마을을 떠나야 한다는 선택을 할 수밖에 없었다. 간호조무사와 수립 그리고 내가 먼저 마을을 떠나기로 결정했다. 누르와 까르노는 마을에 남아 뒷마무리를 한 후, 우리와 합류하기로 했다.

"우리를 산꼭대기에서 기다려 주기 바랍니다."

누르가 부탁했다.

"나잇, 노로, 뿌띠는 우리를 도울 것이다."

내가 속삭였다. 나는 창 꽂이 옆에서 우리를 지키고 있는 노로와 뿌띠에게 다가가 말했다.

"나 먼저 출발한다."

형제간인 두 청년은 나를 쳐다보면서 눈썹을 위로 치켜 올렸다. 간호조무사가 내 앞을 지나갔다. 당황스러움이 얼굴에 나타나 있었고 발걸음이 무거워 보였다. 수립도 마찬가지였다. 그는 몇 번이나 뒤를 돌아보았다. 창과 칼이 날라 와 남아 있는 친한 동료 두 명을 해칠까 걱정하는 눈치가 역력했다.

"계속 걸어가라. 믿어라. 아무 일도 없을 것이다. 모든 일이 잘 풀릴 것이다."

나는 말했다. 간호조무사와 수립은 말이 없었다. 누르와 까르노를 마을에 남겨 놓는 내 결정에 대해 동의하지 않는다는 사실을 그들 눈동자를 통해 나는 알 수 있었다. 고개 정상까지 도착할 때까지 그들은 말이 없었다. 단지 와이 로 산에서 내려오는 물소리만이 우리들의 대화를 대신했다. 수립과 간호조무사는 우리가 지나온 좁은 산길을 뒤돌아보며 온 신경을 마을 쪽으로 집중했다. 산 출신인 간호조무사는 잡초가 우거진 땅에 앉았다. 그의 얼굴은 긴장해 있었다. 눈은 먼 곳을 바라 보았다.

"자 여기서 담배 한 대 피우자."

내가 말했다.

"기다리면서 이 고개의 이름이나 지어보자."

우리는 입에서 하얀 담배 연기를 내 뿜었다. 나는 자리에서 일어나 몇 걸음 앞으로 나갔다.

"내가 두려운 것은 창이 날아 올 경우 여기 있는 우리 누구도 도와주지 못하고 아무 것도 못한다는 것이지요."

간호조무사가 말을 이었다.

"그래요, 그런 일은 얼마든지 일어날 가능성이 있어요."

수립이 담배꽁초를 손가락으로 튕겨 버리면서 말했다. 고개 정상은 날카로운 돌이 덮여 있었다. 햇볕은 고개 일부만 환하게 비추고 있었다. 우리가 떠나 온 마을은 아직 비가 내리고 있었다. 반지 알로 만들 수 있을 것 같은 몇 개의 석영이 햇볕에 반짝였다. 그중 마음에 드는 것 하나를 집어 들었다. 무게를 가늠해 보고, 높이 올려 햇빛에 비쳐 보았다. 반지 알로 나중에 잘 갈아서 내 약지 손가락에 낄 생각을 했다.

"이제는 걱정 하나 없는 듯 돌까지 여유롭게 찾으시네요."

간호조무사가 비꼬듯 말했다. 그에게 다가가 충고하듯 말했다.

"자네는 알 것이네. 그 노인은 해소 기침이 심해 그 어떤 것도 하지 못한다는 것을. 더구나, 일행의 우두머리 격인 내가 마을을 이미 떠난 후라, 자네가 생각하는 불길한 일은 벌어지지 않을 것이네. 만약 믿지 못하겠다면 여기서 마을 쪽에서 나는 소리를 같이 한 번 들어 보세."

명령하듯 말하면서 나는 동쪽 방향에 있는 니소니 마을 쪽에서 무슨 소리가 들리는지 귀를 기우렸다. 일행 모두도 집중해서 마을을 바라보았다.

"무엇을 들었지?"

내 옆에 앉아 있는 일행에게 물었다.

"아무 소리도 들리지 않네요."

간호조무사가 그의 귀를 의심하듯 말했다.

"너는?"

수립은 두 귓바퀴를 손으로 쓸면서 아무 소리도 들리지 않는다고 말했다.

"누르가 소리치는 소리가 들리는가?"

"들리지 않네요."

"까르노의 외침은?"

"들리지 않아요."

"자, 그럼 문제는 해결된 것이다."

그들은 속임수에 넘어간 것이다. 사실 2 킬로미터 정도 떨어진 장소에서 외치는 소리를 듣는다는 것은 불가능한 일이었다. 나는 혼자 웃었다.

"재미있나요?"

그들은 투덜거렸다.

산 정상 그림자로 가려진 니소니 강 상류가 희미하게 보였고 나머지는 수풀과 밀림으로 덮여 있었다. 강줄기는 서쪽으로 휘어져 흘러가고 있었다. 여자들이 밭이나 숲, 또는 늪지에서 일 할 때 서로 조용히 나눈 이야기를 풀어내듯 강물이 흐르고 있었다. 그들이 이야기한 것 중에 부유한 과부에 대한 끝도 시작도 없는 이야기도 포함되어 있었다.

그 과부는 마음 내키는 대로 살았다고 한다. 누구도 그 여자의 이름을 감히 언급할 수 없었다고 한다. 그녀는 멋진 남자를 남편으로 맞이했는데 그는 사람들을 가르치는 훈장이었다고 한다. 남편이 세상을 떠난 후 그녀는 남편의 일곱 번째 학생에게 맡겨졌다고 한다. 미인이고 부자였던 여자는 남자들 선망의 대상이 되었다고 한다. 결국 신의 도움으로 큰 뱀으로 변신한 여자는 동굴 안으로 몸을 숨겼는데 남자들은 그 동굴 안으로 들어가려고 했다. 뱀이 그녀의 재산과 몸을 지키고 있었기 때문에 그들은 어느 것도 얻을 수 없었다. 끝내 사람들은 동굴을 파괴하고 동굴로 가는 길을 큰 돌로 막아 버렸다. 과부의 재산과 목숨이 그곳에 영원히 묻히게 되었고 아직도 그 동굴이 있던 자리에서는 많은 뱀이 출몰하고 있다고 한다. 지금까지 누구도 그 지역 안으로 들어가려 하지 않는다고 했다.

우리는 자갈이 무수히 깔려 있는 강을 거슬러 오르면서 얕은 물길을 헤쳐 나가기 시작했다. 자갈 사이로 흐르는 물줄기 위로 나뭇잎들이 바람에 떨어져 내렸다. 강물은 절벽 밑을 계속 침식해 들어가고 있었다. 두 개의 거대한 나무 등걸이 강 지류에 넘어져 있었다. 만베따 라뚠이 선두에 섰다. 그의 손에는 창 두 개가 쥐어져 있었다. 그중 하나는 창날이 상어 이빨 모양을 하고 있었다. 허리춤에는 나무로 된 칼집을 차고 있었다. 두 발 길이가 달랐지만 그는 이곳 지리를 훤히 꿰고 있었다. 재빠른 몸놀림이었다. 그는 우리와 같이 가는 이 여정이 즐거워 보이는 것 같았다. 그가 밟는 모든 바위마다 이끼가 덮여 있었지만 그는 한 번도 미끄러져 넘어지지 않았다.

수립 뒤에는 바나나 한 단을 안고 있는 누르가 뒤따르고 있었다. 날카로운 돌밭 위를 걷는 것이 무척 힘겨워 보였다. 최근 4 년 동안 그는 앉아서 하는 일에만 매달렸기 때문에 걷는 것이 익숙하지가 않았다. 이렇게 쉴 새 없이 날씨가 변하는 장거리 여정은 그에게 있어 새로운 경험이었다. 가끔 우리 중 누군가가 미끄러져 넘어졌다. 만약 발을 잘못 놓으면 날카로운 돌 모서리가 몸 중심을 잡으려는 발바닥을 막무가내로 후비고 들어 왔다. 발을 잘못 디뎠을 때마다 허공에 두 손을 휘저었다. 누구도 이렇게 험악한 돌 위에 넘어지기를 원하지 않았다.

나 역시도 그랬다. 그런데 정말 재수 없게 그 경험을 내가 하게 되었다. 내가 뿌띠와 교차해서 걷기 시작했을 때였다. 두 줄기로 강물을 나누고 있는 강 속 거대한 바위에 눈을 두고 있을 때 내 발은 돌부리에 걸려 뒤로 넘어졌다. 운수 사납게도 밑창이 신통치 않은 신발은 이끼가 펴져 있는 바위를 밟은 것이었다. 끝내 몸뚱이는 나뒹그러졌고 손은 허공만 잡을 뿐이었다.

"다시 한번 더!"

동료들이 소리쳤다. 모두 같이 즐겁게 웃는 소리가 사바나 지역을 울렸다.

"물이 점점 불어난다."

"상류 쪽에 비가 내린 것 같아요."

내 옆에 있던 뿌띠가 말했다.

"아마 오후에는 큰물이 내려올 것 같아요."

그 말을 반대할 수가 없었다. 동쪽에 있는 바뚜 부알(Batu Bual) 산 정상이 이미 검은 구름으로 덮이고 있었다.

"오늘 밤은 숲에서 자야 해요. 숲은 평지와는 달라요. 숲속은 보기보다 대단해요. 숲속 모기는 더 대단 하구요. 사람 몸에서 피가 나올 때까지 빨아댑니다. 대단해요!"

이 섬에 우리가 처음 강제 수용되었을 때 겪었던 모기와의 전쟁이 생각났다. 뿌띠의 말 속에 두려움이 묻어났다.

"이따 모기장을 설치하자!"

내가 말했다.

"나무들은 모두 젖었고 비도 오니까 아마 큰 뱀이 나타날지도 몰라요."

"좋다, 그 뱀을 우리 잡아먹자."

마을 청년들이 우리를 무섭게 하려고 놀리는 농담인 줄 뻔히 알고 있어 다 같이 웃었다. 오래전에 뱀을 잡아 맛있게 먹은 적이 있고 그 요리 방법까지도 잘 알고 있다고 내가 허풍을 떨었다.

"만약 믿지 못한다면 동굴 속 그 부자 과부 재산을 지키는 뱀을 때려잡을 것이니 나를 따라와라!"

두 명의 형제들은 서로를 쳐다보았다.

"내가 듣기로는 이곳에 부자 과부가 있는 동굴이 있다고 들었는데 그 장소를 내게 알려 줄 수 있느냐?"

두 명의 청년들은 서로 바라보았다. 그중 한 명이 대답했다.

"위험합니다. 선생님."

한 쌍의 사슴이 조심스럽게 억새 풀 사이를 헤치며 계곡을 타고 내려왔다. 사슴은 우리들 출현에 크게 신경을 쓰지 않는 것 같았다. 얼마나 저 사슴은 행복한가! 수컷은 머리에 난 뿔을 흔들며 귀를 쫑긋거렸다. 뿔은 머리 뒤쪽으로 멋지게 나 있었다. 그런 다음 몸을 돌려 짧은 꼬리를 보여 주었다. 태양은 강 오른쪽 계곡을 태우기 시작했다. 이곳 마을 사람들 전설에 따르면 조물주가 와이 로 강으로 큰 산을 두 개로 쪼갰다고 한다. 자세히 보면 계곡 오른쪽은 풍성하게 숲이 우거져 있었고, 왼쪽은 듬성듬성 백단 나무 몇 그루만 자라고 있는 황량한 모습을 보였다. 절벽에서 떨어져 나온 큰 바위가 강 가운데서 물 흐름을 방해하고 있었다.

우리는 잠시 쉬어 가기로 했다. 어떤 사람은 앉고, 어떤 사람은 옆으로 누웠고, 어떤 사람은 바위를 포옹하듯 엎드렸다. 잠시 피곤함을 잊었고 다시 태양이 중천에 오를 때까지 계속 걷기로 했다.

"누르 형, 노래 좀 가르쳐 주세요."

노로가 요구했다. 누르는 열정을 갖고 노로에게 가루다 빤차실라 'Garuda Pancasila' 군가*를 가르쳐 주었다. 점차 우리의 발걸음은 군가를 따르게 되었다. 만 베따 라뜬이 점차 뒤처지기 시작했고 결국 우리 시야에서 벗어났다. 멀리서 그가 부르는 소리가 들렸다.

"마스레헤(Maslehe), 마스레헤!"

'마스레헤가 누구지?"

"아이에요."

"친자식이냐?"

"아니에요. 마을에 사는 아이에요."

고개를 돌리지 않고 뿌띠가 대답했다. 그가 말한 아이라는 뜻은 다른 마을에서 데려온 아이를 의미한 것이었다. 그런 아이들은 나름으로 위계질서가 있었고 같은 씨족일 경우, 서로 간 결혼도 금지되었다.

"그 아이는 우리와 같이 살고 있어요."

"무슨 이유로 이렇게 먼 곳에 밭을 개간했지?"

"마을에서 가까우면 멧돼지들이 다 먹어치워요. 여기서는 멧돼지를 기다리지요. 밭을 만들어서 멧돼지를 유인해서 잡는 것이에요."

태양은 이제 발밑의 그림자를 집어삼키기 시작했다. 12시경에 우리는 왼쪽 절벽을 오르기 시작했다. 강가에 있는 밭과 집 한 채가 보였다. 두 명의 젊은이가 로딴 줄기를 손질하고 있었다. 그들은 하던 일을 멈추고 칼을 놓고 일어서서 우리를 바라보았다. 그리고는 급하

* 인도네시아 수하르또 대통령 정권 시절에 유행했던 군가 중 하나

게 앞 가리개 천을 벗고 사룽(sarung)*과 반바지로 갈아입었다. 산에 사는 사람은 보통 거의 나체로 있다가 손님이 온다든지 특별한 사정이 있을 경우 옷을 입었다.

"마스레헤, 여기 간호조무사 선생이 약을 줄 것이다."

만 베타 라뚠이 말했다. 검은 피부에 큰 눈을 갖고 있는 아직 어린 티가 남아 있는 소년이 우리들의 방문을 의아스럽게 쳐다 보았다.

"약을 달라고 해라. 아픈 것이 사라지게."

마스레헤가 웃었다.

"누구시지요?"

그의 눈은 나를 향했다. 그리고는 내 동료들에게 눈길을 주었다.

"여기 많은 사람이 왔지. 뽈리 그리고 ---."

"뽈리가 누구시지요?"

"내가 뽈리다."

나를 소개했다. 내가 마나 사데(Mana sade) 손을 잡았을 때 그는 자기 이름이 머란띠(Maranti)**라고 했다. 그는 아직 우리가 자기 이름을 모르는 줄 알고 있었다. 두 눈 크기가 서로 다른 이 소년은 두 동생이 웃는 모습을 보고 당황하는 것 같았다.

"누가 머리를 잘라 주었지?"

나는 머리가 짧은 마스레헤를 보면서 물었다. 약 열네 살 정도 먹은 소년은 대답을 하면서 같이 일하는 아이를 쳐다보았다.

"마나 사데! 너도 머리를 잘랐구나. 조상신의 은총은 빌었느냐?"

* 인도네시아인 평상시 하복. 긴 천으로 만들어졌음

** 나왕 나무

그의 대답은 두 동생에게 눈길을 주는 것으로 대신했다. 뿌띠가 웃으며 말했다.

"그는 이미 이슬람 신자가 되었어요."

"아니에요."

"네, 아메드(Amed) 처럼 짧은 머리!"

웃으며 동생을 쳐다보았다. 머리가 짧은 것은 이슬람교도를 의미했고 아메드, 즉 무하마드(Muhammad)*를 추종하는 사람을 뜻했다. 그 소년이 내 짧은 머리를 보고 물었다.

"뽈리 아저씨도 이슬람이에요?"

내가 대답하기 전에 그들 형제가 먼저 대답했다.

"맞다. 머리가 짧으면 이슬람을 믿는 사람이지."

마스레헤가 고개를 끄덕였다.

"뽈리 선생님. 머리가 짧으면 모두 이슬람교도들인가요?"

눈동자에 핏발이 있는 아이가 오른손으로 뒷머리를 잡으며 물었다. 나는 두 아이가 이 문제로 혼란스러워 하지 않기 위해 설명을 했다.

"이슬람교도 전부가 다 머리가 짧은 것은 아니지. 이슬람교도라고 전부 머리를 짧게 깎지는 않아. 이슬람, 기독교, 불교, 힌두교 신자 누구라도 그가 좋아한다면 머리를 깎을 수 있는 것이지."

"그럼, 뽈리 선생님 말은 전부 똑같다는 이야기이네."

"나는 그저 이렇게 있고 싶어요. 간호조무사님처럼."

웃으면서 그 아이가 말했다.

"노로, 뿌띠는 에사(Esa) 같다."

* 마호메트. 이슬람 창시자

마나 사데가 말했다. 그가 말하는 에사는 다름이 아닌 예수 그리스도였다. 이곳 사람들은 종종 관습을 이야기할 때 예수, 마호메트, 그리고 그들의 믿음을 서로 비교하곤 했다. 그들은 인도네시아가 네덜란드 식민통치를 받을 때 네덜란드인 전체를 예수 믿는 사람으로 여겼다. 반면에 마호메트에 대한 그들의 생각은 사냥할 때 도움을 주는 개와 그들이 좋아하는 돼지고기를 혐오하는 종교로 알고 있었다.

밭에서 일하고 있던 소년들과 헤어졌다. 태양은 벌써 서쪽으로 향하고 있었다. 물길로 접어들기 전 우리는 숲으로 변한 밭을 지나가게 되었다. 사람의 흔적은 더 이상 보이질 않았다. 쥐 몇 마리와 푸른색 꼬리를 갖고 있는 도마뱀들만이 우리가 접근하자 도망을 쳤다. 강이 휘어져 흐르는 곳에 도착했을 때, 만 베따 라뚠은 여기가 전에 마을이 있었던 자리라고 설명했다. 창을 쥐지 않은 손으로 U 자 형태로 되어 있는 땅을 가리켰다.

"전에는 저곳에 야자, 빈랑나무 등이 심어져 있었지요."

그리고는 큰 나무를 가리켰다.

"무슨 나무지?"

"늙은 낭까 나무에요."

노로가 대답했다.

"사람들 말로는 마을보다 더 나이 먹은 나무라고 해요."

우리들은 지름이 2 미터 정도 되는 낭까 나무가 마을보다 나이가 더 많다는 말이 사실일 것이라고 생각 했다.

"그렇다면 만 베따 라뚠 촌장, 이곳이 당신이 태어난 곳인가요?"

"아니에요."

그가 대답했다.

"그래요. 이 낭까 나무의 나이를 셀 수가 없어요."

뿌띠가 이어서 대답했다. 나는 나무의 나이테가 몇 개가 되는지 셀 기회가 없어 아쉬웠다. 물론 그것은 불가능한 일이었다. 나무는 아직 살아 있었기 때문이었다. 그 큰 나무는 잎이 무성했다. 나무 나이를 수백 년 정도로 추정할 수 있었다. 이러한 악조건의 자연환경에서 수백 년을 견디어 낸 것이 기적처럼 보였다. 그런 땅 위에 와이 떼몬(Wai Temon) 마을이 세워진 것이었다. 만 베따 라뜬이 말하기를 이 마을은 자기 아버지가 어렸을 때 주민들의 의견 충돌로 둘로 쪼개졌었고, 지금은 그 마을 주민들은 산에 있는 네 개 마을에 흩어져 살고 있다고 했다.

이곳 사람들 기억 속에는 오래된 이야기 하나가 있다. 그것은 과거에 백인들이 부루 섬 남쪽인 페껠(Fekel) 그리고 리셀라(Lisela) 지역에 농장을 개발했을 때 주민들이 백인들 추격에 도망을 친 사건이었다. 그 사건의 이름이 페껠 사건이며 그 전모는 다음과 같다.

나는 와이 아뿌 강 근처에 있는 푸마이(Fumai) 마을을 방문하여 촌장의 부인 별세를 조문한 적이 있었다.

"부인께서 세상을 떠나신 것을 가슴 아프게 생각합니다. 장례식에 참석하지 못해 정말 아쉽게 생각하고 있습니다."

촌장인 노인은 그저 하얀 눈썹을 위로 치켜 올렸다. 턱수염과 머리도 모두가 하얀색이었다. 눈은 움푹했으며 이빨은 하나도 없었다.

"촌장님께서 저에게 많은 이야기 해 주시길 바라고 있습니다. 그렇게 해 주실 수 있겠지요? 우선 부엌에서 물을 끓일 수 있게 해 주실 수 있겠지요? 설탕을 가져 왔어요. 물이 끓으면 설탕물을 만들어 같이 마시기로 하지요."

"자네가 물을 끓이지 말고, 아이들이 물을 끓이게 하지."

토막 쳐진 인도네시아어로 촌장이 말했다. 그는 천을 짜고 있는 여자 한 명을 불렀다.

"촌장님은 이 집에서 혼자 살고 있나요?"

성냥을 갖고 여자가 부엌으로 간 후 나는 촌장에게 물었다. 노인은 지붕 위를 쳐다보며 그렇다고 대답을 했다.

"아이들과 같이 사는 것이 더 좋은가요?"

"아니네. 의붓자식일 뿐이네."

촌장은 계속 말을 이었다.

"나는 이제 친자식은 하나 남았네. 만 살레(Man Sale)라고, 저것이 그 아이 집이네."

그리고는 가까이 있는 집을 가리켰다. 창 여섯 개를 이은 거리쯤에 집이 있었다. 내 의자를 빈랑을 먹기 시작한 촌장 의자 곁으로 당겼다.

"오래전, 젊었을 때부터 촌장님은 부인과 살았지요?"

"그렇다네."

깊은 목소리로 대답을 했다. 이야기를 계속하기 전에 촌장은 붉은 빈랑 씹은 침을 뱉었다.

"나는 까엘리에 시하까 와엘(Sihaka Wael) 추장이 강보에 싸여 있을 때를 잘 알고 있네. 도랑(Dorang)은 좋은 사람이었어. 그런데 도랑은 몇 년 전에 죽었네. 용감한 사람이었지. 내가 페겔 산 위까지 그를 안내했었지."

노인의 손은 바뚜 부알 산을 가리켰다.

"거기에 무엇이 있었지요, 페껠에?"

"그곳엔 네덜란드 사람, 다른 백인도 있었고. 포르투갈도 있었고---, 농장 일을 했네. 양배추를 심고, 감자, 채소도 키워서 암본(Ambon)*으로 가져갔네."

"누가 그 모든 일을 시켰나요?"

노인은 침묵했다. 나는 그가 이야기를 중단한 것이 이상했다. 그 사이에 커피를 탈 뜨거운 물이 도착했다. 길고 긴 초록색 콧물을 훌쩍거리는 어린아이가 물을 가져 왔다.

"추장이 백인을 위해 채소 농장에서 일하라고 지시했었나요?"

나는 띠띠 노로 다완(Titi Noro Dawan) 지역에 세워진 교회 모습이 그려진 낡은 찻잔에 담긴 커피를 한 모금 마실 때 질문을 했다.

"아니네. 추장은 마을 사람들이 농장에서 일하는 것을 안타깝게 생각했지. 사람들은 일하는 걸 원하지 않았네. 일을 한 사람들은 부똔, 자바, 그리고 마두라(Madura)** 사람들이지."

"왜 추장이 그곳까지 올라갔나요?"

"산 사람들의 안전을 지키고 나무 수지를 네덜란드 사람들이 함부로 가져가지 못하게 하기 위해서였지."

"백인들도 나무 수지를 탐냈나요?"

"그렇다네. 그런데 추장이 금지 시켰고 마을 사람들도 네덜란드 사람들에게 화를 냈네. 추장이 돌아가고 사람들은 결국 네덜란드 사

* 인도네시아 말루꾸 제도의 중심 도시

** 동부 자바 앞바다에 있는 섬

람 두 명을 살해했고 감독관도 죽였네. 산 사람들은 도망쳐 산으로 올라갔지만 결국 모두 총에 맞아 죽었네. 그때 산 사람들이 많이 죽었지. 특히 남자들이. 그리고 마을은 폐허가 되었지."

그 사건이 언제 벌어졌는지 가늠하기가 어려웠다. 그에게 나이를 물어보았을 때 대답 대신 세 개의 국기, 네덜란드, 일본, 인도네시아 국기를 말했다.

"자, 커피 들어요."

낡은 찻잔으로 커피를 마시는 내 모습을 보고 그는 웃었다.

"진짜 좋은 커피네. 내가 직접 심은 것이지."

그런 다음 자주 커피 마시러 오라고 늙은 촌장은 말했다.

"감사합니다. 그때 살해 사건이 났을 때 추장과 촌장님은 어디에 계셨나요?"

"나는 결혼하기 위해 돌아왔지. 추장께서는 까옐리에 있었고. 그때 나는 추장님을 수행했었지."

그는 40여 년을 같이 살다 자식 없이 얼마 전에 세상을 떠난 부인을 생각하는 것 같았다. 두 번째 부인한테서 아이 한 명을 얻었지만 그 부인도 이미 세상을 떠난 지 오래되었다고 했다.

우리는 다시 커다란 낭까 나무을 또 한 번 쳐다보았다. 나무에 과일이 열려도 먹을 사람이 없었다. 지금까지 누구도 이 마을에 다시 자리를 잡으려 하지 않았다. 나는 멀리 강물이 휘도는 광경을 바라보았다. 모든 것이 녹색의 울창한 숲이었고 물은 계곡에서 흘러내려 와이 로 강으로 흘러갔다. 만약 비가 많이 온다면 강 주변이 물에 잠길 것 같았다. 아직 두 시가 지나지 않았다.

"지금 몇 시인가요, 간호조무사님?"

노로가 물었다. 그는 태양을 손으로 가리켰다.

"다섯 시인가요?"

"아니, 아마, 세 시쯤 되었다."

우리는 절벽을 오르기 시작했다. 만 베따 라뜬이 앞장을 섰다. 그는 걸으면서 우리가 쉴 장소를 찾아냈다. 물길을 따라온 우리의 여정은 일단 끝이 났다. 혼자 걸었던 발바닥 통증이 있는 마나 꾸닝이 우리 일행과 합류를 했다. 그는 비옷을 나무에 걸쳐 널었다. 밭에서 일할 때 입었던 사구 나무 잎으로 만든 푸른색 비옷이었다. 모자는 빈랑 잎으로 만든 것을 썼다. 가방을 안고 있는 수립이 많이 피곤해 보였다. 그는 풀 위에 주저앉으며 물었다.

"아직 멀었나요?"

만 베따 라뜬에게 물었다.

"아직 멀었어요."

동남향을 손으로 가리켰다. 우리는 바나나를 먹었다. 다들 수립 가방에 든 먹을거리를 찾기 위해 손들이 부지런히 들락거렸다. 강 건너에 나무들이 길게 늘어서서 햇볕을 받고 있었다. 사람들 입에서 담배 연기가 피어올랐다. 마치 비밀 약속이나 있는 듯이 모두 조용했다.

"뽈리 선생님. 이제 출발하시지요."

아직 남은 길이 멀다는 뿌띠 말이 갑자기 생각났다. 벌써 두 명의 동료는 첨병 역할을 하는 만 베따 라뜬을 따라 출발을 했다.

"왜 마나 와락은 돌아가지 않았느냐?"

나와 동행하는 마나 꾸닝에게 물었다. 노로가 나를 위해 통역을 해 주었다.

"아픈 아버지에게 갖다 드릴 소금과 설탕 때문이라고 하네요."

"너는 마나 와락과 같은 마을에 사니?"

"아니에요. 그는 와이 떼몬 아래에 살아요."

마나 꾸닝이 턱으로 동남향을 가리켰다. 그런 다음 그의 눈은 간호조무사를 바라보았다.

"마나 와락은 선생님들이 자기 마을에 거쳐 가기를 바라고 있어요. 도와주세요. 선생님."

마나 꾸닝이 애원하듯 말했다.

"만약 시간과 여건이 된다면 그 마을에 꼭 들르마."

그런데 그건 불가능하게 느껴졌다. 니소니 마을에 와서 치료와 약을 받을 수 있다고 까르노가 설명을 했다. 산 가까이 갈수록 길이 보이질 않았다. 억센 풀들이 거의 가슴까지 오는 늪이었다. 땅은 여전히 젖어 있었다. 태양이 거의 세 시간 동안 비췄어도 산 사람들은 지친 기색이 없었다. 그들은 맨손, 맨발로 앞의 방해물을 헤쳐 나가고 있었다. 뿌띠가 갑자기 손가락을 입술에 대고 조용히 하라는 시늉과 오른손을 흔들어 뒤따르는 우리 일행을 정지시켰다.

"말하지 마세요."

속삭였다.

"무엇이지?"

뿌띠는 계곡을 조심스럽게 내려가는 만 베따 라뜬 방향을 손으로 가리킬 뿐이었다. 만 베따 라뜬의 손에는 언제라도 던질 자세로 창이 꼭 쥐어져 있었다. 달리는 모습이 이상했다. 몸을 앞으로 숙인 채 발은 억새 풀 위를 뛰어넘고 다시 조심스럽게 몸을 숙이고 있었다. 무언가 빨리 움직이고 있었다. 앞의 억새 풀이 흔들리기 시작했고 그

흔들림이 갈수록 빨라졌다.

"멧돼지다!"

우리는 놀라 숨죽여 말했다. 그 짐승은 뛰고 있었다. 거대한 머리가 억새 풀 위로 잠깐 보였다. 나는 좀 더 높은 곳을 찾아서 만 베따라뚠의 창끝이 목표물을 찌르는 광경을 보고 싶었다. 그런데 외마디 소리도, 피가 튀는 모습도 아직 보이지 않았다. 단지 우리 있는 자리를 지키라는 뿌띠의 짧은 주의만 있었다. 갑자기 뿌띠는 앞으로 달려 나가기 시작했다.

"와"

우리가 있는 쪽으로 외치는 소리가 들려 왔다. 칼을 빼든 노로가 계속 조용히 하라고 주의를 주었다. 죽음의 공포를 느낀 짐승들이 그러하듯 멧돼지는 계속 내달렸다. 한참 후, 두 명의 사냥꾼은 빈손으로 돌아왔다. 땅에 창을 꽂으며 말했다.

"목표가 너무 멀리 있었어요."

실패한 두 명의 사냥꾼을 위로했다.

"만약 창에 맞아도 뚫지는 못해요. 창으로 그 녀석을 죽일 수는 없었어요. 그저 상처만 났을 것이에요."

노로가 말을 이었다.

"선생님들은 더 어려웠을 것이에요. 창도, 칼도 없으니까."

그들의 벌거벗은 피부는 어디 한 군데도 풀에 베인 흔적이 없었다. 반면에 우리의 피부는 풀잎에 베인 상처가 곳곳에 생겼다. 두 번째 높은 지대에 도착했을 때 커다란 나비 한 마리가 번쩍이는 날개를 팔랑이며 짙은 녹음이 쌓여 있는 계곡 아래로 날아 사라졌다. 계곡 건너편은 와이 띠나 방향으로 산들이 연이어 있었다. 와나다르마 집단 억류지 쪽에는 잡초를 태우고 있는 듯 연기가 하얗게 피어오르고 있었다. 서남향으로 시선을 돌리면 멀리 와나수르야, 와나끈차나 집단 억류지 쪽에 비가 내리는 것이 보였다.

"아, 뿔리 선생님. 저것이 와이 로아에요."

뿌띠가 해 뜨는 방향을 가리켰다.

"이제 몇 개의 산을 더 지나가야 하지?"

"아홉 개에요."

손으로 동남향을 가리켰다. 강줄기가 산 하나를 휘감고 지나가고 있었다.

"저게 길이에요. 와이 떼몬 둘루(Wai Temon Dulu) 마을을 지나가야 해요."

"산 사람들 마을이지요. 내 집도 거기에 있지요."

만 베따 라뜬이 창을 소나무처럼 생긴 나무에 기대면서 말했다. 산 계곡으로부터 연기가 올라오는 것이 보였다. 발밑은 돌밭이었다, 날카로운 돌들이 발바닥을 아프게 찌르고 있었다.

"더 가까운 길이 있느냐?"

"있어요. 먼저 물길을 내려가야 해요."

뿌띠는 물길에 대해 설명했다. 두 번째 고지대를 지났다. 산으로 내려가는 길이 나타났다. 거기서 남쪽으로 흐르다가 와이 로 강과 합쳐지는 지류를 만났다. 몇 채의 집이 있는 작은 마을이 멀리 보였다.

"무슨 마을이지?"

수립이 물었다.

"와이 떼몬이에요. 와이 떼몬은 네 개가 있어요."

"얼마나 걸리지, 저기까지?"

"알 수 없어요."

노로가 대답했다.

"아마 여기서 아침 해에 출발하면 오후 해에는 도착할 수 있을 것이에요."

그들은 아직 시간을 계산할 줄 몰랐다. 수립이 고개를 끄덕였다. 뿌띠가 와이 로아에 대해 말했다.

"거기서도 사람들이 나무껍질을 사용하고 있어요."

"너는 그곳에 가 본 적이 있느냐?"

간호조무사가 물었다.

"있어요. 까이 빰로이(Kai Pamroi)와 나무 수지를 찾으러 그곳에 갔었어요."

"지금 까이 빰로이는 어디에 있느냐? 아까 마을에서는 보이지 않던데."

까르노가 물었다.

"까이 빰로이는 삼 일 전에 와이 로아로 갔어요."

"무엇 때문에?"

"여자 사러 갔어요. 재산을 갖고."

"까이 빰로이가 와이 로아에 가서 여자를 사는구나."

간호조무사가 말했다.

"여자는 분명 예쁠 것이다."

"예쁘다니요? 산 사람들은 예쁘지 않아요. 옷도 없는데 어떻게 예뻐요?"

"정말 그러냐?"

"그래요. 옷은 구겨지고 나중에는 얇아져서 결국에는 옷을 걸치지 않은 것처럼 보여요."

뿌띠가 믿어 달라는 듯 심각한 표정으로 말했다.

"결국, 나중에는 몸 전체가 다 보이냐?"

간호조무사가 농담으로 말했다.

"그럼요. 그런 여자를 만나면 부끄러워요. 까이 빰로이가 산에서 내려오면 선생님은 그 여자를 볼 수 있을 것이에요."

뿌띠는 많은 이야기가 있는 것처럼 보였다. 나는 뿌띠의 손을 잡고 이야기 듣는 것이 좋았다. 그런데 손을 잡고 걷기에는 가는 길이 매우 험했다. 우리는 마치 개미처럼 열을 지어 조심스럽게 앞으로 나가고 있었다. 한 사람이 멀리 갈 경우 즉시 쫓아가서 안전을 서로 확인하였다. 다음은 뿌띠로부터 들은 이야기 중 하나를 간추린 것이다.

뿌띠가 와이 로아로 간 것은 나무 수지를 찾기 위해서였다고 한다. 그곳에서 백인과 맞서 싸운 힘센 사람들의 이야기를 한 노인에게서 들었다고 한다. 그들은 백인들이 산에 오르면 맹렬하게 싸웠고, 만약 백인 손에 사람이 죽으면 가까운 마을 사람들이 다시 뭉쳐서 대항했다고 한다. 그런데 전쟁이 없을 때는 힘센 사람들을 잘 만날 수 없었다고 한다. 사람들 말에 따르면 그들은 숲에서 살고 있어 마을에서는 만날 수 없다고 한다.

"힘센 사람들의 아이들이나 부인은 마을에 살고 있지 않니?"

"물론 큰 마을에 살고 있어요. 그런데 외부 사람들이 그 마을에 들어가면 마을은 금방 숲으로 변해요. 보통 사람들은 그들을 볼 수 없어요. 사람들 말로는 그들은 사라질 수 있다고 해요."

"너는 그 사람들을 본 적이 있느냐?"

"그건 어려운 일이에요. 저도 다른 사람과 같거든요."

그리곤, 뿌띠는 계속해서 말했다.

"아마도 그들은 우리를 볼 수 있을 것이에요. 노인 중에는 그들과 연락이 되는 몇몇 특별한 사람이 있다고 들었어요. 그런데 약속을 했고 선서를 했기 때문에 그 노인들에 대해서 나는 말할 수 없어요."

이 이야기는 부루 섬 북부 지역에 널리 퍼져 있는 이야기 중 하나로 보였다. 우리는 다시 한번 더, 휴식을 취했다. 이곳은 데안(Dean) 산이었다. 이번 휴식이 와이 떼몬(Wai Temon) 마을로 들어가기 전 마지막 휴식이었다. 창으로 만 베따 라뜬이 모두 조용히 하라고 암시를 주었다. 그는 남서쪽에 있는 계곡에 신경을 집중했다. 동남향으로 부는 바람이 억새 풀을 물결치게 만들었다. 그 사이로 여섯 개의 머리가 보였다가 사라지면서 억새 풀을 헤치면서 오는 것이 보였다. 그중 머리 하나만이 두건을 하지 않았고 키가 작아 보였다. 얼마 후, 청년 한 명이 우리 일행 앞에 나타났다. 그는 칼을 허리에 찼는데 칼집은 노란색이었다. 어깨에는 부엌 조리 기구와 접시 크기로 말린 얇게 저민 돼지고기 한 묶음 그리고 작은 가방과 옷이 든 보따리가 단단히 묶인 짐이 얹혀 있었다. 오른손은 지팡이로 사용할 수 있게 창이 쥐어져 있었다. 뒤이어 그의 일행이 나타났다.

"안녕하세요?"

만 베따 라뜬이 인사를 하며 다가갔다.

"네, 잘 있었어요."

서로 인사를 하며 그들은 어깨로부터 짐을 내려놓았다. 만 베따 라뚠은 한 사람씩 포옹하였다. 그런 그는 우리를 쳐다보지 않은 채 한 명씩 우리를 소개했다. 그들 중 뿌띠와 같은 또래의 여자가 한 명 있었다. 그녀는 우리보다 뒤에 멀리 떨어져 있었다. 그녀는 천으로 단단히 묶은 보따리를 안고 있었다. 땀이 몸 전체에 흐르고 있었다. 얼굴도 땀에 젖어 있었다. 귓불에는 작은 나선형 실 귀걸이를 하고 있었고 왼쪽 팔에는 실 띠를 하고 있었다. 그것은 부모가 만들어 준, 병을 쫓아내는 부적이었다.

만 베따 라뚠이 여자의 품에 있는 보따리 천을 들추니, 그 안에는 이제 한 살 정도로 보이는 아이가 있었다. 그들은 부루 원주민 말로 대화를 했다. 그 말을 이해할 수 없는 나를 위해 뿌띠가 통역을 해주었다.

"모두들 어디서 오는 길인가요? 왜 내 집을 들르지 않았어요?"

"미안합니다. 우리는 어젯밤에 와이 띠나에서 왔어요."

"모두 그곳에서 밤을 보낸 것인가요?"

"맞아요. 삼촌과 아주머니 집에서 잠을 잤어요."

만 베따 라뚠은 즐거워 보였다. 그들은 가방에서 빈랑을 꺼내 같이 씹기 시작했다. 남자의 오른쪽 손목에 금속 팔찌가 번쩍거렸다. 은과 구리로 된 것이었다. 왼쪽 손목에는 나무뿌리로 된 팔찌를 차고 있었다. 손가락에는 다양한 색깔의 반지가 끼어 있었는데 어떤 것은 원석으로 되어 있는 것도 있었다.

"데리고 가는 여자가 누구지, 게밧 따마(Gebat Tama)?"

게밧 따마라고 부르는 청년이 부끄러워하는 것 같았다. 어느 누가 대답을 했다.

"와이 띠나에서 데리고 와요."

"누구의 딸인데, 그렇게 높은 산으로 데리러 갔지? 얼마에 샀는데?"

"아니에요. 재산과 바꾼 여자가 아니에요."

다른 사람이 말을 이었다.

"와이 띠나 마을 촌장의 딸이에요."

"와, 게밧 따마는 여자 찾는데 유능하다."

청년은 더 부끄러워하는 것 같았다. 그들은 빈랑을 먹으며 다 같이 웃었다. 젊은 여자는 잘 생긴 게밧 따마 옆에 서서 아이에게 젖을 물리기 시작했다. 그녀는 다른데 신경 쓰지 않고 아이에게만 신경을 쓰는 것 같았다. 게밧 따마는 배운 도시 사람처럼 보였고, 상의는 짧은 반바지 안으로 집어넣어 입고 있었다. 우리가 그에게 말을 걸었으나 대답하지 않았다. 얼굴은 늘 웃는 상이었고 가끔 날카로운 눈길로 주위를 둘러보곤 했다.

"게밧 따마, 자네는 어디 마을 출신인가?"

나는 담배를 권하면서 물었다. 그는 말없이 웃기만 했다.

"뽈리 선생님. 그는 인도네시아어를 못해요."

노로가 속삭였다.

"그는 와이 라따(Wai Lata) 가까이에 있는 와이 또리(Wai Tori)에서 왔어요. 뽈리 선생님은 와이 라따에 가본 적이 있나요?"

"그렇구나."

손가락을 서북쪽을 가리키며 물었다. 누르가 게밧 따마 옆에 있는 여자에게 사탕을 나누어 주었다.

"사탕 말고, 소금을 주세요."

여자가 말했다.

"부끄러워 말아요."

부루어로 하는 대화는 그들의 의심을 사라지게 했다.

"당신은 이 먼 곳까지 무슨 일로 왔어요?"

뿌띠가 게밧 따마에게 장난치듯 물었다.

"이쁘지 않지만 여자 때문에!"

게밧 따마가 대답했고 두 청년은 환하게 서로 웃었다. 나는 이런 상황을 영원히 남겨 놓고 싶었다. 상체를 벗은 한 청년이 이미 내 생각을 눈치채고 뒤로 몇 걸음 물러났다.

"사진, 사진, 찍지 마세요."

손사래를 치며 나무 뒤로 몸을 숨겼다. 나는 그 거절을 무시하고 몇 장의 사진을 찍었다. 그 직후 나는 후회하게 되었다. 그들은 거절할 권리가 있었고 나에게는 강요할 권한이 없었다. 노로가 내 마음을 알고 그들을 달래려고 했다.

"이 선생님이 우리랑 같이 사진 찍기를 원하시는 것이야."

"하지 말아요. 우리 관습은 사진 찍는 것을 허락하지 않아요."

"정말이냐? 내가 듣기로는 관습 촌장님께서 최근에 사진 찍는 것을 허락했다고 들었는데."

노로가 대답했다.

"맞다. 추장님께서도 사진 찍기를 원하고 있다는 소문을 산 아래 사는 사람들에게서 들었다."

다른 사람이 말을 이어받았다.

"그렇다면 우리 한 번, 사진을 같이 찍는 것이 어떤가?"

"그러지 말아요. 그들은 이미 우리 전통을 벗어난 사람들이에요. 그들을 따라 할 필요는 없어요."

게밧 따마 일행 중 나이 많은 사람이 말했다.

"맞다. 틀린 것을 따를 필요는 없다고 봐요."

만 베따 라뜬이 덧붙여 말했다. 뿌띠가 차분한 목소리로 질문을 했다.

"저 역시 관습에 대한 규정을 정확히 이해하지 못하지만 우리 중 몇몇은 사진을 갖고 있는 것으로 알고 있어요. 더구나 인도네시아 사람들은 사진 찍기를 좋아한다고 듣고 있어요. 그런데 우리는 안 된다고 하니 이상해요. 사실 전통과 관습은 우리 모두를 위한 것인데 말입니다."

누구도 그 말에 대답하지 못했다. 몇몇은 서로 쳐다보았다. 뿌띠는 사진을 갖고 있는 사람 이름을 말해 보라는 추궁이 있을까 내심 전전긍긍했다. 사실 뿌띠는 그 내막을 정확히 알지 못했지만 사람들이 사진을 갖고 있다는 것을 확신하고 있었다. 그 역시 산 아래 사람들처럼 공부하고 싶고, 그림도 그리고 싶었다.

"만약 그렇다면 괜찮다."

누르가 말했다.

"마음대로 하세요. 그런데 나는 아닙니다."

만 베따 라뜬이 다른 사람들의 선택을 자유롭게 하면서 자기는 반대를 했다.

"다른 사람은 괜찮아요. 그런데 나는 전통을 대표하는 입장이라 빠지겠어요."

게밧 따마 일행 중 연장자인 사람과 만 베따 라뜬은 사진 찍는 장소에서 자리를 피해 주었다.

"만약 사진이 완성되면 내가 보내 주지."

사진 찍을 준비가 되어 있는 사람들에게 내가 말했다. 나무 등걸에는 난초가 피어 있었다. 빈랑을 먹고 난 다음 그들은 떠날 준비를 했다. 다시 한번 더, 만 베따 라뚠은 그들을 부둥켜안았다. 그들은 목과 뺨에 입맞춤했다. 만 베따 라뚠은 게밧 따마의 머리를 쓰다듬고 턱을 만졌다. 그리곤 예비 신랑 귀에 대고 무언가 속삭였으나 들리지는 않았다.

그들은 길을 떠나기 시작했다. 나는 만 베따 라뚠이 여자 품 안에 있는 아이의 머리 가리개를 잘 정리해 주는 것을 서서 바라보고 있었다. 아이의 눈은 감겨 있었다. 목에는 땀이 흐르고 있었다. 거친 만 베따 라뚠의 손가락이 일 년도 채 안 된 아이의 뺨을 어루만졌다. 턱을 앞으로 당겼다. 갑자기 자고 있던 아이가 놀래 자지러지면서 울기 시작했다. 만 베따 라뚠은 입안에 있던 빈랑을 손가락으로 집어 꺼내 열려 있는 아이의 입으로 집어넣었다. 아이는 울음을 멈추고 입술을 오물거렸다. 아이의 혀끝이 빨개졌다. 다시 한번 거친 손이 아이의 머리를 쓰다듬었다. 만 베따 라뚠은 허리를 굽혀 아이에게 입맞춤했다. 갑자기 '쉿' 소리가 나면서 빈랑 붉은색 물이 아이 입으로 전해졌다. 아이는 입술로 입맛을 다셨다. 아이는 이미 축복을 받은 것이다. 아이의 엄마는 그들 말로 이별의 말을 하자 웃었다. 아무래도 내 말이 어색했던 것 같다.

"잘 가세요."

나는 다시 말했다. 그녀는 웃으며 말했다.

"잘 가세요. 뽈리 선생님."

"그래요."

내가 대답했다.

"아이가 잘 생겼어요. 부루 사람 같지가 않아요."

간호조무사가 말했다.

"자 봐요. 머릿결도 곧고 피부도 깨끗하고요."

삼십 분 후에 우리는 와이 떼몬 마을로 들어가기 전 마지막 산 정상에 도착해 있었다. 와이 로 강을 따라 있는 다섯 개의 산 중 가장 높은 산이었다. 남쪽 계곡은 급경사였다. 우리는 그 길을 따라 내려가야만 했다. 절벽 아래는 어두워서 잘 보이질 않았다. 나방과 날벌레들이 달려들기 시작해, 우리는 한 걸음 내디딜 때마다 숨쉬기가 힘들었다. 계곡 아래 나왕 나무에서 싹이 터서 자란 나무가 보였다. 오십 미터 이상 절벽을 내려왔다. 절벽 아래는 날카로운 돌들이 우리를 기다리고 있었다.

"자, 조금만 더 속도를 내자!"

만 베따 라뜬이 소리쳤다. 그 소리는 나무에 있는 도마뱀 떼가 지르는 소리에 묻혀 버렸다. 멀리 왼쪽으로부터 세 사람이 물길을 따라 걷는 것이 보였다.

"뿌띠, 사람들이지?"

내가 물었다.

"여자 두 명과 남자 한 명이네요."

"뒤에 있는 남자는 창을 들고 있는데."

"그래요. 두 명의 여자는 무언가 안고 있어요."

산 아랫마을 여자들처럼 보였다. 이마에는 천 또는 나무껍질로 된 것을 둘렀고 광주리는 등에 얹혀 있었다. 그들은 허리를 앞으로 굽혀 길을 가고 있었다. 손은 허리 오른쪽에 있는 매듭을 잡고 있었다. 지팡이 없이 걸어가는 할머니처럼 무거운 짐을 지고 있었다.

"여기 있는 남자들은 너무하지요."

시야에서 이미 사라진 세 사람의 방향을 가리키면서 까르노가 말했다.

"종종 무거운 짐을 이고, 안고, 아이까지 돌보면서 가는 여자를 볼 수 있어요. 그들의 남편은 그저 손에 창 하나만 달랑 들고 있는 경우가 많아요. 너무해요."

"조심해라. 까르노!"

뿌띠가 넘어지기 직전의 까르노에게 소리쳤다. 까르노는 계속해서 이곳 풍습을 비난했다.

"어떤 남자에게 제발 그러지 말라고 말한 적이 있는데, 다음에 보니 여전히 부인은 무거운 짐을 지고 있고 그 남자는 나 몰라라 하고 있었지. 뿌띠. 너는 그러지 마라."

수립은 거의 말을 하지 않았다. 그는 일행의 짐 무게를 공평하게 배분하는 데 온 신경을 쓰고 있었다. 갑자기 만 베따 라뚠이 창을 하늘 높이 치켜 올렸다. 걸음을 멈추라는 신호였다. 창을 오른쪽 발 앞에 꽂고 손을 흔들어 뿌띠, 노로, 마나 꾸닝을 불렀다. 그는 심각하게 보였다. 이야기할 때 세 명을 한 명씩 보면서 이야기했다.

"무슨 일이냐?"

내가 걱정스럽게 물었다.

"잠시만, 선생님."

노로가 내 발걸음을 멈추게 했다.

"만 베따 라뚠 촌장께서 선생님들이 먼저 마을에 들어가는 것을 막았어요. 그래서 여기서 기다려야 해요."

목소리는 조심스러웠다.

"너는 따라갈 것이냐, 아니면 여기에 있을 것이냐? 너무 시간이 지체되었다. 해는 이미 지고 있고, 모두 배가 고프다. 우리는 즉시 마을로 들어가야 한다."

뿌띠가 내게 다가왔다.

"뽈리 선생님. 산 사람들은 다른 사람들과 달라요. 잘못하다가는 그들은 모두 마을에서 도망칠 수 있어요."

"자, 계속 가자."

내가 재촉했다. 일행은 아직 의견 일치를 보지 못했다. 노로는 긴장하기 시작했다. 그는 우리가 계속 기다려야 한다고 주장했다. 뿌띠가 웃으며 말했다.

"뽈리 선생님도 안됐고 너도 안됐다."

그는 일부러 우리들의 관심을 딴 데로 돌리려고 했다.

"이곳 이야기에 따르면 백인들이 많이 죽었다고 하는데 너는 알고 있냐?"

뿌띠가 이야기를 시작했다.

"그래요. 오래전에 와이 떼몬 마을에 백인들이 들어와서, 모두 숲으로 도망을 쳤다고 해요. 그러다가 몰래 창과 칼을 갖고 뒤에서 공격해, 백인들을 죽였대요. 그것이 산 사람들 방법이래요. 몰래 숨어 있다가 창으로 찌르는 것이."

"그때 몇 명이 죽었다고 하니?"

동료가 물었다.

"백인 두 명은 그 자리에서 죽었고, 몇 명은 상처를 입었다고 하는데, 산 사람들 창에는 독이 발라져 있었다고 해요."

우리는 그저 이야기를 듣기만 했다.

"산 사람들도 많이 죽었어요."

그가 말을 이었다.

"왜?"

"그들은 총을 쐈대요."

"도망가지 않고?"

"도망을 쳤대요. 그런데 백인들이 계속 추격을 해 와서 결국 산 위로 도망을 갔대요."

뻐띠는 동쪽을 가리키면서 말했다.

"그래서 추장님도 산으로 올라갔대요."

"백인들이 추장님도 추격했냐?"

"아니에요. 백인들이 추장님을 불렀대요. 그래서 추장님이 페껠까지 올라갔다고 해요."

"페껠이 어디지?"

일행 중 그곳을 모르는 사람이 물었다.

"그곳은 백인들 농장이 있는 마을 이름이에요. 부루 섬 남쪽에 있고 산꼭대기에 있어요. 아직 가 보지는 못했지만 여기서 멀지는 않아요."

"추장님은 법의 심판을 받기 위해 백인을 죽인 사람들을 체포했느냐?"

"맞아요."

노로가 대답했다.

"틀렸어요."

그의 동생이 부정했다.

"그건 틀렸어요."

"맞다. 그건 명령이었다."

"그런데 명령은 명령으로 끝났어요. 추장님은 바보가 아니었어요. 모든 마을 사람들을 안전하게 했어요. 추장님은 백인을 위한 추장이 아니었고 우리 부루 섬의 추장님이었어요."

"그 방법은 어떠했느냐? 노로."

"방법은 이랬어요. 추장님 명령을 받았지만, 마을 사람들이 그들을 안전하게 피신을 시켰어요."

우리는 십여 분 기다리다가 마을로 향했다. 그들은 이번에는 나를 막지 않았다.

"뿔리 선생님, 일본사람들도 백인 농장까지 왔었어요."

내 뒤에서 뿌띠가 계속해서 이야기했다.

"다음에 이야기를 듣자."

우리 앞에 집들이 나타났다. 나는 약간 걱정이 되었다. 모든 상황을 대비하면서 조심스럽게 접근했다. 길에 쓰러진 통나무를 밟고 서서 나는 마을 전경을 볼 수 있었다. 큰 마당을 중심으로 중간 크기의 가옥이 네 채. 큰 집이 한 채 있었다. 지붕과 벽은 짙은 갈색이었다. 나무판자로 된 집이었다. 평평하지 않은 마당은 깨끗하게 청소가 되어 있었다.

마당 가운데 레몬 나무 하나만 심어져 있었고 다른 나무는 없었다. 조상신에게 기도하는 집 앞을 장식한 어린 야자 잎은 시들어 가고 있었다. 바나나는 아직 새순을 피우지 못하고 집 뒤에 서 있었다. 마을은 예상 밖으로 잘 정리가 되어 있었다. 마을 주민들 협력 없이는 이 높은 지대의 마을이 이렇게 깨끗하기는 쉬운 일이 아니었다.

"무엇이 보이나요?"

누가 물었다.

"작고 예쁜 집 때문에 마을이 더 깨끗하게 보인다."

나는 대답하면서 마을 안에서 이루어지고 있는 모든 움직임에 눈을 떼지 않았다. 동료들은 더 기다릴 수 없다는 듯 각자 높은 곳을 찾아 그곳에 서서 마을을 바라보았다. 완전히 벌거벗은 아이 두 명이 마을 마당을 가로질러 달려가는 모습이 보였다. 아직 우리 일행을 반겨 맞아 줄 것인지 아니면 적대적으로 대할 것인지 가늠이 서질 않았다. 나는 통나무에서 뛰어 내려왔다. 그리고 계속 걸어가자고 했다. 만약 우리가 창이나 칼로 환영을 받는다면 알푸루 출신 이 세 명의 청년들이 우리를 보호해 주길 마음속으로 빌었다.

"자, 계속 가자."

표정을 감추기 위해 나는 일부러 큰 소리로 말했다. 보통 낯선 사람이 마을을 방문하면 흔히 들리는 개 짖는 소리도 들리지 않았다. 점점 내 머릿속은 혼란스러워졌다. 내 눈은 모든 움직임에 촉각을 세웠다. 내 동료들도 역시 의심하는 것 같았다. 좀 더 앞으로 걸어간 다음에 상황이 좀 더 명확하게 보이기 시작했다.

만 베따 라뜬은 사람들을 마을 회관으로 불러 모았다. 나는 가장 앞에 서서 걸었다. 뒤에 세 명의 청년들이 뒤따랐다. 마을 사람들은 각자 집에서 뛰어나왔다. 여섯 명의 남자와 여덟 명의 여자들이 아이들을 안고 마을 회관으로 들어갔다. 할머니 한 사람이 아들 손에 이끌려 반대 방향인 방문 뒤로 사라졌다. 모두 일상 복장을 하고 있었다. 남자들은 아래 가리개만 착용하고 머리는 길었다. 여자들은 천 하나로 간신히 앞만 가리고 있었다. 여자들은 하얗게 빛나는 장신구를 목에 걸고 있었으며 귀걸이들을 하고 있었다. 그중 한 명은 쇠붙이로 된

발찌를 하고 있었다. 만 베따 라뜬이 내 이름을 부를 때 걱정과 경계심이 누그러지기 시작했다. 마을 회관으로 들어오라는 소리였다.

"빨리 선생님 들어오세요."

목소리가 채근했다. 걱정하던 마음이 완전히 사라졌다. 문설주에 여자 한 명이 기대 서 있었다. 그 옆의 남자에게 물었다.

"자네 부인인가?"

내가 물었다.

"그래요."

그가 대답하면서 부인을 쳐다보았다. 손가락에 닿은 달팽이처럼 여자는 놀라 방 안으로 사라졌다. 수십 개의 눈이 벽 사이 공간으로 우리들의 모든 움직임을 몰래 바라보고 있는 것이 느껴졌다. 그들의 목소리도 간간이 들렸다. 자바 사람 피부는 뱀처럼 미끄럽다고 말하면서 자기들끼리 웃는 소리도 들렸다. 여자아이들의 눈동자가 우리들의 움직임 하나하나를 따랐다. 아마 처음으로 외부 사람을 본 것 같았다.

"자. 이리로 다 모이세요."

누르가 모두를 불러 모았다.

마을 입구로 들어오는 길 쪽에서 호통치는 남자 목소리가 들렸다. 그 남자는 마당에 서 있는 우리를 쳐다보며 그 자리에 섰다. 그 뒤에는 여자 두 명이 광주리에 고구마 캔 것을 짊어지고 있었다. 그들은 우리보다 조금 더 높은 곳에 있었다. 그 남자는 오른손에 두 개의 창을 쥐고 있었다. 왼손은 허리춤에 있는 칼 손잡이를 잡고 있었다.

"조용히 하지요. 우선 저 사람을 만나러 가지요."

누르가 이야기했다. 우리가 앞으로 나서기 전에 만 베따 라뚠이 방금 도착한 그들을 맞이하러 앞으로 나섰다. 촌장인 만 베따 라뚠을 보자 소리친 남자의 태도가 공손해지는 것 같았다. 그들만의 대화가 오고 갔다.

"아, 내 생각은 형님이 아직 오지 않은 줄 알았지요. 저들이 누구죠?"

"우리 손님이고 방금 나와 함께 도착했네."

"그들이 이곳에 무엇 때문에 왔지요?"

"우선 같이 가서 저 사람들을 만나지."

그들이 마을 회관으로 왔다. 나는 그들의 손을 잡았다. 두 명의 여성은 즉시 부엌으로 갔다. 누르도 그의 손을 잡았다. 그는 자기 이름을 말하지 않았다. 사람들이 몰려올 때 그는 우리 곁을 떠났다. 나는 누르가 사람들과 함께 있게 했다. 나는 만 베따 라뚠 집으로 들어갔다. 방 뒤에는 문이 없는 방이 하나 있었는데 대나무로 된 부부 침대가 놓여 있었다. 그곳에는 다른 마을처럼 방에 창문이 없었다. 만 베따 라뚠 부인이 집에 있었다. 나는 그녀에게 인사를 했고, 그녀는 웃음으로 나를 맞이해 주었다. 그녀는 한 남자의 부인이 되기에는 아직 너무 어렸다. 그녀는 지금 초등학교 6학년에 재학 중인 내 동생과 나이가 비슷해 보였다. 배는 튀어나와 있었고 얼굴은 창백했다.

"아프냐?"

문 앞에서 내가 물었다. 뾰족한 턱을 앞으로 내밀었다가 하늘로 치켜 올렸다. 그렇다는 의미였다.

"간호조무사!"

간호조무사가 급히 왔고 그는 더 묻지도 않고 임무를 수행했다. 여자는 간호조무사가 몸 진찰을 하려고 하자, 그녀의 남편에게 알렸다. 만 베따 라뜬이 와서 그녀 옆에 앉아 괜찮을 거라고 안심 시켰다. 간호조무사는 다시 세밀하게 진찰을 했다. 촌장 부인이 치료받는 것을 보고 다른 여자들도 약을 달라고 모여들었다. 마지막으로 한 할머니가 방에서 나와 진찰을 받게 되었다.

부루 말이 유창한 누르에게 아이들이 모여들었다. 그의 손에 있던 사탕은 이미 사라진 지 오래였다. 아이들은 그를 형이나 오빠 대하듯 따랐다. 두 명의 내 동료는 벽이 없는 움막에서 음식 준비를 시작했다.

"내 성냥이 젖어 불이 붙지 않아요."

까르노가 말했다. 수립은 마을 회관으로 갔다. 나는 이곳 사람들 얼굴 하나하나를 기억하려고 했다. 아까 호통을 치던 남자는 보이질 않았다. 집 뒤에서 남자 목소리가 들렸다.

"무슨 일을 하나요?"

그에게 가까이 다가가면서 물었다. 그는 대답하지 않은 채 칼로 대나무를 다듬고 있었다. 그의 옆에는 손질된 대나무들이 쌓여 있었다. 그는 지금 사슴 덫을 만들고 있었다. 멧돼지 덫은 저것보다 짧아야 했다. 대나무 끝이 날카로운 것이 짐승의 살갗을 쉽게 뚫고 들어갈 수 있을 것으로 보였다. 나는 다시 그에게 말을 걸었다. 그는 웃음기 없이 나를 쳐다보기만 했다. 빈랑을 씹은 입술은 붉었다. 눈초리는 예리했다. 광대뼈가 앞으로 튀어나왔고 머리 두건은 오래되어 색이 검은색으로 변해 있었다. 그는 우울하게 보였다. 아마 무언가를 저주하는 표정이었다. 인사를 다시 하는 나에게 그는 눈길만 줄 뿐이었다.

갑자기 그가 내 가슴에 칼을 갖다 댔다. 나는 크게 당황했지만 차분한 표정을 지었다. 속으로는 화가 치밀어 올랐다. 그는 지금 나를 위협하고 있는 것이다. 그가 대나무를 잡기 위해 잠시 방심하는 사이에 나는 그의 칼을 빼앗은 데 성공했다. 나는 칼을 잡았고 그는 일어났다. 그리곤 부루 말로 칼을 돌려 달라고 했다. 나는 일부러 그의 말뜻을 모른 척했다. 나는 칼을 들고 그 자리를 피했다. 나를 따라오는 그의 얼굴이 화를 참느라 빨개졌다. 나는 웃으면서 남자 얼굴을 바라보았다. 내가 그의 곁으로 갔을 때 그는 눈을 아래로 깔면서 가만히 있었다.

"이리와 봐요."

내가 그를 불렀다. 그는 머리를 숙였고 나는 그의 손을 잡았다. 그를 방안으로 안내했다. 담배 한 대를 권하면서 불을 붙여 주었다.

"당신 칼이니 돌려주지요."

그의 허리춤에 있는 칼집에 칼을 집어넣어 주면서 내가 말했다. 그의 시선이 내 눈과 마주쳤다.

"당신 나에게 화내고 있는 건가?"

"아닙니다. 화내지 않았어요."

"왜, 나를 위협했지?"

그는 단지 숨을 고를 뿐이었다. 태양은 그의 임무를 다한 것 같았다. 어둠이 찾아 왔다. 밤의 찬 기운이 몰려오기 시작했다. 십여 명의 여인네들 목소리가 꽃의 꿀을 찾는 앵무새 소리처럼 들려 왔다. 그중 한 명은 옷을 갈아입지 않았다. 한 장의 천으로 앞만 간신히 가린 상태였다. 금속으로 된 발찌가 발목에 끼워져 있었다. 다른 여자들은 노란색 금속으로 된 귀걸이를 하고 있었고 아니면 실로 된 귀걸이를 하고 있었다. 간호조무사는 아직 약을 달라고 하는 사람들 사이에 있었다. 방금 나와 화해를 한 남자로부터 그의 기구한 이야기를 듣기 시작했다.

그가 성년이 되었을 때 부모는 이미 세상을 떠났다고 한다. 어쩔 수 없이 두 명의 여동생을 거느리기 위해 가장 역할을 하기 시작했다고 한다. 그는 온갖 고생을 해서 모은 재산과 마을 사람들 도움으로 두 여동생의 어머니 역할을 할 수 있는 여자를 샀다. 그의 여자 선택은 정확했다. 여자는 그를 사랑했고 동생들을 사랑했고 마을 사람들과 잘 어울렸다. 그는 여동생들이 다른 사람들에게 팔릴 때까지 행복했다고 한다.

어느 날, 그는 와이 아뿌 상류에서 대나무 뗏목을 만들라는 촌장 지시를 받았다. 그 명령은 땅콩 수확이 끝난 직후 그의 부인과 잠시 이별하는 것을 의미했다. 그는 열심히 뗏목을 만들었다. 이제 수확물을 뗏목에 싣고 해안가가 있는 하류로 가는 일만 남았다. 무사히 짐을 운반하고 밤이 찾아올 무렵 그는 집으로 돌아왔다. 돌아와 보니 부인이 집안에서 울고 있었고 얼굴은 창백해져 있었다. 눈도 퉁퉁 부어 있었다. 아픈가? 그가 물었다. 부인은 단지 머리를 흔들 뿐 대답을 하지 않았다.

그때 갑자기 어느 늙은 여자가 칼을 손에 들고 집 안으로 달려들어 왔다. 남자는 급하게 부인을 보호하면서 늙은 여자의 칼을 뺏었다고 한다. 그 늙은 여자는 다름이 아닌 마을 촌장 부인이었다. 이제 나이 먹어 사람들 관심 밖의 인물이 된 여자였지만 아직은 주민들로부터 존경을 받는 처지였다. 칼을 빼 들고 그 촌장 부인이 달려든 것은 자기가 집에 없는 동안 자기 부인이 마을 촌장의 여자가 되었기 때문이었다. 그는 부인에게 관습 촌장 집으로 피신해 있으라고 명령을 했다. 부인은 관습 촌장한테 달려갔고 한밤중이 되어서야 고개를 숙인 채 집으로 돌아왔다.

부인은 남편의 결정을 기다렸다. 남편의 발걸음이 가까워질수록 부인의 머리는 더 숙여졌다. 남편은 아무 소리를 하지 않고 잠자리에 누웠다. 아침이 되어 남자의 발이 불기로 따뜻해졌다. 부인이 불을 지핀 것이다. 그는 다시 잠이 들었다, 그가 일어났을 때 몸은 무거웠고 머리는 어지러웠다. 부인은 그를 정성스럽게 안마를 했다. 남자가 결정을 전하기 전, 마지막 안마였다. 무너지는 마음으로 그녀를 놓아주기로 했다.

"당신은 내 어머니가 될 것이고 이 마을의 어머니가 될 것이다."

부인은 다시 울기 시작했고, 남자의 결정을 따를 수 없다고 매달렸다.

이것이 그가 부인과 헤어진 이유가 되었다. 남자가 와이 아뿌 상류에서 뗏목을 만들 때 관습 촌장은 그 부인을 다른 마을 촌장에게 몰래 보낸 것이었다. 남자는 아직도 관습 촌장 앞에서 그가 부르짖었던 말을 기억하고 있었다.

"당신은 남의 남자가 내 아내를 범할 때 내버려 두었고, 오히려 부추겼다. 그것은 큰 죄악이다."

관습 촌장이 머리를 흔들면서 그 말을 부정했다고 한다. 이곳에는 여자를 재산처럼 매매하는 풍습이 남아 있었고, 부모는 그 재산을 팔

권리가 있었다. 남편을 다른 여자에게 빼앗긴 촌장의 늙은 부인은 절대 반대했다고 한다.

"그 물건은 다름이 아닌 다른 사람 부인이었고, 그 여자의 남편이 팔기를 원하지 않았어요."

관습 촌장이 대답했다.

"그 남편도 동의했다."

촌장의 늙은 부인은 화를 냈다.

"강제로 한 것이에요. 관습이 범죄를 보호하고, 내 남편을 방어하고 있어요. 왜냐면 내 남편은 촌장이기 때문이에요. 당신은 이 범죄를 부추겼어요."

"나는 모든 범죄 행위를 금지 시키고 있다."

"만약 일반 주민의 범죄도 마찬가지인가요?"

"다른 사람도 마찬가지다."

"마을 촌장도 같은가요?"

"그렇다. 나는 이미 경고를 했다."

"왜 법으로 처리하지 않았나요?"

"범칙금으로 했다!"

"범칙금? 범칙금의 의미가 있다고 보세요?"

"그렇다. 그는 재산 100을 범칙금으로 지불해야 한다."

"여자도 지불해야 하나요?"

"그렇다. 그 부인이 원한다면 원래 자리로 돌아가야 한다."

"미친 관습법이네요. 인정이라고는 하나도 없는."

노파는 소리쳤다. 결국 촌장인 남편한테 대들은 노파는 버려졌다. 남자들의 강간 건에 대해 이곳 여자들은 이길 수가 없었다. 오히려 그 불쌍한 남자는 부인에게 충실하지 않은 사람으로 낙인이 찍혔다. 이 사건은 9 개월 전에 발생했다.

"당신 부인은 아직 그곳에 있어요?"

내가 물었다.

"내가 다시 고소하려고 하니까 어디로 빼돌린 것 같아요."

"지금은 어디에 있어요?"

"먼 마을에 있어요. 촌장이 마을을 옮겨 버렸어요."

부엌의 불이 작아졌다. 밥이 다 되었다. 다 같이 밥 먹자는 까르노 소리가 들렸다. 그 남자는 밥 먹기를 거절했다. 나는 그를 남겨 놓고 부엌으로 향하는데, 만 베따 라뚠이 간호조무사에게 그의 부인이 어디 아픈지 이야기해 달라고 독촉하고 있었다.

"임신했나?"

그가 물었다.

"아니에요."

간호조무사가 짧게 대답했다. 그런 다음 검사 결과를 나에게 보여 주었다. 만 베따 라뚠은 고개를 갸웃했다. 그는 자바어를 몰랐기 때문이다. 그의 부인 병세에 대해 계속 물었다. 그는 부인이 사라지는 것을 두려워했다. 성인도 되지 않은 여자가 열 살도 되기 전에 남편과 잠자리를 같이 해야만 했다. 지금 그녀는 만성 질병을 앓고 있었다. 간이 이미 부은 상태고 그래서 배가 튀어나오게 되었다. 황달 증세가 확실하게 보였다. 황달병은 여기서는 결국 죽음에 이를 수밖에 없는 무서운 질병이었다.

"뽈리씨 어떻습니까?"

만 베따 라뚠이 물었다.

"당신은 부인을 좋아해요?"

"물론이에요."

그는 고개를 끄덕였다. 입술이 떨렸다.

"그는 지금 배가 아프고 증세가 심각해요."

"뽈리씨, 간호조무사님, 내 아내 좀 도와주세요. 저 여자 죽게 하지 마세요. 도와주세요. 그가 오래 살게 해 주세요."

마치 장난감을 달라고 보채는 아이처럼 이야기했다.

"죽고 사는 것은 내가 결정하는 것이 아니에요."

간호조무사가 말했다.

"어떻든 내가 그를 도울 수 있게 한번 해 보겠어요. 단 ---."

"고마워요."

"잘 들어요."

그가 몇 번이나 눈썹을 치켜뜨고 턱을 위로 쳐들면서 다짐을 했는지 모른다. 그는 간호조무사가 금지하는 것 꼭 해야 할 사항을 하나씩 이야기하는 것을 열심히 들었다.

이 마을에 들어올 때 잠시 보았던 노파는 다시 나타나지 않았다. 단지 그의 기침 소리만이 주위 사람들의 관심을 끌었다. 나는 문이 없는 집 안으로 들어갔다. 노파는 무언가 깊이 생각하고 있는 것처럼 앉아 있었다. 밖에서 점점 다가오는 발소리가 들려 왔다. 내게 칼을 겨누던 남자가 문 앞에 섰다. 내가 먼저 웃었지만 방 안이 어두웠기 때문에 그는 나를 보지 못했다. 나는 그가 방안을 주의 깊게 바라보는 모습을 지켜보았다.

나와 노파는 밖으로 천천히 걸어 나왔다. 나는 마을 회관 쪽으로 노파를 부축하면서 걸어갔다. 나는 앞 가리개만 한 그 남자가 우리 뒤에서 바라보는 것을 내버려 두었다. 사실 그는 내 모든 행동에 관심을 두었다. 뒤를 돌아보았다. 그 역시 주의 깊게 나를 바라보고 있었다. 갑자기 의문이 생겼다. 내가 지금 부축하고 있는 이 사람은 누구인가? 이 노파가 마을 촌장한테 대들었다가 버림받은 늙은 여자인가?

"할머니. 할머니 이름을 물어보아도 되나요?"

그녀는 대답하지 않았다. 그녀의 몸이 갑자기 떨리기 시작했다.

"어디 아프세요? 무슨 병이 있어요?"

무슨 말인지 노파는 조용히 속삭였다. 나는 그에게 자바어와 인도네시아어로 섞어서 물어 보았다. 키가 155 센티미터 정도 되는 노파는 계속 침묵을 했다. 계속 물었지만 노파의 대답은 '나는 알지 못한다.'였다. 말하기 싫은 내색이 역력했다. 머리는 이미 반백이었다.

"남편은 어디 계세요?"

"나는 모른다."

"나에게 할머니 진짜 이름을 알려 주세요. 우리는 이곳에 있는 할머니들 상황을 파악하기 위해 온 것이에요. 우리가 아직은 정치범이라 자유가 없지만 돕고 싶어요. 할머니 본명을 이야기 해 주세요."

"아 --- 리다."

가까이 다가 갔지만 말을 자세히 들을 수가 없었다. 그녀의 몸은 비스듬히 내 손에 의지해 있었다. 간호조무사가 즉시 검진을 했다. 나는 노파의 토막 진 대답을 귀 기우려 들었다. 첫 음이 '아'로 시작되는 노파의 말을 내가 정확히 들은 것인가? 이 사람이 내가 찾는 사람인가? 사람들이 말 상대를 하지 않는 이 노파가? 내 마음속 깊이 비명을 지르며 부르는 사람이 이 노파인가? 나는 아직 확신할 수 없었다. 노파는 말랐고 건강하지 못했으며 여전히 말을 하지 않았다. 나는 노파를 간호조무사가 검진할 수 있게 마을 회관에 있게 했다.

피부병에 걸린 아이들이 많았고 누르를 찾아오는 아이들도 많았다. 소아마비, 눈병 걸린 아이, 까스까도에 걸린 아이들도 찾아 왔다. 좀 큰 남자아이들은 앞 가리개를 착용했고 아직 어린 여자애들은 브래지어를 하지 않았다. 브래지어를 한 성인 여자도 몇 명 되지 않았다. 간호조무사가 검진하기 위해 방에 들어갈 때 나도 따라 들어갔다. 이미 남편이 있는 한 여자가 남편이 보는 앞에서 윗옷을 검진을 위해 벗었다. 나는 그녀의 유방 아래쪽 검진 때문에 주저하는 간호조무사를 보았다.

"자."

간호조무사는 나를 보고 밖으로 나가라는 신호를 보냈다. 그러나 나는 여전히 앉아 있었다.

"근육이 잘못되었어요. 그리고 심장 옆 근육이 부었어요."

간호조무사가 내게 말했다. 부부는 아직 방 안에 있었다. 그들은 부루 말로 재빨리 말해 나는 알아들을 수가 없었다.

"무엇 때문에 그렇게 된 것인가?"

내가 물었다.

"그 여자에게 직접 물어보는 것이 좋겠어요. 내가 봤을 때 딱딱한 물건으로 지속적으로 압박을 한 것 같아요."

나는 방으로 들어가 남편에게 물었다.

"무엇 때문에 자네 부인이 저 지경이 되었지?"

부인보다 나이가 훨씬 많은 남자 어깨를 잡고 나는 물었다. 그는 후회하는 것 같았다. 그는 아내를 쳐다보지 못했다.

"말하기 싫다면 우리가 도와줄 수 없지."

그는 문에 서 있는 간호조무사를 바라보았다. 그런 다음 자기 부인을 쳐다보았다.

"손찌검했지?"

내가 윽박질렀다.

"저 여자가 못 돼 먹어서."

"그래서 저 여자가 저렇게 될 때까지 매질을 했냐? 무슨 잘못으로? 저 여자는 네 부인 아니냐?"

그는 머리를 숙였다.

"너는 저 여자를 가엽게 생각해야 한다."

간호조무사는 바르는 약과 다른 치료 방법을 마련해 주었다.

"너는 남편을 공경해라."

남편이 불을 피우러 간 사이 나는 여자에게 충고해 주었다.

"제 잘못이 아니에요."

거의 반쯤 애원하듯 말하면서 남편이 언제 나타날지 몰라 여자는 두려운 눈으로 주위를 살피며 말했다.

몇 개의 방에서 장작불이 지펴졌다. 누르와 아이들이 부르는 노래가 다시 내 임무를 상기 시켰다. 그것은 34년 전 일본에 의해 끌려간 한 여성을 찾는 일이었다. 나는 이제 마지막 단계를 밟았고 드디어 그 노파를 만났는데 이제 건강이 악화된 상태였다. 이름은 '리다' 또는 '아 리다'였다. 노파는 아직 문지방에 걸터앉아 있었다. 아이에게 둘러싸여 있는 누르에게 물었다.

"저 늙은 부인의 마을 촌장 집이 어디에 있지?"

"만나지 못할 것이에요. 사람들 이야기로는 그는 예전 마을에 산다고 해요. 여기서는 만 베따 라뜬이 마을을 대표하고 있어요."

아이들이 알아듣지 못하게 누르가 자바어로 대답했다.

"예전 마을? 나는 그걸 의심하네. 누르."

"여기서 예전 마을까지 얼마나 걸리지?"

"약 12시간 정도 걸리는데 물길 따라 동쪽으로 가야 해요. 데안 산을 먼저 오른 다음에 산길을 내려갔다가 와이 게보(Wai Gebo)를 따라가면 예전 마을인 와이 뗴몬 상류에 닿아요."

우리 둘은 부엌으로 갔다. 그곳에 까르노와 수립이 식사하기 위해 있었다. 간호조무사는 그의 임무를 끝내기 위해 바빴다. 발을 저는 소리가 가까이에서 들렸다. 만 베따 라뜬이 내 옆에 앉았다. 그는 우리가 곧 마을을 떠나야 한다는 것을 잘 알고 있었다. 그가 덤덤하게 내게 말을 걸어 왔다.

"뽈리씨 이제 밤이에요. 여기 있다가 내일 돌아가시지요."

"우리는 와이 뗴몬 상류까지 계속 가고 싶은데 괜찮겠어요?"

갑자기 그가 심각한 표정을 지었다.

"우리는 좋은 생각을 갖고 이곳에 왔고 계속 아픈 사람들을 돕고 싶어요. 뽈리씨. 안됐지만 홍수가 나서 이제 나는 길 안내를 할 수 없어요. 큰물이 나서 걸을 수가 없어요."

"그곳의 마을 촌장을 만나려고 해요."

누르가 덧붙였다.

그의 눈은 주저하는 기색이 뚜렷했다.

"거기서 무엇을 찾으려고 하지요?"

"잘못 생각하지 말기 바래요. 우리는 그곳 촌장을 만나 인사를 하고 싶을 뿐이에요. 우리가 듣기로는 그는 부인이 여섯 명이라고 듣고 있어요."

나는 일어나 그의 두 손목을 잡았다. 우리는 서로 바라 보았다.

"나 역시, 그 부인들을 알고 싶어요. 그중에는 내 어머니 같은 분도 있을 것으로 생각이 돼요. 그저 만나는 것만으로도 기쁠 것 같은데."

나는 그의 얼굴에서 의심이 사라지는 것을 보았다. 그의 눈은 방안 구석구석을 살피면서 무언가 찾는 듯했다. 그의 눈이 문지방에 걸터앉은 노파에 멈춘 후 한동안 정지되었다. 그런 다음 자기에게 혼잣말로 '저 사람이 그 사람이다, 저 노파가 네가 찾는 사람이다, 너의 어머니 같은 사람이다, 자바에서 태어난 여자다'라고 말하는 것처럼 보였다.

나는 이제 확신하게 되었다. 저 노파는 내가 찾고자 했던 사람이다. '리다' 또는 '아 리다'였다. 의심의 여지가 없었다. 나는 노파에게 가까이 다가갔다. 노파는 옷 앞섶을 여미지 않은 채 눈을 희미하게 뜨고 내가 다가오는 모습을 바라보고 있었다. 그는 마음의 눈으로 나를 보는 것 같았다.

"할머니, 약 드셨는지요?"

내 말이 잘 들리지 않는 것 같았다. 나는 다시 물었다.

"할머니 이름이 어떻게 되나요?"

"왜, 여기까지 오셨나요?

노파는 얼굴을 두 무릎 사이에 파묻고 떨기 시작했다. 그가 몸이 아파 떠는 것인지 아니면 내 질문 때문에 떠는 것인지 나는 몰랐다.

내 마음속에는 이렇게 외치는 소리가 들렸다.

'왜 당신은 침묵하고 있나요? 자 봐요. 여기 내가 당신을 만나러 왔어요. 당신을 위해 나는 무언가 할 수 있을 것이에요. 그동안 얼마나 힘들게 사셨나요? 당신은 공부하기 위해 그리고 민족과 국가를 위해 가족과 고향을 등진 채 떠났지요. 당신의 출발은 부모의 축복 속에 이루어졌지요. 그런데 일본 제국주의는 당신을 강간하고 당신의 아름다운 희망을 여지없이 앗아 갔지요. 당신은 이 산속 사람들에게 내 던져졌고 당신은 그저 매매되는 물건으로 그동안 취급되었지요. 절망의 나락 속에서.'

나는 노파의 어깨를 잡고, 몸을 세웠다. 가슴으로 노파를 안았다. 부드러운 손이 내 손목을 잡았다가 아래로 내려갔다. 그는 산속 사람들 사이에 있는 것을 새삼 느꼈는지 급히 그의 손을 거두어 드렸다. 그리고는 뒤로 물러나 등을 돌렸다. 비틀거리며 거의 쓰러질 듯 섰다. 몇 번 머리를 흔들더니 어느새 눈에 눈물이 맺혔다. 그리고는 천천히 어둠 속으로 사라졌다.

손전등 불빛이 빨리 출발하자고 재촉하고 있었다. 누르는 주민들에게 남아 있는 물건을 모두 나누어 주었다. 많은 사고가 있었지만 나는 성공한 여정이라고 속으로 생각했다. 우리는 찾고자 하는 여자를 만나는 데 성공했다. 그 여자와 직접 이야기를 해 보지는 못했지만 우리는 그 여자의 사정을 이해했다. 그녀는 부루 원주민들의 관습 선서에 묶여 있었기 때문이다. 늙어 죽는 것 이외에는 그녀는 희망이라고는 없어 보였다. 그리고 그녀는 부끄러워 자바에 있는 가족에게 돌아가는 것을 원하지 않는 것 같았다.

우리는 작별 인사를 했다. 잘 가라는 인사와 기도가 손을 잡은 채 이어졌다. 누구도 고맙다는 말을 하는 사람은 없었다. 우리는 그 말을 강요하지 않았다. 사실 그 말이 필요하지 않았다. 아쉬운 것은 마을 주민들을 위해 그 이상 우리가 할 수 있는 것이 없다는 것이었다. 만 베따 라뚠이 아직 서 있었다. 그의 손을 나는 잡았다. 그리고 그 손을 높이 올렸다. 마치 니소니 마을의 마나 께단이 그렇게 했듯이 손을 높이 올렸다.

"모든 것이 고마웠어요"

"빨리씨 돌아가려고 합니까?"

"다음 기회에 다시 이곳에 꼭 올 것이에요."

"얼마나 더 있어야 당신이 이곳에 다시 오시나요?"

"지금 말할 수 없지만 확실한 것은 조만간 당신 부인을 검진해야 한다는 것이에요. 부인은 시간 맞춰 약을 꼭 먹어야 해요."

"그렇게 할게요."

내 손을 그는 놓았다. 그리고는 갑자기 내 목덜미를 손으로 끌어안고 등허리를 손으로 두드리며, 뺨과 턱을 꽉 잡은 다음 부루 섬 원주민들의 축복 의식을 했다. 사실 그때 그의 까스까도 피부병이 내게 전염될까 두려웠다. 그의 가슴이 내 가슴에 닿았다. 동료들이 그에게 인사하기 위해 손을 내밀어, 나는 그의 포옹에서 벗어 날 수 있었다. 마당 건너편 남자는 아직 서서 날카로운 시선을 나에게 보내고 있었다.

"저 사람은 나를 증오해요."

"아니에요. 그가 당신에게 화를 내는 것이 아니에요. 지금 어려움에 처해 있기 때문이에요. 좋은 사람이에요."

"왜 그래요?"

"그는 아직도 원한을 품고 있어요."

남자의 원한이 잘못하다가는 마을 간 싸움으로 번질 것 같았다.

"나는 돌아가요. 나에게 화내지 말아요."

그에게 소리쳤다.

"아니에요."

멀리서 그의 목소리가 들렸다.

만 베따 라뚠은 그 날 밤, 우리를 마을 밖까지 배웅해 주었다.

"잘 가게."

"네."

뿌띠와 노로가 대답했다.

내 이야기는 여기까지이다. 우리는 이제 나이 들어 노쇠해진 물야띠를 만났다. 물론 우리는 그녀를 위해 그 어떤 것도 할 수 없었다. 가족과 고향을 떠난 후, 그녀는 고통과 폭력 그리고 좌절 속에서 삶을 살아왔다. 우리는 마음속으로 눈물을 흘릴 뿐, 그녀를 위해 해줄 수 있는 것이 없었다. 일본은 가족과 함께 행복한 삶을 살 수 있었던 한 여자의 삶을 저렇게 처절하게 유린한 것이었다.

우리는 빨리 걸었다. 그녀의 얼굴은 내 머릿속에 각인되었다. 둥근 얼굴, 얇은 입술 그리고 초승달 같은 눈썹은 그녀가 젊었을 때는 미인이었음을 잘 보여 주고 있었다. 키는 150 센티미터. 지금쯤 물야띠는 방문 없는 방에서 홀로 흐느끼고 있을 것이다. 그녀에 대한 쓰라린 추억을 안고 나는 계곡을 따라 내려갔고, 산을 올랐다.

내일 아침에 우리는 분명히 점호에 참석해야만 했다. 우리는 니소니 마을에 조용히 들어갔다. 마을 회관에 있는 장작불을 크게 키웠다. 으르렁거리는 마을 개를 노로가 진정시켰다. 작은 돼지들이 뛰어다니는 모습에 우리는 잠시 피곤을 잊었다. 장작불 때문에 잠든 사람들이 깨어났다. 그들은 추위에 떠는 우리를 불 가까이 오게 했다. 밤부가 나잇과 무까 까도에게 무언가 속삭였다. 두 여자는 집 안으로 들어갔다. 그녀들이 다시 옷을 들고 나타났을 때 밤부가 말했다.

"빨리씨 옷 갈아입으세요. 까르노, 간호조무사도 옷을 모두 갈아입으세요."

우리는 완전히 젖은 상태였다. 무까 와엘이 까르노의 사룽을 골라주었다. 나잇과 무까 까도가 갖고 나온 옷들은 모두 새 옷이었다. 우리는 피부병인 까스까도가 옮을까 봐 손사래를 치고 거절했다. 그들은 마실 것과 찐 고구마를 우리에게 대접했다. 사실 우리가 원하는 것은 그저 잠시라도 쉬고 싶은 것이었다. 우리는 마을 회관 바닥에 몸을 뉘였다. 밤부가 말했다.

"이제부터 여러분들을 환영합니다."

그는 작은 북을 선반에서 꺼냈다. 그리고는 네 명의 마을 청년들에게 들게 했다.

"와, 이제 잠 다 잤네."

간호조무사가 한숨을 쉬었다.

"북을 치겠다고? 마나 께단 할아버지가 아프신데 왜 큰 소리를 내지. 노로야, 할아버지를 힘들게 하지 마라. 나중에 화내신다."

"아니에요. 마을 사람들은 이런 것을 좋아해요. 아픈 사람이 있어도 북 치는 것은 괜찮아요. 뽈리씨는 노래하고 간호조무사님과 다른 사람들은 춤을 추어요."

사슴 가죽으로 만든 북의 줄이 조여지고 음을 맞추기 시작했다. 밤부가 제일 먼저 북을 두드리기 시작했다. 그런 다음 천천히 힘을 가하면서 북을 두들겼다. 북소리가 밤공기를 흔들었다. 다른 사람들도 뒤따랐다. 그런데 어느 순간, 갑자기 북소리가 중단되었다. 밤부가 북 하나를 간호조무사에게 던졌기 때문이다. 간호조무사는 어쩔 수 없이 북을 받아 그들이 두들기는 모습을 흉내 내기 시작했다. 그런데 사람들의 웃음소리에 간호조무사는 북 치는 것을 멈추고 물었다.

"내가 북을 잘못 두들기고 있는 것인가?"

"그래요. 틀렸어요. 노래가 없잖아요. 노래를 불러야 해요!"

노로는 북을 들고 시범을 보였다. 그의 북소리는 부드러웠고 세 명의 다른 청년들이 뒤따랐다. 마을 사람 두 명이 열심히 노래를 부르기 시작했다. 우리 일행을 환영하기 위해 작은 북과 노래는 점점 더 열기를 더해 갔다.

마을 회관 옆방에서 고통스러운 신음이 들려 왔다. 나와 간호조무사는 그 자리를 벗어났다. 마을 회관 안의 음악 소리는 점점 더 커져 갔다. 간호조무사는 나잇에게 누구의 신음이냐고 물으면서, 그 소리가 나는 방안을 드려다 보았다. 두 명의 남자들이 앉아 기도 중이었다. 한 명은 마나 께단이고 다른 한 사람은 머리가 길었는데 내가 알지 못하는 인물이었다. 방안의 장작불 때문에 그들의 그림자가 흔들리고 있었다. 내가 알지 못하는 인물은 부어오른 왼쪽 발을 손으로 움켜잡고 있었다. 그는 계속해서 고통스럽게 신음을 내고 있었다. 노인의 손에는 마술을 거는 나무 봉이 쥐어져 있었다. 그는 주문을 중얼거리면서 나무 봉을 입으로 물었다. 그리고는 오른쪽 손바닥에 길게 숨을 토해냈다. 그리고 신음을 내는 사람의 이마에도 길게 숨을 내 뿜었다. 그런 다음 나무 봉을 아픈 남자의 허리에 갖다 대었다.

"와이 띠나에서 다리를 다친 마나 세위(Mana Sewi)가 도착했어요."

나잇이 말했다. 이곳에 온 것은 마나 께단한테 치료받기 위해 온 것이라고 했다.

"어디 아프지? 내가 보기에는 다리가 많이 부었는데."

"뽈리씨와 간호조무사가 왜 여기에 있어요?"

밤부가 갑자기 나타나 물었다.

"저 사람, 어디가 아픈 것인지 궁금하네"

나는 밤부에게 물었다.

"산에서 내려온 사람인데 개한테 물렸다고 해요."

"왜 아직 이야기하지 않았어요. 약을 쓰지 않으면 저 사람 미치거나 아니면 죽어요."

간호조무사가 나무라듯 말했다.

"간호조무사와 뽈리씨는 여기서 기다려요."

"촌장님."

밤부가 마나 께단을 불렀다. 방안에서는 마나 께단이 조상신에게 환자가 완쾌될 수 있게 도와 달라고 간절히 기도 중이었다.

"촌장님, 간호조무사가 허락해 준다면 저 사람에게 약을 쓰겠다고 합니다. 그리고 촌장님도 기침 해소에서 벗어나길 원하잖아요. 그가 지금 문 앞에 있어요."

밤부가 말했다. 늙은이는 계속해서 조상신에게 주문을 외우며 도움을 요청했다. 두 손을 비비다가 숨을 여러 번 크게 드려 마셨다. 그런 다음 목을 하늘 높이 올리면서 손바닥을 피면서 소리쳤다.

"오뿔라뚜(Opulatu) --- 히-이(heee)! 오뿔라스딸라(Opulastala) --- 처방을 내려 주세요."

그 이상은 늙은이의 주문을 내가 흉내를 낼 수가 없었다. 촌장은 이상한 이름을 외쳤는데 기억에 남아 있는 것 중에는 '밧빠띠(Batpati), 바이(Bai), 망갈라(Manggala), 게넷 리마(Genet Lima), 꼬닛 따마(Konit Tama), 파나무뗀(Fanamuten), 헤반시꼬(Hebansiko) 등'이 있다. 붉은색 천을 노인이 한쪽 끝을 잡고 또 다른 한쪽을 마나 세위가 잡고는 그 위에서 마술 봉을 휘저었다. 이상한 조상신 이름을 하나씩 부를 때마다 손을 올렸다가 내렸다. 이름을 다 부른 후 그의 태도는 더 공손해진 것 같았다. 그런 다음 오른손을 활짝 펴서 조상신들로부터 무언가 받는 모습을 취했다.

"촌장님. 뿔리씨와 간호조무사가 도와줄 수 있다고 합니다."

밤부가 말했다.

"너는 관습을 모르느냐?"

노인이 밤부를 나무랬다.

"너는 지금 무엇을 하는지 보지 못하느냐?"

늙은 관습 촌장은 계속해서 말했다.

"조상님들께서 복을 주고 계시다. 그분들이 모든 것을 결정한다. 사람을 너무 믿지 마라."

환자는 더 큰 소리로 신음을 토했다.

"촌장님, 오해하지 마세요. 만약 관습이 마나 세위를 완쾌시킬 수 있다면 계속하세요. 그런데 늦어지면 큰 불상사가 납니다. 잘못하다가는 저 사람은 죽습니다."

"누가 그렇게 이야기하는가?"

그리고는 마나 께단은 붉은 천을 마루에 펼쳐 깔았다.

"어느 누가 죽지 않게 만들 수 있는가? 어느 누가 용감하게 조상신에 대항할 수 있는가?"

기침이 말을 끊었다. 앉아 있던 환자가 혼절하면서 바닥에 쓰러졌다. 그 순간 내 인내심은 한계를 넘어섰다. 앞으로 달려나가려 할 때 간호조무사가 내 손목을 꼭 잡고 말렸다.

"지금은 아닙니다. 조금 더 기다리시지요."

"저 환자를 저렇게 하면 안 돼!"

내가 거세게 야단을 쳤다.

"일단, 안으로 들어 가 보겠습니다."

간호조무사는 그렇게 말하고 안으로 들어가 환자를 검진하기 시작했다. 마나 께단은 간호조무사의 행동을 저지할 구실을 찾는 듯했다. 간호조무사가 마나 세위의 발을 벌릴 때 마나 께단이 한마디를 했다.

"기다려라."

그는 간호조무사의 진료를 저지했다.

"우선 조상신들께 은총을 빌어야 한다고 하네요."

밤부가 말했다.

"오래 걸리지 말기 바래요."

간호조무사가 요청했다. 노인은 주문을 외우기 시작했고 밤부는 점점 정신을 잃어 가는 환자 옆에서 어쩔 줄 몰랐다. 마을 회관으로부터 북소리와 노랫소리가 계속 이어져서 들려 왔다. 간호조무사의 의

료용 칼이 개에게 물린 상처를 쨌다. 썩은 고름과 피가 터져 나왔다. 그런 다음 상처를 깨끗이 소독을 했다. 환자는 고통에 몸을 떨었다. 빠마링앗 할머니가 와서 종아리에 상처 흉터를 보여 주었다. 상처는 보름 전에 간호조무사가 치료한 것인데 이제는 다 아문 상태였다.

“끝났어요. 와이 띠나로 돌아가지 마세요. 아마 내일이면 좀 좋아질 것이에요.”

달이 떠오르기를 기다리며 우리는 잠을 청했다. 그런데 그것도 잠시, 인기척에 나는 놀라 깨어났다. 간호조무사도 눈을 떴다. 마나 께단이 지팡이를 집고 우리 앞에 서 있었다.

“할아버지, 우리에게 화가 나셨나요? 아픈 사람을 치료한 것이 잘못인가요?”

“아니네. 자네가 신처럼 보인다. 마나 세위는 어떤가?”

“죽지 않을 것입니다. 조상신들이 도움을 줄 것입니다.”

“나를 치료해 줄 수 있겠느냐?”

“오래전에 치료를 받았으면 지금처럼 쇠약하시지는 않았을 것입니다.”

간호조무사는 노인의 손을 잡고 방으로 향했다. 마을 회관 마루 위에서 사람들이 평화롭게 잠자고 있었다. 아내와 남편은 서로 껴안고, 아이들은 벌거벗은 채 장작불 연기가 그들의 이불이었다. 산 너머로 얼굴을 내미는 달은 우리가 돌아가야 한다는 사실을 상기시켜 주고 있었다. 무까 까도가 작별 인사를 할 때 무언가 말하고 싶어 하는 눈치를 보였다.

“선생님. 다음부터는 그 이름으로 저를 부르지 마세요. 내 진짜 이름은 무까 베아(Muka Bea)에요."

"그랬구나. 무까 베아. 잘 있다가 우리는 돌아간다. 남편이 집에 없을 때 멀리 가지 말아라."

무까 베아는 턱을 들어 그렇게 하겠다고 대답했다. 그리고는 얼굴을 가리고 울기 시작했다.

"왜 울지?"

까르노가 물었다.

"제 부모 같아서요."

까르노가 그를 달랬다.

"너는 이쁜 여자고 좋은 부인이다."

"부끄러워요. 제 아버지가 나빠요. 오래전에 아버지가 와나다르마 집단 억류지에 있는 간호조무사 친구들을 죽였어요."

모두 조용해졌다. 까무잡잡한 피부에 둥근 얼굴에 검은 눈동자 그리고 약간 두꺼운 입술로 항상 웃는 이 여자가 지금은 웃음을 잃고 있었다. 머리 한 번 빗질 한 적 없어 보였지만 여자는 언제나 행동은 예의 발랐었다. 우리 일행이 어두운 길로 걸어가기 시작할 때까지 그녀는 머리를 숙이고 울고 있었다. 돌아오는 길, 달은 밝았지만 마음은 무거웠다. 모두 침묵 속에 있었다. 지난 일들을 생각하는 것 같았다. 지난 20시간 동안 벌어졌던 다양한 일들이 교차해서 머리에 스쳐 지나가고 있었다.

다양한 전염병이 주민들이 사는 마을들을 덮쳤다. 산마을도 예외는 아니었다. 1979년 독감은 와이 아뿌 저지대를 휩쓸면서 많은 목숨을 앗아 갔다. 독감은 니소니 마을, 와이 히디 마을, 와이 로 마을 그리고 물야띠 부인이 살던 지역도 예외 없이 초토화 시켰다.

1979년 3월 12일, 나는 와이 떼몬 마을로 가고 있었다. 가는 목적은 약속을 지키기 위해서였다. 특히 물야띠 부인과의 재회를 원했기 때문이다. 그러나 가는 길 도중에 돌아와야만 했다. 니소니 마을이 이미 독감으로 황폐화 되었고 한 명의 과부와 세 명의 아이가 사망했다는 소식을 들었기 때문이다.

1979년 3월 22일에는 마나 삼부르, 일명 밤부가 사망을 했다. 그리고 며칠 후 니소니 마을의 관습 촌장인 마나 께단도 저 세상 사람이 되었다. 사람들 말에 따르면 어느 날, 밤부가 숲에 들어갔었는데 그곳에서 그의 장인을 우연히 만나고 집에 돌아와 사망했다고 한다. 마나 께단은 독감 바이러스 때문에 세상을 떴다고 한다.

그리고 1979년 3월 말, 어느 날 독감 치료 약을 구하러 마을을 벗어 난 물야띠 부인의 시신이 와이 로 강변 자갈밭에서 발견되었다는 소문이 들렸다. 시신은 이미 많이 훼손되었는데 특히 왼쪽 발은 이미 없어진 상태였다고 했다. 우리는 부루 섬 원주민들의 관습에 문제가 생길 것 같아 장례를 치르지 못하고 전전긍긍할 뿐이었다. 그러나 와이 로 강물을 사람들이 마시는 물로 사용하기 때문에 부인의 시신을 그대로 방치할 수 만은 없었다.

1979년 4월 3일, 어렵사리 우리는 자바의 관습을 제대로 따르지 못한 채 급하게 그녀의 시신을 매장하였다. 내 삶 속에서 서로 만난 시간이 수십 분밖에 되지 않는 한 여자의 시신을 강변에 매장한 것이다. 만약 그녀의 가족이 먼 훗날 나타난다면 그녀 무덤을 꼭 찾기 바란다. 그 무덤은 니소니 마을 위, 뚱구(Tunggu) 산기슭에 있는 자갈 무덤이 바로 물야띠 부인이 잠든 곳이다. 제대로 격식을 갖추지 못한 채 장례를 치른 우리를 그녀가 용서해 주길 바라고 있다. 당시 우리는 자유가 박탈당한 정치범 신분이었기 때문에 그 무엇도 할 수 없었기 때문이었다.

끝으로 지난 35년 동안 일본의 속임수에 넘어가 희생된 수많은 인도네시아 위안부들의 질곡의 삶이 현재의 인도네시아 청소년과 우리의 다음 세대들에게 영원히 기억되기를 나는 바라고, 하나의 큰 교훈으로 자리 잡기를 나는 기도한다.

1979년 6월 14일 Buru

제9부

와나야사(Wanayasa)로 돌아오다

'와나야사(Wanayasa)로 돌아오다'는 쁘라무디야 아난따 뚜르의 『인도네시아의 '위안부' 이야기』(원제명 : 『군부(軍部) 압제 속의 처녀들 – 부루(Buru) 섬의 기록』)을 우리말로 완역한 이후, 작가의 딸인 아스뚜띠 아난따 뚜르(Astuti Ananta Toer)로부터 받은 추가 원고 자료 중 일부이다.

그 자료는 작가가 부루 섬에 억류되는 1969년 8월부터 풀려나는 1979년 12월까지 11년 가까운 구금 기간 중 약 4년여를 지낸 '와나야사' 집단 억류지에서 겪은 강제 노역, 배고픔, 구타, 고문이 적나라하게 언급 되어 있는 중요한 자료였다. 따라서 원고의 중요성을 감안하여 이를 발췌하여 마지막 장(章)으로 첨가하게 되었다.

반체제 정치범들이 부루 섬에서 겪었던 참담한 상황은 역설적으로 그곳에 먼저 와 있던 일본군 성노예 위안부 여성들의 피맺힌 삶이 외부에 알려지는 계기를 가져오게 된다. 간헐적으로 이루어진 위안부와 정치범 간의 직, 간접 접촉 결과를 작가가 한 자, 한 자 써 내려 간 것이 이 논픽션으로 꾸며졌기 때문이다.

역자 : 김 영 수

그림을 그릴 줄 아는 동료들이 바쁘게 전시회를 준비하고 있었다. 어디에 사용할지 모르는 도형 숫자를 종이를 이용하여 만들고 있었다. 다른 동료들은 큰 지도를 부지런히 만들고 있었다. 사람들 말로는 어디서 오는지 잘 모르지만, 손님이 온다고 했다. 상류 지역에 있는 새로운 구역의 조장을 맡고 있고 내가 킹(King)이라고 10년 전부터 부르고 있는 본명이 사우드 수르조노(Saud Surjono)가 나를 찾아왔다. 그는 Ⅲ 구역장 앞으로 1971년 2월 28일부터 3월 5일 사이에 출두하라는 통지서를 나에게 전달했다. 출두 통지서와 함께 Ⅲ 구역장 앞으로 보내는 서한도 같이 내게 전해 주었다.

우리 둘은 출발했다.

킹과 나는 부루 섬 북부지역에 최초로 설치된 집단 억류지인 Ⅲ 구역에 같이 입소하였으며 똑같이 인드라뿌라 집단 억류지로 이송되었었다. 지금 나는 Ⅲ 구역 집단 억류지인 와나야사로 가는 것이고 킹은 자기 담당 구역으로 돌아가는 길이었다. 그는 조장 업무뿐만 아니라 집단 억류지 캠프 관리 군인들의 비공식 자문역도 맡고 있었다. 그를 통해 캠프 관리 요원들의 비밀스러운 정보도 우리에게 가끔 전달 되기도 했다.

어쨌거나, 요구하지도 않은 통행증이 내게 발급된 것이 이상했다. 아마 자바에서 지위 높으신 분이 오기 때문이 아닌가 추측할 뿐이었다. 지역 사령부로부터 Ⅱ 구역인 와나레자까지 향하는 길은 평탄했다. 왼편으로 방향을 틀고 원주민들 마을인 와이 로낭안(Wai Lonangan)을 지나면 아뿌(Apu) 강을 건너게 된다. 이 마을 옆의 늪은 이미 아뿌 강의 한 지류가 되어 있었고, 물살이 거셌다. 이런 맑은 날씨 아침에 걷는 것은 힘들지가 않았다. 우리가 걸어가야 할 거리는 약 6.6 킬로미터 정도가 되었다.

와이 로낭안 마을은 오래전에 내가 방문했을 때보다 두 배 정도 커져 있었고 집도 스무 채 가까이 되었다. 그렇지만 주민들은 여전히 여위었고 헐벗은 상태였다. 나는 아직도 마을의 촌장인 마나부부(Manabubu) 집을 기억하고 있었는데 그 집은 이미 많이 옆으로 쓰러져 있었다. 1969년 10월에 마나부부는 아뻐 강 건너편에 있는 우리를 부른 적이 있었다. 그날 모임에서 그는 우리 정치범들이 마을 소유인 야자와 망고를 몰래 가져간다고 강력하게 항의를 하였다. 그가 능숙하지 않은 인도네시아어로 크게 말한 내용을 나는 아직 기억하고 있었다.

"그 나무들은 새들이 심어 놓은 것이 아니다!"

그는 우리 정치범들이 극심한 배고픔에 시달리고 있는 사실을 모르는 것 같았다. 당시 우리는 북부 부루 내륙 지역에서 가장 긴 도로를 만들고 있었다.

나는 유일하게 마을에 있었던 판잣집을 기억해 냈다. 그 집은 마나할레(Manahale) 집이었는데 그는 유능한 사냥꾼이었다. 만약 그가 총과 두 발의 실탄을 갖고 밀림에 들어가면 어김없이 두 마리의 사슴 아니면 두 마리의 멧돼지를 짊어지고 나온다고 했다. 그는 사냥감을 반으로 나누어, 반은 총을 빌린 사람에게 주고, 나머지 반은 자기 몫으로 했다. 그는 또한 유명한 악어 사냥꾼이기도 했다. 그는 칼을 입에 물고 물속으로 잠수하여 악어의 배 밑을 칼로 찌른다고 했다. 나는 그의 손가락 하나가 크게 상처 입은 것을 본 적이 있다. 그가 말하길 오래전에 악어 이빨에 긁힌 자국이라고 했다. 그는 악어의 가죽과 생식기를 돈으로 바꾸고 나머지는 전부 버린다고 했다.

이 마을에서 아뿌 강가까지 거리는 100미터도 되지 않았다. 지금 강물이 거세게 지나가는 장소는 과거 우리들이 대나무로 만든 캠프가 차려진 곳이었다. 우리가 만든 캠프를 포함해서 양쪽 강 안 모두가 무너져 있었다. 당시 나는 우리 캠프의 이름을 세뜨라(Setra)라고 불렀고, 그 후 그 이름은 공식화되었다.

아뿌 강을 배를 타고 건너는 일은 늘 즐거웠다. 배는 물살의 거센 흐름을 이용하여 강을 오고 갔다. 배 중심을 잡는 나무로 된 날개 두 개가 갑판과 연결되어 있었다. 배 갑판에 오토바이나 이륜마차 등을 실을 수 있었다. 이 강을 건넌다는 것은 세뜨라 지역에 도착한다는 것을 의미했다. 강가에서 수십 걸음 걸어 나오면 Ⅲ 구역과 연결되는 길에 도달하게 된다. 이 길은 5년 전에 우리 동료들이 북부 부루 섬 내륙 지역에 두 번째로 만든 도로였다. 이 길을 다시 밟으면서 당시 도로를 만들 때 겪었던 다양한 쓰라린 경험이 기억났다.

2킬로미터 거리에 있는 초원지대에 양철로 지붕을 한 새로운 구역 집단 억류지가 건설되어 있었다. 아직 입소자들은 없었고 경비초소만 있었다. 과거 거주지 흔적이 많이 사라진 와나야사 지역으로 들어서면서 내 가슴은 깊은 침묵 속으로 빠져들었다. 우리가 그동안 얼마나 많은 건축물을 이곳에 세웠는지 감회가 새로웠다. 나무 한 그루, 풀 한 포기 제대로 없었던 지역을 우리는 바나나나 과실 수가 자랄 수 있는 지역으로 개간을 한 것이다. 그중 하나가 우리가 심은 큰 망고나무였는데 그 나무는 아직 그 자리에 서 있었다. 내가 심은 26 그루의 망고나무 중 일부는 살아남아 구역장 집과 경비초소 앞을 멋지게 꾸미고 있었다.

내가 2년 전에 보았던 풀잎으로 지붕으로 엮은 집은 당시에는 멋지게 보였는데 지금은 흡사 외양간처럼 변해 있었다. 당시 그 건물은 문화 공연장과 병원으로 사용했던 장소였다.

소환된 나는 Ⅲ 구역장인 수디라까(I.M. Sudiraka) 대위 앞에 섰다. 그는 내 이름이 구역 사령부 목록과 XV 구역 수용 인명부에 없다는 것이었다. 따라서 나는 다시 이곳으로 와야 한다고 했다. 그것은 사실 내 문제가 아니라 그들의 문제였다.

점심시간의 와나야사는 조용했다. 나는 수용되어있는 사람 몇 명을 만났다. 사람들은 물고기를 잡기 위해 준비하고 있었다. 그들 중 새로 온 사람과 다른 구역에서 온 사람들을 제외하고는 나는 그들의 얼굴 대부분을 알고 있었다. 나는 그들과 함께 과거 와나야사를 건설했다. 예술관 건물에서 점호가 있을 때 그들은 나를 웃으면서 반겨 맞아주었다. 지난 2년 동안 젊었던 사람들이 어느새 늙은 얼굴이 되어 있었고 단지 몇 명만이 얼굴이 그대로였다. 2년이라는 시간이 20년처럼 흐른 것 같았다.

1969년 9월 4일

2대의 상륙정이 까옐리 만을 출발하여 아뿌 강 하류로 진입했다. 까끼 아이르(Kaki Air) 부기스족 어촌 마을을 지나 북부 부루 섬 내륙으로 들어갔다. 아침 공기는 상쾌했고 적도의 태양은 빛나고 있었다.

아뿌 강폭은 그렇게 넓지 않았다. 그렇지만 물살은 거셌다. 강 양

안은 수풀과 나무들로 우거져 있었다. 흔한 원숭이 한 마리도 나무 위에 없었다. 사실 말루꾸 지역은 원숭이가 드문 지역이다.

이리안 지역에 서식하고 있는 원숭이 일종에 대해 쓴 서구의 유명한 작가의 글이 생각났다. 사실 이리안도 원숭이로 유명한 지역이 아니었기 때문에 그 작가 글에 대한 내 관심은 낮았다. 그 원숭이 일종은 인간과 거의 유사하다고 했다. 아마도 작가는 진화과정에서 현대 인류와 유인원 조상 사이를 잇는 missing link에 대한 환상을 갖고 있는 것으로 보였다. 그런데 흥미로운 것은 그 원숭이가 일 할 수 있게 된다면 근로자로 볼 것인지 아니면 야생 동물로 구분할 것인지를 작가가 책에서 묻고 있었다. 만약 그 원숭이들이 상품과 서비스를 창출해 낸다면 법의 보호를 받을 수 있는 대상이 될 수 있는지를 작가는 계속해서 질문하고 있었다. 어쩌면 저 서구의 유명한 작가는 글을 통해 이리안에 있는 원숭이에 대해 사람들의 관심을 끌기 위해 글을 썼는지도 모른다. 아니면 이리안 원주민을 작가가 원숭이의 한 종류로 표현하고 있는지도 모를 일이었다. 사실, 이곳과 이리안에는 원숭이가 없는데 말이다.

상륙정은 계속해서 강을 거슬러 올라가고 있었다.

로딴의 한 종류인 머나우(Menau) 줄기가 하늘을 찌를 듯이 서 있는 나무들을 휘감고 있었다. 이곳은 아직도 사람의 발길이 닿지 않은 밀림이 널리 산재해 있었다. 그런데 강 양안의 나무들은 키가 컸지만 그 너머 숲은 잡목뿐이었다.

아뿌 강은 야생 상태 그대로 흐르고 있었다. 아뿌 강이 흐르는 지역 대부분은 저지대로 거센 물줄기는 방향을 스스로 만들어 가면서 흐르고 있었다.

과거 학교에서 부루 섬 자연에 대해 가르쳐 준 적이 없었다. 그래서 지금 내 눈 앞에 펼쳐지는 광경은 살아 있는 교과서 그 자체였다. 큰 강이 있으면 마을이 형성되고 문화가 발달하는 원동력이 되는데 이 강을 거슬러 올라가면서 본 것이라고는 강 왼쪽에 있었던 부기스족 마을 하나와 강 오른쪽에 있는 원주민 마을뿐이었다. 집들은 매우 단순했다. 흔한 목각으로도 장식되어 있지 않았고 대나무 장식도 없었다. 모든 집의 지붕은 사구나무 잎으로 되어 있었다. 내 생각으로는 이곳 주민들은 손으로 하는 수공예라는 의미 자체를 모르고 있는 것처럼 보였다.

우리는 강 왼쪽에 있는 선착장에 접안을 했다. 선착장은 나무 기둥 위에 천막을 친 형태였다. 숲은 강에서 봤을 때보다 나무가 별로 없었다. 물론 과일나무도 보이지 않았고 토양도 매우 척박하게 보였다.

선착장을 벗어나서 우리는 나무가 별로 없는 수풀 지대로 들어섰다. 나는 사실 동, 식물에 관한 이름을 잘 모른다. 외국어로 된 원명은 더더욱 모른다.

길을 걷는 것이 매우 힘들었다. 큰 나뭇가지들이 걸음을 방해했는데 밑으로 기어 지나가든지 아니면 타고 넘어야 했다. 로딴 가시도 한 걸음 내디딜 때마다 우리를 위협했다. 살갗을 파고든 가시는 살 속에서 여지없이 부러지면서 사정없이 박혔다.

걷는 것뿐만 아니라 배고픔도 우리들의 발걸음을 더디게 했다. 가지고 온 음식물은 이미 바닥 난 지 오래였다.

수풀 지역을 벗어나니 개활지가 나타났다. 저 멀리 낮은 숲이 보였다. 기온은 점점 올라가기 시작했다. 자카르타와 비교하여 6도 정도는 더 높은 것 같았다. 수풀로부터 햇볕에 더워진 증기가 피어오르고 있었다. 길 위에는 아무도 없었다.

사실 부루 섬 토양은 척박했다. 국회의원 선거 때 취합된 자료에 따르면 인구는 4만 명 정도가 되었으며 발리(Bali) 섬 보다는 면적은 더 컸다.

아뿌 강 저지대 계곡은 사바나 지역이었다. 따라서 농사에 적합하지가 않았다. 사바나 지역과 농사는 어울릴 수가 없었다.

수풀 지대를 바라보면서 나는 미국 사바나에 대해 쓴 글을 생각했다. 그것은 서부영화로도 된 슐츠(Schultz)가 쓴 'Buffalo Bil의 일대기'였다. 그러나 이곳은 인디언도 없고, 말 한 마리도 보이지 않는 사바나 지역이었다.

길가 옆 마른 나무 사이로 늪지대가 보였다. 늪지대는 과거 강의 흐름을 보여 주고 있었다. 아뿌 강 줄기가 수시로 변하고, 이리저리 옮겨 다닌다고 했다. 늪지대가 어느 날 강이 되고, 강이 어느새 늪지대가 되곤 했다.

약 500명이 되는 전체 인원에서 마지막 그룹이 Ⅲ 구역 집단 억류지에 오후 7시경 도착을 했다. 우리가 상륙정에서 내려 걸어온 길이 단지 3.5 킬로미터인데 6시간이 소요된 것이었다.

우리는 가장 멀리 있는 곳으로부터 이송된 첫 번째 그룹이었다. 같은 구역 출신인 우리 숫자는 30명이었다. 그중 한 명은 병에 걸려 선착장 근처에 있는 Ⅱ 집단 억류지에 남겨지게 되었다. 그는 문학가인 오이 하이 준(Oey Hai Djoen)이었다. 이외 자바 전체 지역에서 온 수용자 중 내가 아는 인물이라고는 한, 두 명에 불과했다. 우리는 철조망이 둘러친 막사로 들어갔다.

철조망 --- 나는 일본 군대가 진주하기 전, 네덜란드에 의해 감금되어 있을 때 읽은 수용자에 대해 쓴 소설인 아스라마 하디(Asrama Hadi) 내용이 기억났다. 지금의 상황과 아스라마 하디 간의 느낌은 하늘과 땅 차이였다. 나는 여러 차례 투옥된 경험이 있고, 나치가 세운 수용소도 직접 본 적이 있다. 그리고 시베리아도 직접 가 본 경험이 있어 수용소의 상황을 누구보다도 잘 알고 있었다. 그런 내가 철조망이 처진 수용소에 감금된 것이다.

나는 수용소 막사로 들어갈 때 나무에 그어진 물 수위를 나타낸 표시를 보았다. 두 달 전에 이 지역은 홍수로 침수된 지역이었다. 그 높이는 1.5에서 2미터에 달했다.

Ⅲ 구역 집단 억류지 초대 부대장은 수영복 착용을 좋아하는 키 작은 에디 뚜스와라(Eddy Tuswara) 소위였다. 허벅지가 운동으로 잘 발달해 있었고 허리에는 늘 권총이 매달려 있었다. 그는 축구를 좋아했고, 행정처리 능력도 있었다.

우리 일행은 전혀 준비가 되어 있지 않은 막사 안에서 피곤해 쓰러져 잤다. 막사 기둥은 어린 나뭇가지로 세웠고 지붕은 사구 나뭇잎으로 이었다. 벽도 사구 나뭇잎으로 엮어, 멀리서 보면 털 달린 큰 짐승처럼 보였다. 10동의 막사가 준비되어 있었는데 그중 막사 다섯 채는 바닥이 아직 거친 흙이었다.

우리들의 잠을 깨우는 종소리가 들렸다. 지난 4년 동안 우리는 파블로프(Pavlov)의 개처럼 저 강력한 종소리에 순치되어 왔다. 아직 어두운 아침이었다. 규정에 따르면 기상하자마자 아침 체조를 하게 되어있었다. 어둠 속에서 상사 계급장을 단 군인이 지난 일본 식민통치 시대처럼 훈련을 이끌었다. 막사 주위의 새들은 해 뜨기를 기다리면서 지저귀기 시작했다. 우리 사이에서 상사의 구령 소리가 울려 퍼졌다.

"시범 보이는 것을 봐라! 하나, 둘, 셋, 넷! 시범을 봐라!"

그러나 보이는 것은 단지 어둠뿐이었다. 상사의 피부는 아침 어둠보다 더 검었는데 그것은 상사의 잘못이 아니었다.

우리 동료 중 한 명이 아침 점호 때 제대로 따라 하지 못했다. 벌칙으로 그는 땅을 기면서 소리를 질렀다.

"몸을 움직여라, 하나 둘, 하나 둘."

천천히 우리의 자존심은 허물어져 가기 시작했다.

그때 나는 1969년 8월 17일 밤, 배 위에서 들었던 녹음테이프로 들려주는 연설 소리에 대해 점점 의심이 들기 시작했다.

"새로운 삶을 향한 출발을 축하합니다."

확실한 것은 이것은 새로운 삶이 절대 아니었다. 책 줄이나 읽은 사람에게는 정말 견디기 힘든 시간의 연속이었다. 선발대 그룹인 우리가 남레아에 도착했을 때 구타와 모멸적인 욕이 우리를 열렬히 환영하지 않았는가? 우리 일행 대부분은 이미 4년 동안 억류된 신분들이었다. 나 역시, 지난 4년 동안 무슨 잘못으로 구금되어 있는지 모른 채 그 어떤 법적 처리도 받지 못한 채 구금 되었던 것이다.

그래도 식사 문제만은 우리를 안심시켰다. 하루 음식 정량이 1인당 600그람이라고 했다. 누사 깜방안(Nusa Kambangan) 선착장에서 어떤 관리가 말하기를 인도네시아인들이 거들떠보지 않는 썩은 쌀은 우리에게 주지 않을 것이라고 밝혔다. 먹는 문제만은 걱정하지 않아도 될 것 같았다. 우리에게 8개월 동안 설탕, 소금, 절인 생선, 담배 보급이 약속되었다. 따라서 지난 4년 동안 겪었던 극심한 배고픔이 드디어 사라지는 것처럼 보였다.

내 몸 상태는 다른 동료들과 비교하여 아직 괜찮았다. 왜냐면 1주일에 3번 가족으로부터 소포를 받을 수 있었기 때문이었다. 그리고 개선될 여지가 보이는 조치에 대해 나는 고마움을 느꼈다. 그러나 환상은 금물이었다! '신질서 시대'(Orde Baru)*에 환상을 갖는 것은 콧수염이 있는 염소를 기대하는 것과 같았기 때문이다. 사실 대규모 학살을 통해 탄생한 정권이 내 급식 문제를 해결해 줄 수 있겠다는 희망은 그저 희망일뿐이었다.

그날 아침 점호 때 동료 한 명이 대오에서 쓰러져 낙오하였다. 아파서 쓰러진 것은 아니었다. 그는 발밑에 기어가고 있는 도마뱀을 잡기 위해 쓰러진 척 한 것이다. 도마뱀은 우리에게 큰 희망을 주었다. 고기의 흰자질은 우리 몸을 추스르는 데 도움이 되었다. 그 꼬리 색깔은 붉은색, 하늘색, 초록색이었고 목덜미는 회색이었다.

바로 그 첫날 아침에 나는 놀라지 않을 수 없었다. 그날 우리는 연장, 도구 없이 길을 만들라는 명령을 받았다. 연장과 도구가 있을 리 없었다. 길을 만들 곳은 초원지대였는데 풀의 높이가 약 2미터에 달하고 무수한 가시가 있는 억센 잡초였다. 그런 풀을 맨손으로 뽑는

* 1968년부터 1998년까지 수하르또 정권의 1945년 헌법과 건국 이념인 빤차실라(Pancasila)를 기반한 시대를 말함. 전임 수까르노 시대를 '구질서 시대'(Orde Lama)라고 칭한다

것이었다. 나무가 듬성듬성 서 있는 드넓은 개활지 초원지대에서 열대의 태양 아래에서 모자도 쓰지 않은 채 작업을 하는 것이었다. 풀뿌리를 뽑아내기가 힘들어 보였다. 분명한 것은 손바닥과 손가락에서 피가 흘러내릴 것이라는 예상이었다.

6일 동안 풀을 뽑아내는 작업이 진행되었다. 손은 풀잎에 베어 피가 흘러내렸고 퉁퉁 부어올랐다. 새로운 규정이 발표되었다. 1일 쌀 배급량이 600그람이 아닌 500 그람이 되었다. 나머지 100그람은 비축미로 처리한다고 했다. 그때부터 100그람은 더는 나타나지 않았다. 더구나 500그람도 조금씩 그 양이 줄어들었다. 담배도 사라지고, 설탕도 사라졌다. 가장 오래 남았던 것이 절인 생선인데 그 맛은 자무(jamu)* 맛처럼 무척 썼다. 우리를 이곳으로 이송한 배에서 배급된 식량이 생각났다. 처음에는 보급이 좋았다. 고기, 달걀, 또는 생선이 조미료와 함께 배급되었다. 4일 항해 후에 배급되는 것이라곤 밥과 고추가 담긴 물뿐이었다. 처음에는 잘 진행되다가 점점 나빠진 후 결국에는 엉망이 되는 상황이 벌어지고 있었다.

북부 부루 섬 원주민들의 삶은 매우 낙후되어 있었다. 우리와 그들 간의 만남이 생각지도 않은 상황에서 간헐적으로 이루어졌다. 그들은 창과 칼을 늘 몸에 지니고 다녔다. 그들은 농사를 지을 줄 몰랐다.

비는 내리지 않았다. 구름이 모였다가 금방 산등성 너머로 사라졌다. 아뿌 강변은 햇볕에 데워져 종종 수증기를 뿜어 올렸다. 우리에

* 인도네시아 전통 약초. 뿌리, 껍질, 꽃, 씨앗, 열매에서 필요성분을 추출. 증상에 따라 복용 방법이 다양함

게 말루꾸 제도, 특히 부루 섬의 기후와 계절에 대한 정보가 하나도 전달 되지 않았다. 자바 지역보다 훨씬 뜨겁고, 어떤 때는 서늘하게 급변하는 날씨를 보였다.

살갗을 벗겨내는 햇볕도 문제였지만 모기와 파리의 공격은 참을 수가 없었다. 점심 휴식 시간에도 사람들은 모기장 안으로 기어들어 갈 수밖에 없었다. 치착(Cicak)*은 보이지 않았다. 새들만이 피곤한 몸에 큰 위안이 되었다. 새 종류는 자바 섬과 비교하여 크게 다르지 않았다. 다만 앵무새 종류는 부루 섬이 더 많았다. 쿠스쿠스(Kuskus)** 가 있는 것으로 보아 부루 섬의 동물계는 이리안과 오스트레일리아 쪽에 가깝다는 것을 알 수 있었다. 이 야생 상태가 그대로 있는 이곳에서 가장 흥미로운 종류는 왜가리였다. 철새로 아시아 대륙에서 인도네시아로 날라오는 새였는데 한 무리에 보통 2마리에서 4마리 정도가 무리를 이루었다. 사슴 무리도 발견되고 있는데 이곳 토착 종이 아니라 섬 외부에서 누가 반입하여 퍼뜨린 것으로 보였다.

우리가 며칠 동안 이곳 땅을 쟁기질한 결과 경작 가능한 땅의 깊이는 평균 15센티미터 정도로 파악되었다. 토질은 광물질이 많이 포함된 화산토가 아니었고 큰 돌은 강가에서나 발견되었다. 따라서 아뿌 강 계곡은 침식 작용으로 생성된 것이 아니라 지각 변동으로 생긴 지형임을 알게 되었다. 막사 근처에서 판 우물들은 결국 모래층을 만나, 실패를 거듭했다.

부루 섬 자연에 대한 정보가 제한되었기 때문에 농사를 한다는

* 도마뱀 일종

** 유대 포유동물 일종. 크기는 고양이보다 작음

것이 큰 모험이었다. 물론 이것은 시작에 불과할 뿐이었다. 다음 해에는 어떻게 될지 아무도 몰랐다. 기후와 계절에 대한 정보는 제공되지 않았다. 우리는 몇 차례 요구했지만 사실 그에 대한 정보나 자료가 처음부터 없었다. 정보와 자료를 결국 우리가 취합하여야만 했다. Ⅲ 구역의 농사는 그렇게 시작되었다. 흡사 선장 없는 배처럼 시작된 것이었다.

농사에 대해 전혀 모르는 사람들이라 척박한 토질에 대해 실망을 했다. 이외에도 기후와 계절에 대한 정보가 전무한 상태이고 농기구도 턱없이 부족했다. 그리고 선착장과 연결되는 교통도 원활하지가 않았다.

내가 아직 농사짓는 법에 대해 고민 중일 때 구역장인 에디 뚜스와라 소위는 그의 상관인 꾸스노(Kusno) 소령으로부터 새로운 명령을 받았다. 맨손으로 도로를 건설하라는 것이었다. 에디 뚜스와라 소위는 Ⅰ 구역장으로 이동했고 Ⅲ 구역은 다엥 마시가 대위가 맡게 되었다.

정책이 바뀌었다. 다엥 마시가 대위는 배운 인테리였다. 수까르노 대통령 보좌관을 지낸 인물로 외국 여행도 많이 한 친절하고 유머가 있는 사람이었다. 그는 예술을 좋아했고 사람과 사귀는 것을 좋아했다. 그는 우리가 지난 4년 동안 구금 생활을 하면서 많은 것을 잃었다고 보고 있었다.

그는 우리 스스로 자존심이 사라지는 것을 우려했다. 그 결과가 건설 사업에 악영향을 미칠 것으로 판단했기 때문이었다. 그는 인도네시아인임을 자랑스럽게 생각하는 것 같았다. 따라서 우리 중에 자존심을 잃고, 스스로 믿음을 상실하고 결국에는 인도네시아인이라는 자긍심이 사라지는 것을 안타까워했다. 그는 예술 활동을 통해 우리들의 이러한 침체 된 분위기를 새롭게 하려고 노력했다. 그는 의도적으로 연극을 자주 공연하게 했다.

한편 우리가 심은 싱꽁은 수확할 수 없었다. 부기스 족 사람들이 충고하길 싱꽁을 심을 때 세워 심지 말고 뉘어서 심으라고 조언을 했었는데 그 조언은 관심을 끌지 못했고 비도 내리지 않았다. 관개 수로 옆에 심은 6그루의 사탕수수는 소변을 모아 퇴비로 뿌리면서 한 달을 기다렸지만 성장하지를 않았다.

땅 곳곳에서 깨진 도자기 파편이 발견되었는데 우리 중 유물에 대한 학식이 있는 사람이 없었다.

1858년도 제작된 동전이 발견되었고 1790년 VOC가 만든 동전이 발견되었다. 이는 VOC가 해체되기 9년 전이었다. 이 모든 유물이 토지 표층에서 발견되었다. 일본 돈이나 알루미늄으로 만든 인도네시아 돈은 발견되지 않았는데 부식되어 사라졌을 것으로 보였다. 좀 더 많은 지역에서 동전이 발견될 경우 어떤 가설이 만들어질 수 있을 것으로 보였다. (후일 우리는 이곳 원주민들이 무당의 말을 따라 동전을 나무 밑에 묻으면 나무의 잎이나 뿌리를 약재로 사용할 수 있다는 미신을 믿고 있다는 소식을 들었다)

당시 나는 농사보다는 도로 건설 임무에 더 신경을 쓰고 있었다.

식품 공급 상황이 점점 악화되었다. 초기에는 상륙정이 Ⅲ 구역까지 식품을 공급했다. 그런데 강 수위가 내려감에 따라 물자 공급이 Ⅱ 구역 선착장까지만 하게 되었다. 우리 구역까지 3.5 킬로미터 거리를 물자를 짊어지고 운반하여야만 했다. 그리고 Ⅲ 구역 부두에서 창고까지 옮기는 것도 만만치 않은 일이었다. 8명이 100킬로그람 무게의 쌀을 약 150미터의 짧은 거리를 옮기는 것인데도 온몸은 땀으로 범벅이 되곤 했다. 하물며 3.5 킬로미터 거리를 어떻게 운반해야 할지 정말 난감했다. 사실 우리 대부분은 도시 출신들이라 물건을 들고, 옮기는 일에는 능숙하지가 않았다. 농촌 출신은 몇 명 되지 않았다. 어쨌거나 우리는 3.5 킬로미터 거리를 물자 운반을 위해 오고 가야만 했다.

도로 확장하는 일이 내게 주어진 첫 번째 과업이었다. 기존의 길을 폭 3미터로 넓히고 길 중간중간에 다리를 건설하는 고된 일이었다. 기존의 길이 늪지대, 강 지류를 우회하여 만들어진 것이었는데 새롭게 건설되는 길은 거의 직선화로 계획되었다.

도로 건설 경험이 전혀 없는 7명으로 이루어진 팀의 작업 속도는 느릴 수밖에 없었다. 우리가 일을 시작한 지 얼마 되지 않아 숲의 나무를 벌목하는 계획이 갑자기 취소되었다. 우리는 벌목팀으로부터 전기톱을 빌리게 되었는데 작업에 큰 도움이 되었었다. 나는 개인적으로 조용한 숲속에 들어가서 일하는 것을 선호했다.

농업 부분 작업도 계속 진행되었다. 첫 단계 계획은 밭을 개간하는 것이었다. 비가 내리지 않는 거친 땅에서 밭 개간은 더딜 수밖에 없었다. 그곳에 뿌릴 씨앗을 찾는 일도 힘든 일이었다. 우리는 이곳 원주민 밭에 떨어진 씨앗을 하나씩 주었는데 남아 있는 씨앗이라고는 몇 알씩 떨어진 싱꽁 뿐이었다. 사실 원주민들은 농사지을 줄 몰랐다. 그들은 사구를 주식으로 하고 있었으며 사슴이나 멧돼지를 사냥하여 먹을 뿐이었다. 그들은 반유목 종족으로 종종 마을을 옮겼다. 따라서 밭은 그들에게 있어 전혀 중요하지가 않았다. 땅에 쟁기질하는 방법을 몰랐다. 칼끝으로 땅을 파서, 씨앗이나 작물을 약간의 부식을 위해 심곤 했다. 따라서 싱꽁 씨앗을 구하기가 매우 어려웠다. 동료들은 숲속에서 또는 숲 근처에서 십 미터가 넘게 크게 자란 싱꽁에서 씨앗을 구하기도 했다. Ⅲ 구역 숙소는 아직 완비되지 않았다. 반면에 Ⅰ, Ⅱ 구역은 이미 수십 헥타르에 달하는 밭을 개간하기 시작했다. 그리고 그 지역의 몇몇 동료는 자카르타로 돌아가기 시작했다.

수위가 점점 낮아지고, 행정처리가 엉망이 되어 갈수록 Ⅲ 구역까지 맨손으로 옮기는 물자 수송 횟수가 늘어났다. Ⅲ 구역에 보급되는 물품은 점점 그 숫자가 줄어들었고 품질도 점점 엉망이 되어 갔다. 나는 다엥 마시가 대위의 고민을 알게 되었다. 그는 물자 보급을 Ⅱ 구역 또는 Ⅰ 구역을 경유 하지 않고 상륙정에서 직접 Ⅲ 구역으로 가져오는 방안을 모색하기 시작했다. 그 방법 중 하나가 아뿌 강 상류에 있는 부기스 족 마을인 아이르 먼디디(Air Mendidih)에서 Ⅲ 구역까지 새로운 길을 만드는 것이었다.

새로운 길을 만드는 업무가 내게 맡겨졌다. 나는 생각할 시간적인 여유를 달라고 요청했다. 사실 Ⅲ 구역에서 선착장까지의 거리는 0.5 킬로미터 정도였다. 그런데 문제는 상륙정이 선착장에 계류할 수 없는 상황이었고, 아이르 먼디디 마을만이 상륙정 계류가 가능했다. 그런데 구역장의 새로운 지시가 내려왔다. 길을 만드는 업무를 즉시 중단하고 새로운 업무에 투입하라는 것이었다.

이번 업무는 너무 과중한 것이었다. 기존의 길을 넓히는 일이 아니라 사람 발길이 전혀 닿지 않은 곳에 길을 새롭게 만드는 작업이었다. 그것은 지도상에서나 꿈을 꿀 수 있는 환상일 뿐이었다. 지도, 컴퍼스 그리고 필기도구도 없었다. 더욱 난감한 상황은 우리에게 현장 사전 답사도 허용되지 않았다는 것이다.

우리가 숲속에서 길 넓히는 작업을 하고 있던 어느 날, 암본 지역 특수군 소위가 지나갔다. 그의 앞에서 부하들은 호루라기를 불며 길 위에 있는 사람들이 길옆으로 비키라는 신호를 보냈다. 그날 밤, 구 역장 사무실에서 나는 그를 만났다. 그는 도로 건설에 필요한 도구 공급을 약속했다.

나는 조사팀을 구성했는데 구성원은 체육대학 출신인 수마르고(Sumargo BA), 지질연구소 연구원이었던 까르소노(Karsono), 지질학과 학생이었던 수조노(Sujono BA)로 구성하였다. 이것이 아뿌 강 계곡을 조사한 최초의 조사팀이었는데 가진 것이라고는 머리에 쏟아지는 뜨거운 햇볕뿐이었다. 나중에 알게 된 사실이지만 수마르고는 본능적인 방위 감각을 갖고 있었다. 드넓은 초원지대에서 쉽게 길을 잃을 수 있었는데 그의 감각이 큰 도움이 되었다. 숲속 상황은 더했다. 달려드는 모기의 극성은 상상을 초월했다. 다행인 것은 산 거머리가 없다는 것이었다. 숲은 원주민들이 한 번이라도 사용한 흔적이 없는 원시림 그 자체였다. 사실 원주민들은 육로로 다니는 것 보다, 물길로 다니는 것을 더 선호했기 때문에 육로가 발달 되어있지 않았다. 원주민들은 사바나 지역에서 사냥하고 습지에서 고기를 잡았기 때문에 그들의 뚜렷한 발자국을 땅 위에 남겨 놓지 않았다.

조사 시작한 지 이틀 만에 우리는 원주민이 살던 집터를 발견하였다. 그곳에는 야자수 몇 그루, 두 그루의 낭까, 한 그루의 망고나무 그리고 커피와 귤나무가 몇 그루 있었다. 그리고 몇 기의 무덤이 있었다. 집터는 바나나와 수풀로 덮여 있었다.

마을간 분쟁이나 주민이 사망할 경우 원주민들은 마을을 옮겼다.

원주민이 살던 집터는 언제나 물길 옆에 있었고 그 근처에는 원주민들이 새롭게 옮긴 마을이 있었는데 강 건너에 형성되어 있었다. 그 이유는 죽은 영혼이나 전쟁은 강을 건널 수 없다고 그들은 믿었기 때문이었다.

아뿌 강가에 도달했을 때 우리는 강 건너에 한 마을이 있는 것을 보았다. 여자들은 빨래하든지 아니면 대나무 통에 강물을 담고 있었다. 우리는 주민들에게 아이르 먼디디까지 갈 수 있는 길 방향을 묻기로 했다. 수마르고와 까르소노가 대표로 뽑혀 작은 배를 타고 어렵게 강을 건너기 시작했다. 그들을 보고 놀란 여자들은 마을로 도망을 쳤고 두 사람 역시 마을로 사라졌다.

우리는 두 시간 가까이 그들이 돌아오기를 기다렸다. 점점 그들의 신변이 걱정되기 시작했고 우리는 큰 소리로 두 사람의 이름을 불렀다. 그들이 강가에 다시 나타났을 때 우리는 크게 안심을 했다. 사실 그들은 마을 여자 중 이쁜 여자에게 마음이 빼앗겨 따라갔다는 것이었다. 우리는 조롱 삼아 마음껏 그들을 탓했다.

주민들의 말은 단순했다. 길을 따라 곧장 가면 아이르 먼디디가 나온다는 것이었다.

그 장소에 우리는 조사를 계속하기 위해 임시 텐트를 설치했다. 텐트가 세워진 후, 마을 주민들이 먹을 것을 달라고 수시로 찾아오기 시작했다. 그들과 만남을 통해 새로운 사실을 알게 되었다. 그들 대부분은 인도네시아어를 알고 있었고 우리가 먹는 음식 중, 그들이 금기시하는 것이 있음을 알게 되었다. 그들의 피부는 대부분 까스까도 병을 앓고 있었다. 여자들은 비싼 가격에 매매되고 있었는데 그 가격은 재산 200에서 500이 되었다. 여기서 재산 1은 딸을 파는 사람이 원하는 물건 하나를 의미했다. 그들은 장인, 사위라는 개념을 모르고 있었다. 그렇게 여자가 매매 되면, 그 이상 구매자와 판매자 간의 관계는 형성되지 않고 있었다.

조사는 계속 이어졌다. 드디어 아이르 먼디디로 향하는 선을 확정하게 되었다. Ⅲ 구역과 아이르 먼디디로 이어지는 선을 만나게 된 것이다. 그 길이는 8킬로미터였다. 그것은 우리가 하루 1킬로미터씩 조사했다는 것을 의미했다. 초원지대를 지나, 로딴의 날카로운 가시를 피해, 물 위에 넘어진 원목을 타고 넘으면서 맨발로 이루어낸 성과였다. 야자수 꼭대기에서 아이르 먼디디가 보일 때 마음속으로 성공했다는 소리를 질렀다.

부기스 족 마을 사람들은 그들 마을까지 길이 생긴다는 소식에 기뻐했다. 그들은 땅이나 숲에서 수확한 열매나 나무를 잘라 남레아에 가서 돈으로 바꿨다. 길이 생긴다는 것은 그들의 소득이 높아진다는 것을 의미했다.

3일 후, 길 건설이 시작되었다. 연장이라고는 아무것도 없었다. 도로 규모는 폭 1.5 미터, 길이 8킬로미터였고 완료 시기는 3일 반나절 만에 끝을 내야 하는 고문 같은 작업이었다.

"격리되었던 지역이 연결되었다."

우리 조사팀과 같이 텐트 생활을 한 다엥 마시가 대위가 도로 건설 완료 후, 치사에서 한 말이었다.

계류장에서 직접 물자 공급을 받는다는 희망은 현실이 되었다. 그러나 긴 거리를 물건을 짊어지고 옮긴다는 것이 생각보다는 쉬운 일이 아니었다. 다리도 아직 건설되지 않아 보급품을 등에 짊어지고 늪지를 맨발로 건너든지 아니면 줄을 매달아 건너야만 했다. 1인 당 한 번 짐을 질 때 무게는 보통 25킬로그람이었다. 어쨌거나 물자 공급은 과거와 비교하여 많이 개선되기 시작했다.

그렇게 도로 정비와 다리 건설을 우리는 1969년 12월에 시작하였다.

그런데 그때 사령관인 꾸스노 소령이 밭과 천수답 개간을 제외한 모든 작업을 중지하라는 명령이 하달되었다. 도로 건설은 뒷전으로 밀리게 되었다. 나는 그의 지시 배경을 충분히 이해했다. 왜냐면 Ⅲ 구역 집단 억류지 수용인원들이 최초로 부루 섬에 도착했는데 농사 부분에서 가장 뒤졌기 때문이었다. 물론 선착장이 아직 건설되지 못해 늦어진 것인데 그것은 이유가 될 수 없었다. 우리는 천수답 개간하는 일에 투입되었다.

내 손에는 자카르타로 돌아가기 전에 선착장 조사팀이 내게 선물한 미국에서 만든 칼이 쥐어졌다. 1945년에 만들어진 칼은 아름다웠고 날카로웠다. 그 칼은 내 작업을 손쉽게 해 주었다. 그렇지만 대나무와 로딴은 우리 일을 크게 방해하였다. 사실 나는 어렸을 때 대나무를 자른 경험이 많았다. 다른 동료는 활처럼 휘어진 대나무에 코뼈가 으스러지는 사고를 당하기도 했다. 시인인 리바이 아삔(Rivai Apin)도 나뭇가지에서 떨어져 한 달 동안 요양을 해야만 했었다.

숲속에서 겪은 경험 중 하나로 로딴 종류에 대해 새로운 공포심이 생겼다는 것을 들 수 있다. 무자비한 가시뿐만 아니라 로딴 나무 밑에는 언제나 흑색 뱀이 우글거리고 있었다. 뱀의 머리는 삼각형으로 독을 품고 있었다. 다른 뱀들도 발견되었는데 그중에는 황색 뱀도 있었다. 그 뱀은 머리가 컸으며 동작이 느렸다. 잡아서 머리를 잘라 버리고 껍질을 벗기고 날로 먹으면 맛이 있었다. 그때까지 우리는 거대한 뱀인 삐톤(Piton)*을 운 좋게 만나지 않았다.

천수답 개간을 하면서 우리는 쿠스쿠스를 자세히 알게 되었다. 그 동물의 크기는 고양이보다는 약간 작았고 색깔은 초콜릿색 또는 회색 아니면 흰색이었다. 곰처럼 발톱이 길었으며 붉은 눈은 튀어나왔으며 빛이 났다. 야행성 동물이라 행동이 느린 쿠스쿠스를 잡는 일은 정말 쉬웠다. 나무에 앉아 있는 녀석은 나무가 잘려 넘어질 때까지 그대로 자리를 지켰다. 동료들은 그 동물을 잡아 껍질을 벗기고 맛있게 먹었다. 고기는 우리들의 맛 있는 간식이 되어 갔다. 처음 우리가 쿠스쿠스를 조리할 때 그 방법을 몰라 특유의 악취가 코를 찔렀다. 그러나 극에 달한 배고픔은 어떤 것이라도 목구멍으로 넘기 게 만들었다. (후일 우리가 알게 된 사실은 고약한 냄새를 없애기 위해서는 쿠스쿠스를 조리할 때 우선 오줌통을 제거해야 한다는 것이었다. 이 유대 포유동물도 점차 희귀종이 되어 가고 있음을 나중에 알게 되었다.)

2, 3일 나무를 벌채한 다음 숲을 태우기 시작했다. 큰 나무 밑에 있는 작은 나무들은 서서히 잎이 시들어 갔다. 불은 순식간에 퍼져, 하늘 높이 치솟아 올랐다. 나무가 타는 소리가 크게 들렸다. 연기는 하늘을 검게 만들었다. 이때 나는 처음으로 수천 마리의 박쥐 떼들이 날아올라 다른 곳으로 이동하는 것을 보았다.

천수답이 완성되었다. 벼를 심었고 다행스럽게도 잘 자랐다.

그달에 나와 수쁘랍또 교수 그리고 슬라멧 물요노(Slamet Mulyono)

* 그물 무늬 비단뱀

는 인터뷰를 하기 위해 Ⅰ구역으로 소환되었다. 자카르타에서 검찰총장인 수기하르또(Sugiharto) 장군 일행이 방문한다고 했다.

천둥, 번개 없이 비가 내리기 시작했다. 비는 적당히 내렸지만 아이르 먼디디까지 이어지는 도로 상태가 완벽하지 않았기 때문에 물에 잠기기 시작했다. 길 여기저기가 큰 웅덩이로 변했다.

검찰총장 일행을 기다리면서 우리 세 명은 Ⅰ구역 막사 끝 지역에 있는 잡초 제거 작업을 했는데 그곳은 가시 철망이 처진 지역이었다. Ⅲ구역과 달리 이곳은 외진 곳마다 감시 초소가 세워져 있었다. 막사 밖에는 양배추를 심었는데 땅은 Ⅲ구역보다 더 척박하게 보였다.

선발대는 검찰총장 일행이 먹고 마실 것을 짊어진 사람들이었다. 그 뒤로 언론사 기자들이 뒤따랐다. 이때 내 이름을 부르는 소리가 철조망 너머에서 들렸다. 그 사람은 바로 부르 라수안또(Bur Rasuanto)였다. 나는 그와 오래전부터 알고 지낸 사이였다. 그는 작가였는데 언젠가 어떤 작품에 대해 서로 의견 충돌이 있었던 적이 있었다. 그 다음으로 보이는 내가 아는 얼굴은 알렉스 레오(Alex Leo)였는데 그는 자카르타 인도네시아 국영 라디오(RRI) 기자였다. 나머지 기자들은 나는 알지 못했다. 그 뒤로 외신 기자들이 따랐다. 그중에 네덜란드 기자인 야콥(Jacob Vredenburg)도 있었는데 그는 철조망을 통해 내 아내의 편지를 건네주었다. 그가 말하기를 편지는 이미 검찰청에서 검열을 끝냈다고 했다. 내가 아내 편지를 다 읽기도 전에 에너르시다르(Enersidar) 대위가 편지를 뺏었다. 한참 후 편지는 꾸스노 소령 지시에 따라 나에게 되돌려졌다. 편지에는 나에게 약, 비타민 그리고 돈을 보낸다는 아내의 말이 적혀 있었다.

외신 기자 중 내가 아는 사람은 일본 기자 한 명과 미국 여기자인 신디 아담스(Cindy Adams)였다. 그는 수까르노 전기를 쓴 기자였다.

그날 밤, 우리는 검찰총장 일행이 머무르고 있는 곳으로 소환되었다. 그는 정부 방침과 향후 부루 섬에 대한 계획을 밝혔다. 질의응답이 이어졌다.

정부 방침이 어떻게 정해지든 간에 우리, 반체제 정치범과는 상관이 없는 일이었다. 모든 일은 우리 의견을 듣지도 않은 채 진행되었다. 그 자리에서 나는 이곳 부루 섬에 넓게 분포 되어 있는 초원지대의 풀을 펄프로 만드는 원료로 사용하면 좋겠다는 의견을 내놓았다. 풀을 이용할 경우, 대나무나 다른 나무를 이용한 펄프 제조보다 저렴한 생산 원가에 만들 수 있을 것이라 제안했다. 그런데 정치범들에 대한 사업에서 공업은 애초부터 들어 있지 않았다는 것이다. 우선 최우선으로 해야 할 사업은 농업이었다.

다음 날, 기자들은 취재를 시작했다. 그중에 어떤 기자는 우리들의 숙소와 폐결핵을 앓고 있는 환자들이 있는 병동도 방문하였다. 폐결핵 환자들에게 약을 보내 주겠다고 신디 아담스는 약속했다. 또 일행 중에는 오래전에 알게 된 시인인 구나완 모하마드(Goenawan Mohamad)도 있었다. 그는 나에게 야신(H.B. Jassin)*의 안부 인사를 전했다. 다른 기자는 함까(Hamka)**의 안부 인사를 나에게 전해 주었다.

검찰총장 일행이 암본으로 돌아가기 전, 우리 세 명에게 이번 검찰총장 일행과 만난 결과를 정리하여 각 구역에 홍보하라는 지시를

* 인도네시아의 저명한 문학 평론가

** 인도네시아의 저명한 작가 겸 정치가 (1908-1981)

받았다. 일행이 돌아간 후 나는 Ⅰ구역장으로부터 부르 라수안또가 전하는 선물을 받았다. 그것은 다름이 아닌 그가 직접 쓴 소설 한 권과 주간지인 〈Indonesia Raya〉 15권, 두꺼운 공책 한 권이었다. 그 공책에는 '인도네시아 국민 작가로 다시 집필을 시작해 달라는 당부'가 적혀 있었다. 그런데 그의 소설을 읽을 기회가 없었다. Ⅰ구역장이 빌려 간 후, 반환하지 않았기 때문이었다.

부르 루수안또가 바라는 진정한 작가로 나는 다시 일 할 수 있을지 의문이 들었다. 4년 넘는 기간을 구금당한 채 자존심을 지키면서 글을 다시 쓸 수 있을지 의문이 들었다. 창작은 인간이 자유로운 상태에서만 가능한 것이 아닌가?

부르 라수안또는 그의 글에서 내 문제를 법원에 한 번 정식으로 제소해 보는 것이 좋겠다는 생각을 밝히고 있었다. 그 글은 나에게 음악처럼 들렸다. 법원이야말로 내 자유를 보장해 줄 수 있는 마지막 보루라는 생각이 들었다. 지난 4년 동안 나는 무슨 잘못으로 무슨 범법 행위로 구금되고 있는지를 모르고 있었다.

Ⅲ구역으로 우리 일행이 돌아가기 전에 Ⅰ구역 수용자들에게 검찰총장을 만난 결과를 설명했다. 그 후, 우리는 Ⅲ구역 관리직을 맡은 바끄리(Bakri) 중위와 함께 Ⅲ구역으로 아뿌 강을 따라 배를 타고 돌아왔다.

한편, 구역장의 지시에 따라 나는 우리 일행이 처음 발을 디딘 Ⅲ구역 이름을 와나야사로 정했다. 나는 그 이름을 네덜란드 세력을 몰아내기 위한 마따람(Mataram) 왕국*의 술딴 아궁(Sultan Agung) 군대

* 인도네시아 자바에 16세기 후반부터 18세기까지 존재했던 왕국

의 긴 행군과 관련된 지역 이름에서 차용하였다. 와나야사는 중부 자바 뿌르와까르따(Purwakarta) 남쪽에 있는 작은 지역 이름인데 그곳에서 술딴 아궁 군대는 보급로를 개척하기 시작했다.

검찰총장 일행의 방문은 많은 인상을 남기지 못했다. 그들 일행이 도착하기 이틀 전에 I 구역의 한 정치범이 내게 다가와 수감자 중 두 명이 도망을 쳤다는 소식을 속삭이면서 알려 주었다. 그는 도망친 사람들의 이름을 언급했는데 그중 한 명이 와르노(Warno)였는데 전에 이 부루 섬을 여러 차례 방문하여 이곳 지리를 잘 안다고 말한 얼굴이 잘생긴 동료였다. 그들은 전화선을 절단하고 도망을 쳤다고 했다.

그들이 밀림으로 막힌 산과 악어가 우글거리는 강어귀를 그리고 아뿌 강 계곡을 맨발로 지나갈 수 있었는지 걱정이 되었다.

연말이 다가와 꾸스노 소령이 와나야사에 와서 우리를 집합시켰다. 그는 검찰총장 방문과 관련된 대화를 우리와 함께했다. 그 모임에서 그는 나에게 상표가 파일럿(Pilot)인 볼펜 한 자루, 잉크 한 병 그리고 공책 한 권을 내게 선물했다. 나는 공책 첫 장에 다음과 같이 썼다.

'개인의 성장을 위해 그리고 인도네시아 성장을 위해'

사람들 앞에서 선물을 주고받은 것을 나는 이해하게 되었다. 즉, 이제 글쓰기를 할 수 있는 자유가 주어진 것이다.

검찰총장 방문은 내게 있어 종이, 펜, 잉크 그리고 글을 쓸 수 있는 자유를 가져 왔다. 자유를 박탈당한 사람에게는 인간으로서 존재할 가치가 사라진 것과 같다고 생각되었다. 희망은 단지 자유로운 인간들의 사치일 뿐이라고 여겨졌다.

글쓰기는 1950년대 이후 나의 중요한 사회 활동이었다. 또 가족을 부양할 수 있는 생계 수단이기도 했다. 그것은 내가 할 수 있는 유일한 일이었다. 1969년부터 4년 동안 공식적인 서류에 서명하는 것 이외에 나는 글 한 줄을 쓸 수 없었다. 4년 동안 글을 쓰는 사람에게 가장 중요한 요소인 생각하는 능력조차도 황폐화가 되었다. 단지 머릿속으로만 희미하게 생각할 뿐이었다. 글을 쓰고 싶다는 욕망은 결국 몸을 망가뜨리기 시작했다. 그런데 이상하게도 종이, 펜, 잉크 그리고 글쓰기 자유가 생겼음에도 나는 글을 쓸 수가 없었다. 생각을 집중하는 것 자체가 불가능했다. 이때 알게 된 것은 스스로에 대한 믿음이 사라졌다는 사실이었다. 앞날이 불안정한 4년 동안의 구금 생활은 내 정신세계를 철저하게 파괴해 버린 결과였다.

공급되는 음식의 질이 날이 갈수록 엉망이 되었다. 몸을 추스르는데 점점 힘이 들었다. 정신을 한 곳에 집중할 수가 없었다. 아이들 이름 중 한 명의 이름을 기억해 내기 위해 어떤 때는 일주일이 걸린 적이 있었다. 지금까지 글을 쓰는 고지식한 작가로 생활했기 때문에 공급되는 식량 이외의 다른 길로 식량을 확보할 수 있는 주변머리가 없었다. 비는 계속 내렸고 천수답을 개간하는 업무는 쉬지 않고 진행되었다. 건강상태가 점점 악화되어 갔다.

허물어진 소화 기관은 식사를 끝내자마자 화장실로 달려가게 만들었다. 화장실에 쪼그려 앉았다가 스스로 일어나지 못해 벽을 손으로 잡고 일어서야만 했다. 몸무게가 이미 10킬로그람 정도 빠진 것처럼 느껴졌다. 몸은 일본 식민 통치시대 때보다 더 여위어 갔다. 그때부터 내 동료들처럼 나도 땅 위에 있는 숨 붙어 있는 모든 동물을 잡아먹기 시작했다. 언젠가 내 동료 중 한 명이 살아 있는 치착 한 마리를 잡아 머리와 다리를 자른 다음 생으로 삼키는 것을 본 적이 있었다. 당시에는 도저히 그렇게 할 수 없었다. 그런데 문제는 이곳 부루 섬에서는 잡아먹고 싶어도 치착이 눈에 보이질 않았다.

그때까지 나는 한 인간으로 또한 인도네시아인으로 자긍심을 갖고 있었다. 어디서나 인간의 자존을 지키려고 했고 인도네시아인으로서 자긍심을 느끼려고 노력했다. 내 주위에 일부 사람들은 그러한 내 행동에 존경을 표하기도 했다. 그런데 이곳 부루 섬의 참혹한 현실은 내 이상과 자긍심을 여지없이 철저하게 무너뜨리고 있었다.

나의 질문에 대답은 없었다.

이러한 혼란 속에 나는 하루 15분씩 글을 쓰기 시작했다. 단지 내 피폐 된 마음과 영혼을 위로하기 위해 글을 쓰기 시작한 것이다. 나는 부르 라수안또가 주고 간 공책에다 글을 쓰기 시작했다. 그리고 구역장으로부터 받은 종이와 주간지인 〈Indonesia Raya〉는 담배를 말아 피는 데 아낌없이 모두 사용했다.

치료를 목적으로 하는 글쓰기는 만족스럽지는 못했지만 치료 효과는 조금 있어 보였다. 아주 천천히 생각하는 능력이 회복되기 시작했다. 존경받는 한 인간으로 자존심 있는 인도네시아인으로 나를 바라볼 수 있게 되었다.

잠들기 전에 내가 읽었던 세계에 관한 책 내용을 기억해 냈다. 내 머릿속에 자주 등장한 것은 스페인과 이스라엘에 관해 쓴 아서 쿠스틀러(Arthur Koestler)의 책과 셍케비치(Sienkiewicz)의 단편들이었다. 그리고 다시는 머릿속에 떠오르지 않기를 바란 자카르타 치삐낭(Cipinang) 형무소에서 1961년에 만난 1950년부터 11년 동안 감옥에 갇혀 있는 마르고, 허리 굽은 한 사내가 있었다.

"선생, 내가 처음 이곳에 들어왔을 때, 내 나이는 스무 살이었지. 그런데 지금은 이렇게 망가졌네."

그렇게 말하는 그의 말을 들은 것은 지난밤 그가 자살을 시도하다 실패한 다음 날 아침이었다. 그 남자가 연루된 폭행, 강도 치사 사건의 주범들은 이미 5년 전에 석방이 되었다고 한다. 그런데 그 사내 이름은 검찰 측에 없고 단지 치삐낭 형무소에만 기록이 되어있어 아직 구금되어 있다는 것이었다.

"제가 먼저 석방이 되면, 나가서 선생님 석방을 위해 노력하지요."

그렇게 그에게 약속했다.

그 후 나는 석방되었지만 가택 연금으로 행동 제한을 받았다. 그 사내 역시 수쁘랍또(Suprapto) 검찰총장이 치삐낭 형무소를 시찰할 때 청원을 통해 석방되었다는 소식을 후일 듣게 되었다. 그는 기소되지 않은 채 11년을 감옥에 있던 것이었다.

스스로 만족하지 못한 글들을 나는 찢어 버렸다.

다엥 마시가 대위가 휴가를 마치고 돌아왔다. 그는 내게 수감자들을 대표할 수 있는 사람들을 선발하라는 지시를 내렸다. 그는 그 조직을 통해 앞으로 우리가 Ⅲ 구역 집단 억류지 건설을 위해 해야 할 일들이 협의되기를 희망했다.

나는 조직을 꾸며본 경험이 없었다. 회의를 주재하는 방법도 몰랐다. 지금까지 참여한 조직은 단지 그들이 요구하여 참여한 것이지 스스로 조직한 것은 하나도 없었다. 물론 국제회의 등에 참석한 경험은 있지만, 조직을 꾸미는 데는 초보자였다.

에디 뚜스와라 소위가 Ⅲ 구역 참모로 오게 되었다. 그가 오자마자 벼농사 이외의 모든 행위는 금지되었다. 오직 쌀 생산이 주요 목표가 되었다.

윙 위르자완(Wing Wirjawan) 준장이 Ⅲ 구역을 방문했어도 쌀농사를 최우선으로 하는 정책에는 변화가 없었다.

논농사가 시작되었다. 논농사를 위한 둑 건설은 성공하지 못했다. 번둥안(Bendungan) Ⅰ로 명명된 첫 천수답을 여는 행사가 열렸다.

드디어 나도 쥐를 잡아먹기 시작했다. 쥐는 이곳에 많이 있었다. 어디서 오는지 모르는 우유가 부정기적으로 공급되었는데 그 공급이 어느 날 갑자기 중단되었다. 좋든 싫든 쥐를 먹어야 했다.

1949년 나는 그의 자식들을 살리기 위해 고양이를 잡아 그 고기를 나누어 준 사람에 대한 글을 읽은 적이 있다. 그런데 그런 행위를 이제 내가 하게 된 것이다. 뱀은 그대로 튀기면 더 맛이 있었다. 뱀 몸통에서 나오는 기름이 훌륭한 튀김 기름이 되었다. 동료들은 지렁이도 잡아먹기 시작했다. 그런데 나는 지렁이 먹는 것만은 아직 익숙하지 못했다. 그다음으로 이어진 동물이 개였다. 어디서 왔는지 모르는 개를 우리는 능숙하게 잡아먹었다. 지난 6개월 동안 우리는 야채를 먹지 못했다. 비타민 C 부족이었다. 시력이 점점 나빠져 갔다. 아내가 보내 준 약들은 내게 전해진 적이 한 번도 없었다.

집단 억류지 분위기는 점점 험악해져 갔다. 구타, 고문 그리고 욕설이 난무하기 시작했다. 언젠가 논바닥에 벼를 심기 위해 발자국 남긴 것을 본 군인들이 장난을 친 것으로 알고 무수한 구타를 우리에게 가했다. 천수답 바닥을 고르고 나뭇가지를 모으는 작업을 할 때 곡괭이질을 하지 않는다고 나는 뺨을 얻어맞았고 목까지 졸린 적이 한, 두 번이 아니었다. 나를 때린 그 젊은 군인은 우리 세 대가 어떻게 인도네시아를 하나의 국가로 세웠는지 그 역사를 모르는 것 같았다. 내 임무 중에 곡괭이질 하는 것 이외에도 취사용 땔감을 모아 운반하는 것도 있었다. 만약 우리를 감시하는 병사가 추가로 일을 시킬 경우, 가끔은 그들로부터 먹을거리를 얻곤 했다. 하루 일과를 끝내고 취사반에 땔감을 넘긴 다음 나는 Ⅲ 구역 주임 상사인 까로까로(Karokaro) 앞으로 꼭 가야만 했다. 그 옆에는 에디 뚜스와라 소위가 앉아 있었는데 내 몸 검사가 시작되는 것이었다.

첫 번째 뺨을 때리는 소리는 나를 겁나게 하는 것이 아니라 에디 뚜스와라 소위에게 잘 들리라고 강하게 후려쳤다.

"당신은 이미 늙어서 내 부모처럼 생각하는데, 그래서 말인데 젊은 사람은 늙은이들에게 국민의 의무가 있음을 상기시킬 필요가 있지. 인도네시아 국시인 판차실라(Pancasila)*를 위해서 ---."

다음으로 이어지는 절차는 목을 조르면서 발로 정강이를 걷어차는 것이었다. 내 몸통은 그들 주먹질의 좋은 표적이 되어 가고 있었다.

막사로 돌아올 때마다 동료들은 내 얼굴에 피멍 자국을 말없이 쳐다볼 뿐 누구 하나 그 원인을 묻지 않았다.

* 인도네시아 초대 대통령인 수까르노가 천명한 인도네시아 국시 5 원칙. (1) 유일신에 대한 믿음 (2) 정의롭고 문명화된 인본주의 (3) 인도네시아의 통일 (4) 현명한 대의제적 협의체를 전제로 한 민주주의 (5) 모든 인도네시아 국민을 위한 사회주의

쌀농사가 잘되어서 우리는 쌀밥을 먹게 되었고 가끔은 싱꽁을 먹을 수 있었다. 먹는 것이 조금씩 개선되었지만 대신 작업 시간은 점점 늘어 갔다.

우리 지역에서 80톤의 쌀이 수확되었고 I 구역을 지원해 줄 수 있었다.

우리는 이 사바나 지역에서 살아남기 위해 발버둥을 치고 있었다. 우리를 억압하고 구금하고 있는 권력 주체에 대해 더 이상의 적대감은 허용되지 않았다. 권력은 우리를 정치범이 아닌 이주민으로 간주하는 것으로 보였다. 당시 우리들의 식비는 하루 약 26센(sen)*이었다. 어느 날 내 청력이 사라졌다. 그 상황이 나를 극도로 혼란스럽게 만들었다. 이제 다시는 내 자식들의 목소리를 들을 수 없게 된 것이었다. 일주일 후, 천만다행으로 청력이 조금씩 회복되는 것을 느꼈다. 그 후 나는 청력을 많이 상실하게 되었다. 이제 상대방이 큰 소리로 말을 해야만 겨우 알아들을 수 있게 되었다.

몇 주 동안 나는 와이 라모아(Wai Lamoa) 지역에서 체류한 적이 있었다. 당시 우리는 2킬로미터에 달하는 관개 수로를 건설하려고 했지만 관개 수로는 완성되지 못했다.

그곳에서 땅을 고르는 작업을 하다가 우리는 군인들로부터 팔굽혀펴기 50회를 하라는 체벌을 받았다. 나한테는 문제가 되지 않는 기합이었다. 처음 부루 섬에 도착한 이래로 지금까지 매일 아침 잠자리에서 일어나면 팔굽혀펴기를 40회 정도를 했기 때문이었다. 동료 대

* 인도네시아 최소 화폐 단위. 1 루피아는 10센

부분은 엉덩이만 들썩이고 있었다. 15회 정도 지났을 때 동료들은 물기가 질펀한 땅에 하나, 둘 쓰러지기 시작했다. 나는 참지 못하고 웃음을 터뜨렸고 동시에 군홧발이 내 등을 짓눌렀다. 얼굴은 무참하게 진흙탕에 처박혔다. 25회 구령이 있을 때까지 팔굽혀펴기는 잔인하게 이어졌다.

우리들의 잘못은 무엇인가? 잘못은 없었다. 군인들이 트집을 잡은 것은 그들이 목욕하는 강가에 누런색 대변이 흘러 왔다는 것이었다. 그것은 고구마를 먹은 흔적이 뚜렷한 대변이었는데 우리 동료 중에 고구마를 먹은 사람이 아무도 없었다는 것이다. 왜냐면 우리는 부루섬에 들어와서 고구마를 먹은 적이 한 번도 없었기 때문이었다.

어느 날 에디 뚜스와라 소위가 우리 막사를 찾아 왔다. 그는 자바로 돌아간다고 했다. 그는 다엥 마시가 대위의 편지를 가져 왔는데 그 역시 자바로 귀임한다는 내용이었다. 다엥 마시가 대위는 나에게 사용하던 수건과 내복을 주었다. 그것은 나를 업신여겨 보내온 물건이 아니었다. 사실 우리는 논이나 산에서 일을 할 때 옷과 내복을 아끼기 위해 모두 벌거벗은 채 일을 했다. 이곳으로 이송될 때 우리는 옷을 두 벌 이상 가져올 수 없었다. 그런데 논이나 산에서 3개월 정도 일을 하게 되면 옷은 다 낡아졌다. (나중에 안 사실이지만 우리에게 지급된 내복, 우유, 치약 등은 소련에서 만든 것으로 외국에서 원조를 받은 것이었다)

에디 뚜스와라 소위가 떠나기 전 내게 전한 말은

"미안하게 되었습니다. 내 임무를 완수했을 뿐입니다."

다엥 마시가 대위 후임으로 사밍운(Samingun) 대위가 왔다. 그는 사냥하기를 좋아했다. 어떤 날에는 그는 사슴 두 마리를 잡은 적도 있었다. 그의 임기 중에 인도네시아 문인협회 대표단이 부루 섬을 찾아 왔다. 그들 방문 목적은 나와, 수쁘랍또 교수, 샤리푸딘(Syarifuddin)의 입원 치료를 요청하기 위해서였다. 우리는 새로 지은 건물로 이전하였다. 우리는 거기서 전시장 안의 전시물이 되는 신세가 되었다.

밭에서 일하면 모자가 쉽게 망가졌다. 꾸스노 소령이 선물로 준 볼펜을 대나무로 엮은 모자와 맞바꾸었다. 나는 더 글을 쓸 수 없었다. 내 작업장이 논에서 철공소로 바뀌었다. 풀무질을 담당하게 되었다. 그곳에서의 작업 환경은 농사짓는 것보다는 옷을 더 오래 입을 수 있게 했다. 어느 날, 생각하지도 않은 일이 벌어졌다. 남레아에 있는 독일인 신부인 로모 루빈크(Romo Roovink)가 Ⅲ 구역을 방문한 것이다. 그는 아내가 준비한 옷을 가지고 왔다. 잠시이겠지만 옷에 대한 걱정을 덜게 되었다.

1971년 7월, Ⅲ 구역장인 사밍운 대위는 나와 우리 구역에서 제일 연장자인 음바 수디요노(Mbah Soedijono), 수쁘랍또 교수, 슬라멧 물요노, 무흐지(Muhji), 시뚜메앙(Situmeang), 에디 마르딸레가와(Eddy Martalegawa), 하스짐 라흐만(Hasjim Rachman), 이르반 압두라흐만(Irvan Abdurachman), 안와르 까디르(Anwar Kadir), 수쁘리야디(Suprijad), 마디아나 민하르트(Madiana Minhart), 하나피 사르까위(Hanafi Sarkawi), 까렐 수삣(Karel Supit)에게 각자의 숙소에서 나와 마라나타(Maranatha) 교회로 집합하라는 지시를 내렸다. 이중 내가 전부터 알고 지낸 사람은 이르반 압두라흐만, 에디 마르딸레가와, 그리고 하스짐 라흐만 정도였다. 다른 사람들은 안면이 없었던 사람들이었다. 우리는 이 그룹을 〈모범 집단〉이라고 불렀다. 다른 동료들로부터 격리가 되는 이 조치가 2년이나 계속되었다.

내게 있어 격리 수용은 낯선 것이 아니었다. 과거 구금되었을 때 두 번에 걸쳐 격리 수용된 경험이 있었는데 그 기간은 각각 1개월이 넘었었다. 그런데 무슨 이유로 우리가 격리 수용되었는지는 아직도 모르고 있다. 물론 지금 이렇게 부루 섬에 수용된 이유도 모르고 있지만. 1950년대 중반 나는 목타르 루비스(Mochtar Lubis)*를 죄명도 없이 구금한 정부 결정에 강하게 반대한 적이 있다. 그 후폭풍으로 나 역시 여러 번 투옥, 구금되는 신세가 되었다. 어떻든 나는 이렇게 격리 수용되는 계기를 인간의 내면을 탐구하고 들여다보는 기회로 삼았다.

카나다 오슬로에 살고 있는 캐서린 랜더스(Cathrine Randers)로부터 편지를 받았다. 한 번도 만난 적이 없는 사람으로부터 여기 사바나 지역에 있는 사람에게 편지를 보내온 것이다. 편지 내용을 요약하면 다음과 같다.

'오늘 라디오 방송을 통해 당신이 구금, 억류되기 위해 부루 섬으로 출발했다는 뉴스를 들었다. 참 슬프다. 내 딸이 국제 앰네스티(AMNESTY)에 근무를 하고 있다. 당신을 도울 수 있으면 좋겠다.'

또 다른 편지는 네덜란드에서 온 편지였다. 멀라유(Melayu)어로 띄엄띄엄 쓴 편지였는데 내용은 당신을 단편 소설을 통해 알게 되었다. 구금되어 있는 곳에 종이도 없을 텐데 종이를 당신에게 보내고 싶다 라는 내용이었다. 물론 나는 그들 편지에 답장을 보낼 수 없었다. 편지 봉투에 있는 그들 주소가 까맣게 지워져 있었기 때문이었

* 인도네시아 유명한 소설가

다. 나는 그들 편지를 통해 서구인들의 높은 의식과 양심의 수준을 가늠할 수 있었다.

내가 〈모범 집단〉에 속하게 되었다는 것은 더는 철공소에서 일하지 않고 옥수수밭에서 일하게 되었다는 것을 의미했다. 나는 글쓰기를 하지 못하고 있었다. 반면에 매일 5분씩 독일어 공부를 하려고 노력했다. 누가 알겠는가, 내가 나중에 독일어를 유창하게 할 수 있을지. 사실 그 당시 나는 너무 힘들어 내가 인도네시아인이 아니었으면 하는 꿈을 얼마나 꾸었는지 모른다. 나는 크로닌(J.A. Cronin)의 『The Keys to God』에 언급 되어 있는 말을 기억했다. 그는 우리에게 과식으로 인해 몸이 비대해지지 말라고 충고하고 있었다. 왜냐면 천국의 문은 너무 좁아 정신적으로 삐뚤어진 과체중인 사람은 천국 들어가기가 어렵다고 했다. 그에 따르면 모든 종교와 모든 믿음의 뿌리는 하나라고 했다.

구역장이 랑꾸띠(A.S. Rangkuti)로 교체되었다. 그는 과거에 영화 출연한 적이 있었다고 알려졌다. 사밍운 대위는 수조소(Sudjoso) 중위로 교체되었다. 수조소는 곧 대위로 진급을 했다. 그는 키가 작았고 피부색은 검었다. 언제나 입술을 꽉 다물고 있었는데 아마 빠진 이빨을 보이기 싫어서 그런 것 같았다. 그는 아침 점호 시간에 자기를 소개했다.

"만약 수조소 대위를 모르는 사람이 있으면, 내가 그 사람인 수조소다."

1972년 1월 2일 나와 수쁘랍또 교수, 껠릭(Kelig), 그리고 살리(Sali)는 남레아로 도로 보수를 하러 나갔다. 그날 나와 수쁘랍또 교수는 랑꾸띠 중령으로부터 새해가 되었다고 가게에서 사 온 과자와 차를 대접받았다. 그것이 내가 7년 만에 처음으로 남에게 받아 본 대접이었다.

"새해도 되었기에 초대하는 것이네. 쁘라무디야 선생은 기독교이신가?"

"아닙니다."

내가 대답했다

그 대접도 즉흥적으로 이루어진 것이었다.

그날 우리는 다시 남레아를 떠나 까옐리 만을 건너 아뿌 강을 거슬러 올라 아이르 먼디디에 도착. 다시 걸어서 Ⅲ 구역에 늦은 밤에 돌아왔다.

우리가 수용되어 있는 마라나타 교회 건물이 워낙 낡아 교회 건물 옆에 새로운 숙소를 만들라는 지시를 받았다. 새 건물은 나무판자로 건설되었다. 우리는 닭과 오리를 키우기 시작했고, 논과 밭을 새로 개간하였다.

내 기억에 이 시기가 가장 많은 구타와 고문을 당한 시기라고 할 수 있다. 구타와 고문은 이유 없이 언제, 어디서나 자행되었다.

수조소 대위가 구역장으로 있는 동안에 우리 동료 다섯 명이 세상을 등졌다. 그중에는 일간지 'Harian Rakyat' 기자였던 삼띠아르(Samtiar)가 있었는데 그는 구타에 의한 사망이었다. 또 한 명은 까윤(Kayun)이라는 젊은이였는데 구타와 고문을 견디지 못하고 옥수수 저장 창고에서 1972년 3월 11일 음독자살을 했다.

집단 억류지의 분위기는 점점 험악해져 갔다. 1972년에는 농사 수확이 잘 되어 식량 보급량이 1일 150그람이 되었다. 그러나 어느 날 우리가 생산한 84톤의 쌀이 어디로 가는지도 모르게 항구로 옮겨졌다. 근로 시간도 고무줄처럼 늘어났다. 작업을 마치고 돌아오면 기다리는 것은 발길질과 몽둥이로 무차별 가하는 구타였다.

1973년 7월 〈모범집단〉은 해체되었다. 나는 격리 감금에서 만 2년 만에 풀려 난 것이었다. 다시 일상으로 돌아왔다. 쓰레기를 처리하고 쓰레기 실은 마차가 오기를 기다리면서 짧은 시간이지만 글쓰기를 다시 시작했다. 지금까지 몇 번이나 이곳에서 내 원고를 불태웠는지 모른다.

1973년 10월 나는 Ⅳ 구역으로 가라는 명령을 받았다. 그곳에서 이전될 때까지 대기하라는 지시를 받았다. 한 달 후 각 구역에서 온 13명의 동료들이 Ⅲ 구역으로 들어왔다. 1973년 11월 14일 나는 Ⅰ 구역으로 이전되었다.

1976년 3월 5일, 1주일 기간인 내 통행 허가증명서가 나왔다.

나는 아이르 먼디디를 향해 와나야사를 떠났다. 오른쪽 방향에는 수조소 대위 명령에 따라 세워진 두 동의 교회가 다 무너진 채 있었다. 건물 일부는 닭장으로 사용하고 있고 목재는 이미 땔감으로 사용된 지 오래였다. 그의 명령에 세워진 이슬람 사원과 탑은 아직 제 자리에 서 있었지만 이미 낡을 때로 낡아 사용할 수가 없어 보였다.

오직 푸르게 보이는 것은 반체제 정치범들이 심어 놓은 농작물만이었다. 그들은 이제 11년째 자유를 박탈당한 채 구금 생활을 이어가고 있는 중이었다.

1976년 3월

와나야사에서

| 우측부터 쁘라무디야 아난따 뚜르의 아들인 주디스띠라 아난따 뚜르(Judhistira Ananta Toer)와 딸인 아스뚜띠 아난따 뚜르(Astuti Ananta Toer), 한인니문화연구원 사공 경 원장, 최미리 부원장, 쁘라무디야의 손자인 앙가 옥따 라흐만(Angga Okta Rachman) (한-인니문화연구원에서 출판권 약정을 체결한 후) |

* * *

아스뚜띠 아난따 뚜르(Astuti Ananta Toer) **약력**

쁘라무디야 아난따 뚜르의 딸(1956년생). 8세부터 아버지의 집필 원고를 타자 침. 제약 회사 근무후 현재는 쁘라무디야 아난따 뚜르의 모든 작품에 대한 출판, 홍보, 보존에 힘 쓰고 있음.

인도네시아 위안부 略史

글 • 역자 **김영수**

동남아시아에 있는 인도네시아는 면적이 약 507만 km^2 (해양부 면적 316만 km^2 포함)이며 이 중, 육지부 면적은 한반도의 약 9배에 달한다. 적도가 국토 중앙을 횡단하여 남-북으로 양분하고 있다. 인구는 약 2억 6천 6백만 명(2018년도 추계)으로 세계 4위의 인구 대국이며 유인도 600여 개를 포함하여 17,504개의 섬으로 이루어진 세계

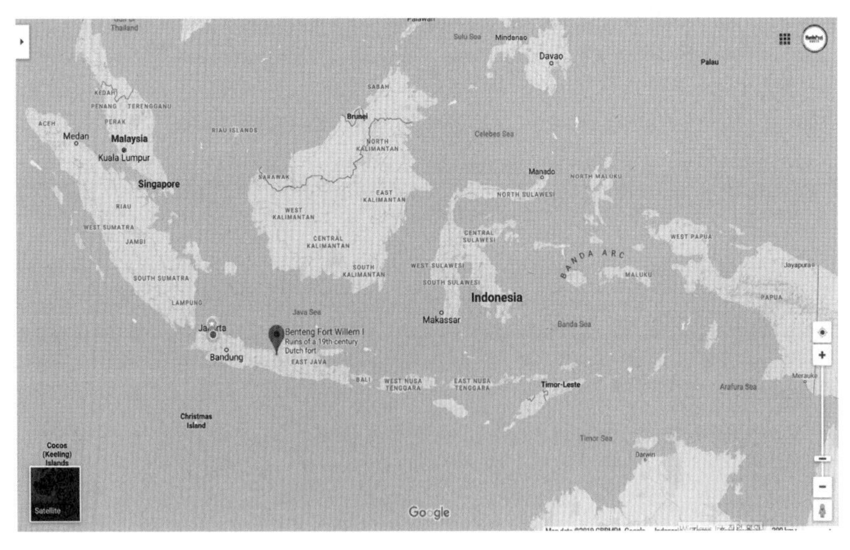

| 인도네시아 전도 |

최대 군도 국가이다. 국민은 약 75개 종족으로 구성되어 있으며 이 중 자바(Java) 족, 바딱(Batak) 족, 순다(Sunda)족 등 14개 종족은 각각 그 수가 일 백 만 명이 넘는다. 국민의 약 85% 이상이 이슬람교를 신봉하고 있으며 따라서 세계 최대 이슬람교도를 보유하고 있는 나라이다.

신화의 시대를 거쳐 인도네시아가 역사 시대로 진입한 것은 기원후 4세기로 보고 있다. 인도네시아군도 지역의 문자 기록은 당시 토착 세력들이 기원후 2-4세기경 인도에서 온 상인들과의 교류를 통해 인도화 되고 인도의 종교, 문화를 받아들이고 인도의 문자를 차용하여 남긴 비문에서 시작된다. 이러한 문자를 남긴 인도네시아 군도의 최초 국가로는 서부 자바 지역의 따루마나가라(Tarumanagara)(359-669), 동부 깔리만딴 지역의 꾸따이 마르따디뿌라(Kutai Martadipura)(4-5세기경)을 들 수 있다. 그 지역의 비문은 남인도 팔라와(Pallawa) 문자로 된 산스크리트어로 되어 있다.

인도 상인들에 의해 전파된 불교, 힌두교는 왕조 국가의 토대를 만들어 5-6세기 경 힌두 왕국인 멀라유 왕국이 인도네시아 수마뜨라 지역에 세워졌다. 7세기 후반 불교 왕국인 스리위자야(Sriwijaya) 왕국이 멀라유 왕국을 무너뜨리고 동남아시아의 강력한 해양세력으로 14세기까지 존속하였다. 1350-1390년까지 힌두 왕국인 마자빠힛(Majapahit) 왕국은 전성기를 맞이하였으며 그 영토는 말레이반도와 필리핀 남부 해역까지 도달하였다.

16세기 후반 힌두교 최대 왕국인 마자빠힛이 멸망하고 새로운 이슬람 왕국인 마따람(Mataram)과 반땀(Bantam) 왕국이 자바를 통치하게 되었다. 이 시대에 이슬람 문화가 도입되어 자바 지역은 해안 도시와 상업 도시, 힌두와 이슬람이 혼합된 농촌 사회 그리고 봉건 귀족 사회로 구분되었으나, 그 후 인도네시아군도 전체는 이슬람화 되게 된다.

향료를 독점하기 위하여 1590년 인도네시아에 진출한 네덜란드는 포르투갈을 말레이반도와 말루꾸(Maluku) 제도에서 몰아내고 인도네시아를 식민지로 만들게 된다. 네덜란드는 1602년-1798년에는 동인도(East India Company)회사를 통해서 1798년 이후, 영국에 주도권을 뺏긴 1811년-1816년 사이의 기간을 제외하고는 일본에 항복하기 전인 1942년까지 네덜란드는 직접적인 식민통치를 통하여 약 350여 년 동안 인도네시아를 장악하였다.

2차 세계대전(태평양전쟁) 중인 1942년-1945년까지는 인도네시아는 일본 점령 하에 놓이게 된다. 이 기간 동안 전쟁을 치른 군인뿐만 아니라 민간인들의 많은 수가 사망하거나 부상을 입었다.

중-일 전쟁(1894-1895)과 러-일 전쟁(1904-1905)에서 승리는 일본, 일본인들의 위상을 세계무대에 알리는 계기가 되었다. 특히 1941년 12월 7일 하와이, 진주만 기습 공격으로 발발한 '태평양 전쟁'은 역설적으로 일본의 위상을 높이는 계기가 되었다.

세력을 확장하던 일본은 1942년 전격적으로 동남아 지역을 침공하게 되며 이에 대해 350여 년간 인도네시아를 식민통치하던 네덜란드는 연합국의 일원으로 일본에 대해 선전포고를 하게 된다. 1942년 1월 10일 일본군은 칼리만탄 지역을 시작으로 인도네시아를 침공하기 시작한다. 개전 초기에는 인도네시아인들은 일본군을 네덜란드 식민통치로부터 그들을 구원해 주는 해방자로 환영을 했다. 일본군에 의해 지금까지 식민통치자인 네덜란드인들의 체면과 위신 추락은 인도네시아인들에게 신선한 충격으로 받아 드려지게 된다. 1942년 3월 9일, 인도네시아에 주둔한 네덜란드 군 사령관인 푸르텐(Hein ter Poorten) 중장은 인도네시아 서부 자바, 깔리자띠(Kalijati)에서 일본에 대해 항복 문서에 서명하게 된다. 인도네시아에 대한 3년 5개월여(1942년-1945년)의 일본 식민통치가 시작된 것이다.

식민통치 기간 동안 일본은 인도네시아를 분할하여 육군과 해군이 각각 관장하게 하였다. 자바(Java)와 마두라(Madura) 지역은 육군 16사단 관할 아래에 두고 그 중심을 자카르타에 두었다. 수마트라(Sumatera)는 육군 25사단이 관할하게 했다. 나머지 인도네시아 동부 지역은 해군이 장악하게 했고 그 중심을 술라웨시(Sulawesi), 우중빤당(Ujungpandang)에 두었다.

한편 '태평양 전쟁' 기간 동안 어린 여학생을 포함한 그 수를 정확히 파악할 수 없는 많은 젊은 여성들이 종군 위안부라는 족쇄에 채워져 일본 군인을 위한 성 노예로 질곡의 삶을 살게 된다. 이들 중 소수의 사람들이 아직 살아남아 군국 일본의 만행을 증언하고 있으나

| 인도네시아 위안부들 |

고령으로 인해 하나, 둘 세상을 등지고 있는 실정이다. 종군 위안부로 끌려간 여성들의 국가별 출신을 보면 한국을 비롯하여 중국, 말라야(말레이시아, 싱가포르), 태국, 필리핀, 인도네시아, 미얀마, 베트남, 인도, 유라시아, 네덜란드, 태평양 도서 지역 그리고 일본 등을 꼽을 수 있다.

| 인도네시아 위안부들 |

군국 일본은 1932년 중국 상해에 최초로 군 위안소를 개설했고 1938년 3월 4일자로 일본 전쟁성은 종군 위안부에 관한 최초의 지침을 문건으로 만들어 발표하게 된다. 1942년 9월 3일자 일본 전쟁성 보고서에 따르면 일본군의 주둔한 지역에서 약 400개의 위안소가 운영되고 있는 것으로 나타나고 있다. 지역별로 보면 중국 북부에 100

| 위안소에서 차례를 기다리는 병사들(정의기억연대 제공) |

여 개, 중국 중부지역에 140여 개, 중국 남부 40여 개, 동남아 지역 100여 개, 서남 태평양 지역에 10여 개, 남부 사할린 지역에 10여 개 등이다.

종군 위안부로 강제 차출하기 위해 일본은 거짓 취업 약속, 거짓 학업 약속, 아니면 강제납치를 자행했다. '태평양 전쟁' 기간 동안 일본군의 성 노예로 착취당한 종군 위안부에 대한 통계는 지금까지 객관적으로 정확히 파악되지 않고 있다. 종군 위안부로 강제 차출된 여성의 수를 최소 2만 명에서 최대 41만 명으로 보는 다양한 견해가 있을 뿐이다.

1942년 3월, 일본군 남태평양지역 사령부는 인도네시아에 위안소를 개설을 결정하고 대만 주둔 일본군 사령부를 통해 대만 출신 여성 70명을 칼리만탄 주둔 일본군을 위해 보내게 된다. 이 위안소가 인도네시아 지역의 최초 위안소가 된다. 일본이 인도네시아에 진입한 초기에는 그들에게 포로로 잡힌 네덜란드 여성들이 일본군의 무자비한 성적 욕구를 해결하는 대상이 되었다. 1943년부터 '태평양 전쟁'은 지금까지 일본군의 공세에서 수세로 바뀌게 되는 양상을 보이게 된다. 이는 일본군의 점령 지역 안의 교통로인 바닷길과 하늘길이 막히는 결과를 가져 왔다.

위안부 공급도 점차 어려워지기 시작했다. 중국, 한국 등으로부터 공급받아 왔던 위안부들의 이동 경로도 점차 막히게 된 것이다. 결국 인도네시아 현지에서 위안부를 차출하게 되는데 인도네시아 거주 중국인들이 앞장서서 현지 여자들을 모집하는 역할을 담당하게 된다. 1942년 5월 30일 자 일본 해군이 작성한 문건에 따르면 술라웨시 지역에 45명, 동부 칼리만탄에 40명, 북부 칼리만탄에 30명 그리고 동부 자바, 수라바야(Surabaya)에 30명의 위안부가 있다고 명기 되어 있다.

1942년 3월부터 1945년 8월까지 인도네시아에 대한 일본의 식민 통치 기간 동안 전쟁 물자의 강압적인 수탈과 인력의 강제적인 동원으로 인해 경제는 극심하게 피폐해져 갔다. 설상가상으로 위안부 차출은 인도네시아인 들을 공포와 자포자기로 몰아넣게 된다.

인도네시아 현지 여성을 상대로 위안부를 차출, 모집할 때 일본은 식당 종업원이나 세탁부로 취업하는 것이라고 거짓 선전을 했다. 심지어는 10대의 어린 소녀들에게 싱가포르나 일본에서의 학업 계속이라는 거짓 약속으로 위안부를 모집했다. 학업 계속이라는 거짓 약속은 주로 자바 지역에서 입소문을 통해 퍼져 나갔다. 일본 식민통치 정부 안에 직간접인 직책을 갖고 있으며 13세에서 18세까지 딸을 갖고 있는 사람들이 주요 대상이 되었다. 만약 딸을 내놓지 않을 경우, 일본 식민정부는 그들의 직책을 박탈하겠다고 위협을 가했다. 그러나 이러한 거짓 선전과 거짓 약속을 통한 위안부 차출이 점점 어려워지자 일본은 강제적인 방법을 동원하였다. 인도네시아 전역에서 유인과 납치, 폭행과 강간이 무차별로 횡행하게 되었다.

인도네시아 전역에 약 40군데의 위안부 중간 집결지가 개설되었고 이를 통해 수많은 인도네시아인 특히 자바 지역 출신 여성들이 인도네시아 역내에 있는 일본 군부대 또는 해외에 있는 최전선으로 끌려가게 된다.

1945년 8월, '태평양 전쟁'에서 일본이 패전함에 따라 위안부들은 아무 대책 없이 그대로 방치가 된다. 일부는 어렵사리 고향으로 돌아 왔지만 대부분의 위안부들은 현지에 내팽겨쳐진다. 귀향하는 방법과 길을 몰랐고 돌아가서 위안부 출신이라는 주위의 따가운 시선과 집안의 체면을 중시하는 전통 때문에 많은 위안부들이 현지에 남아 그곳 사회에 동화되어 가게 된다. 위안부로 차출될 정도의 미모의 수준을 갖춘, 특히 자바와 수마트라 출신 여성들은 현지 남성들의

| 인도네시아로 끌려가 암바라와(Ambarawa) 지역에 있는 일본군 성노예 위안소에서 모진 삶을 사신 정서운 할머니. 1995년 북경 여성대회에서.(한인포스트 제공) |

배우자가 되는 경우가 많았다.

인도네시아 종군 위안부들이 직면했고 현재도 겪고 있는 어려움을 정리하면 다음과 같다.

(1) 정신적으로나 육체적으로 피폐, 쇠락하게 되었으며 경제적으로 궁핍한 상황은 건강을 챙길 수 없었다
(2) 어린 나이에 겪었던 성적 학대와 성적 고통은 평생 치유될 수 없는 트라우마가 되었다
(3) 종군 위안부에 대한 인식 부족으로 주위로부터 몸을 버린 여자로 평생을 손가락질을 당한다
(4) 귀향하지 못한 많은 위안부들은 현지 사회에 동화되어 가는 과정에서 이질적인 문화, 관습으로 인해 정서적 충격을 겪게 된다

1993년 족자카르타 법률구조단(Lembaga Bantuan Hukum Yogyakarta)는 인도네시아 출신 위안부들의 등록을 받았는데 그 수가 1,156명을 기록했다. 물론 많은 위안부 출신 여성들이 '태평양 전쟁' 중 그리고 종전 후에 사망한 숫자와 주위의 시선 때문에 등록하지 못한 숫자를 합치면 인도네시아 출신 종군 위안부 숫자는 우리가 생각하는 규모보다 훨씬 더 많을 것으로 추산된다.

한편 인도네시아 역대 정부는 종군 위안부 문제에 있어 무관심 또는 미온적인 태도를 견지하고 있으며 이로 인해 일본 정부로부터 어

떤 사과나 보상을 현재까지 받아 내지 못하고 있는 실정이다. 또한 많은 인도네시아인들도 '태평양 전쟁' 시기의 종군 위안부 실체에 대해 잘 모르고 있고 이에 대한 학교 교육도 체계적으로 이루어지지 않는 상황이다.

※ 발췌 및 인용 : Dimar Kartika Listiyanti 논문 "Sejarah *Jugunianfu* pada Masa Pendudukan Jepang di Asia"(아시아 지역에 일본 주둔 시기의 종군 위안부 역사)(2008년 인도네시아 국립대학교 (UI)

한국 위안부 略史

일본군 성노예제 해결을 위한 **정의기억연대**

일제는 1910년 조선을 불법적으로 강제 점령한 이후 1932년 1월 제1차 상하이 사변과 1937년 7월 7일 중일전쟁 그리고 1941년 12월에는 태평양전쟁을 일으키며 필리핀, 말레이시아, 인도네시아, 홍콩, 싱가포르, 동인도, 파푸아뉴기니 등을 침공하고 해당 지역을 강제점령 했다. 일제는 상하이 사변 이후 아시아 전역을 대상으로 전쟁을 수행하는 과정에서 1930년대 초 해군 위안소 설치를 시작으로 침략전쟁 수행 전 지역으로 위안소 설치와 운영을 확대한다.

1930년대 초부터 벌인 침략전쟁 기간 중 일본 군인들은 해당 지역의 여성들에 대한 성폭력 범죄를 일삼고 이로 인해 해당 지역 주민들의 반발이 거세지고 군인들의 성병 감염으로 전력이 손실되자 '일본 군인들의 성욕 해소를 통한 사기진작과 성병 감염 예방을 통한 전력보존'을 명분으로 위안소를 설치, 운영하게 된다.

위안소 운영을 위해 일제는 일본군이 선정한 업자나 헌병, 경찰, 조선총독부를 이용하여 추방 협박, 취업 사기, 유괴 등을 수단으로

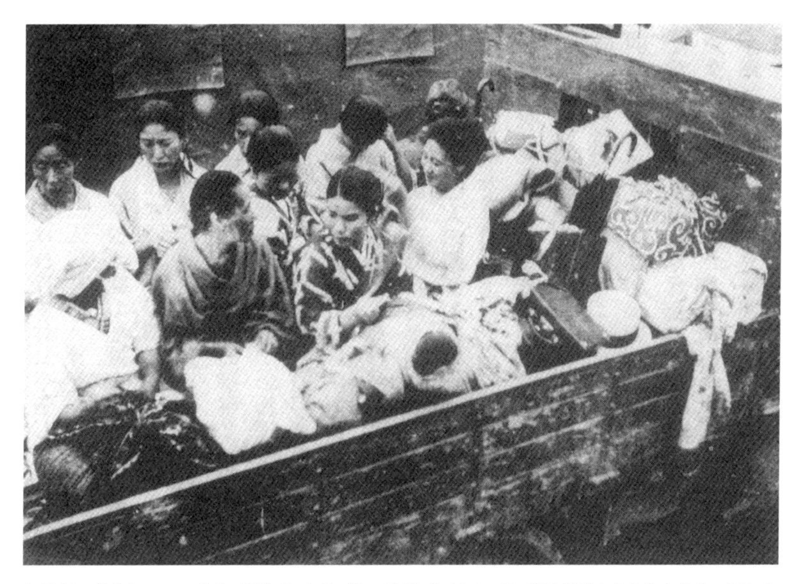

| 중국 전선으로 트럭에 태워져 수송되는 한국의 성 노예 위안부들(정의기억연대 제공) |

10~20대 여성들을 일본군 성 노예로 동원한다. 강제로 동원된 여성들은 이후 중국, 필리핀, 인도네시아, 미얀마, 동티모르 등 일본군이 침략전쟁을 수행하던 아시아 전역에 설치된 위안소로 보내진다.

일본군 위안소는 설치시기와 장소에 따라 다양한 형태를 나타냈으나 일본군의 관리와 감독, 엄격한 통제를 받았다. 각 위안소는 계급별 사용시간, 요금, 성병 검진관리 및 기타 위생 사항 등이 명시된 운영규정을 두었다.

당시 일본 군의관이었던 아소 테츠오가 일본군 성노예 여성들을 〈천황이 하사한 선물〉, 〈위생적인 공중변소〉라고 일컬었을 만큼 일본군 '위안부'로 동원된 여성들의 삶은 처참했다. 여성들은 일본 군인들의 성병 예방을 위해 주기적인 성병 검진을 받아야 했으며, 피해자들의 증언에 따르면 월경, 임신 기간 중이거나 성병에 걸린 경우라 하더라도 일본 군인들에게 무자비하게 성폭행을 당했으며, 이를 거부할 경우 폭행을 당하기도 했다.

1945년 일제는 제2차 세계대전에서 패하게 된다. 하지만 일본군 성 노예로 동원된 대다수의 여성들은 고향으로 돌아오지 못한 채 어딘지도 모를 위안소에 그대로 버려지거나 폭력으로 사망하거나 일본 군인들에 의해 살해당한다. 기적적으로 살아남았다고 하더라도 피해자들은 그 누구도 구조해주지 않는 상황에서 고향으로 돌아가기 위해 엄청난 고통을 겪어야만 했고, 고향으로 돌아온 이후의 삶 또한 고통의 연속이었다.

가부장제와 남성중심주의 사회였던 한국사회에서 일본군 성 노예 피해자들은 전후 반세기가 가까운 세월 동안 목소리를 낼 수 없었다. 일본군 성 노예 피해자들과 동시대를 살며 끌려갔던 여성들을 추적했던 윤정옥 교수가 1988년 '여성과 관광문화 세미나'에서 발표하며 조금씩 알려진 일본군 성 노예 문제는 이후 37개 여성 단체들과 함께 1990년 11월 16일 한국정신대문제대책협의회를 설립하면서 널리 알려지게 된다. 이러한 흐름 속에서 1991년 8월 14일, 일본군 성 노예 피해자 김학순은 피해 사실을 최초로 공개 증언한다. 이후 남북한을 넘어 아시아 각 지역의 피해자들이 목소리를 내며 일본군 성 노예 문제해결을 위한 운동을 본격적으로 시작한다.

일본군 성 노예 피해자들은 한국정신대문제대책협의회와 함께 1992년 1월 8일 당시 일본 미야자와 총리의 방한을 계기로 일본대사관 앞에서 일본 정부의 문제해결을 촉구하는 수요시위를 시작하여 28년을 이어가고 있다. 이 과정에서 수많은 여성, 시민, 청소년들은 피해자들과 손잡았고, 피해자들은 스스로 여성 인권, 평화운동가가 되어 국내외에서 일본군 성노예제 문제해결은 물론 여성에 대한 폭력 없는 평화로운 세상을 만들기 위한 다양한 활동을 펼치고 있다.

또한 일본군 성 노예 피해자 김복동, 길원옥 두 분은 "다시는 나 같은 피해자가 생겨서는 안 된다." "우리 아이들은 평화 세상에서 살아야 해요."라는 말을 남기며 자신들이 일본 정부로부터 배상을 받는다면 전액을 기부하고 싶다고 밝힌다. 그 뜻을 이어받아 2012년 3월 8일 세계여성의 날, 세계 무력분쟁 지역에서 성폭력 피해로 고통 받고 있는 여성들을 지원하고 연대하기 위한 〈나비기금〉을 만들어 콩고, 베트남, 우간다, 북이라크 등의 피해자들을 지원하는 활동을 하고 있다.

한국정부는 1992년부터 일본군 성 노예 피해자들의 신고를 받고 있으며, 1993년 일본군 성 노예 피해자들의 생활, 의료지원을 위한 법을 제정하여 지원하고 있다. 2019년 3월 현재 한국정부에 등록된 일본군 성 노예 피해자 240명 중 22명의 피해자가 남아 있다.

* * *

정의기억연대

일본군성노예제 문제해결을 위한 정의기억연대는 1990년 11월 16일 37개 여성운동단체가 모여 만들어진 한국정신대문제대책협의회(정대협)와 2016년 6월 9일 한·일 정부가 발표한 2015한일합의에 반대하며 정대협과 함께 한국의 노동시민사회단체가 모여 설립한 일본군성노예제 문제해결을 위한 정의기억재단이 통합하여 2018년 7월 11일 출범하였습니다. 일본군'위안부'피해 생존자들을 지원하는 활동과 함께 지난 30여년간 이어져온 일본군'위안부'문제의 해결을 통한 피해자들의 명예와 인권회복, 전쟁 중 여성폭력 범죄의 재발방지와 올바른 역사정립, 평화실현을 위한 운동의 역사와 성과를 계승하고 이를 확대.강화하기 위한 다양한 활동을 진행하고 있습니다.

| '위안부' 출신인 길원옥 할머니와 함께한 정의기억연대(정의기억연대 제공) |

내가 만난 쁘람, 그리고 종군위안부

사공 경 / 한-인니문화연구원장

나에게는 '쁘람'이라는 이름으로 더 익숙한 인도네시아의 소설가 쁘라무디야 아난따 뚜르(Pramoedya Ananta Toer). 노벨문학상 후보였지만 대표작인 『인간의 대지(Bumi Manusia)』 외에도 많은 저서가 금서(禁書)였던 사람으로, 42년간 투옥과 가택연금을 당했으나 세계 여러 나라에서 앞다투어 그의 작품을 번역 출판하였고, 많은 문학상을 받은 작가이다.

쁘람은 『부패(Korupsi)』라는 소설을 써서 수까르노(Sukarno) 정부의 눈 밖에 났다. 정부가 중국계 사람들에게 가혹하게 하는 것을 보고 중국계 인도네시아 사람들의 인권에 관한 책 『인도네시아의 화교(Hoakiau di Indonesia)』를 발표한 그는 1947년 재판 없이 투옥되기도 했다. 쁘람은 시대 비판적 글을 썼다는 이유로, 사회주의라는 이유로 국가로부터 핍박과 압박을 받았다. 따라서 인도네시아에서는 아직도 금기시되는 이름이다. 1947년 이후 그는 3번이나 정치범으로 감옥에 갇혔고, 수하르또(Suharto) 대통령 집권기에는 공산주의자로 몰려 부루섬(Pulau Buru, 정치범 유배지)에 10년 넘게 억류되기도 했다.(1969.8~1979.12) 그곳에서 쓴 4부작 소설인 『인간의 대지(Bumi Manusia)』는 여전히 공식적인 출간이 금지되어 있다.

쁘람은 매일 저녁 그날의 흔적을 불태웠다고 한다. 서쪽을 향해서. 부루섬에 있을 때부터 서쪽에 있는 자바를 향해서. 무엇 때문에 그는 그토록 자신의 삶의 흔적을 지워버리고 싶었을까. 그러나 쁘람은 이렇게 아직도 우리 곁을 맴돌고 있다. 오늘은 '위안부' 여성들의 아픔과 함께.

바람이 있다면, 이 책이 '위안부' 여성들의 아픔을 잊지 않고 올바른 역사 인식 제고와 아픈 과거를 재정립하는 새로운 계기가 되었으면 한다. 역사는 현재와의 끊임없는 대화라고 하지 않는가. 역사를 잊은 민족에게 미래는 없다.

인류사는 곧 전쟁사라는 말이 있다. 역사를 뒤적이다 보면 이 말이 과장이거나 헛말이 아니라는 사실을 확인하게 된다. 그러니 이런 의문을 갖게 된다. 도대체 왜? 인간은 무엇 때문에 전쟁을 해 왔고, 지금도 전쟁을 할까? 그토록 많은 희생의 대가로 얻은 것은 과연 무엇일까? 옳든 그르든, 소수의 신념이 낳은 명분만으로 다수의 목숨을 담보할 만한 그토록 소중한 게 무엇일까?

전쟁은 승패가 갈리는 순간 끝나지만, 그 상처의 치유는 아주 오랜 시간을 요구한다. 후대의 몫이다. 이 무거운 짐을 지운 선대는 오직 숙제만 남겨 주었다.

오래전으로 돌아가지 말고, 아주 가까운 거리로 발길을 돌리자. 그 지점으로부터 이제까지 삶을 이어 온 이들이 있다.

우리는 그들을 종군 '위안부'라 부른다. 이 통상적인 언어는 생존과 존엄과는 너무도 먼 거리에 있다. 이 말이 과연 과거일 뿐인가.

전쟁에 아녀자들을 '위안부'로 강제 동원한 일은 참으로 비인간적이고 반인륜적인 행위. 2차 세계대전의 전후 처리에 있어 독일과 일본은 전혀 다른 태도를 보여 왔다. 독일은 세계 곳곳에 숨어 사는 전범자들을 아직도 찾아서 단죄하고 있다. 반면에 일본은 미국의 일방적인 용서로 마치 자신들은 죄가 없는 양 뻔뻔하고 떳떳한 언행을 서슴지 않는다. 이는 민족과 종족을 떠난 문제다. 그들이 전범들의 위패를 모시고 참배하는 건 그들 자신의 문제다. 더 큰 문제는 그들이 정작으로 자신들의 죄악에 대한 사죄를 할 의지가 없다는 것이다.

그들은 말한다. 그 오류는 선조들의 잘못일 뿐, 후대인 우리들의 죄가 아니라고. 그렇지만 그들은 자신들이 역사의 무거운 죄질로부터 자유롭지 못하다는 사실을 전혀 모르고 있다.

* * *

사공 경

1999년부터 인도네시아 자카르타에서 한-인니문화연구원을 운영하고 있다. 인니문화탐방을 317회 진행했으며 열린 강좌를 61회 진행했다. 문학상인 '인도네시아 이야기'도 올해로 10회를 맞이한다.
1997년부터 2010년까지 14년 동안 자카르타 한국국제학교(JIKS)에서 사회과목을 가르쳤다. 『자카르타 박물관노트』와 『서부 자바의 오래된 정원』을 출간한 바 있으며, 2016년에는 K-TV에서 다큐멘터리 〈구루 사공의 길〉 주인공으로 나오기도 했다. 5회에 걸쳐 바틱 전시회를 한 인연으로 '바틱 시인'으로 불려지길 원한다. 고려대학교를 졸업한 뒤 같은 대학 교육대학원에서 일반사회를 공부했다. 한-인니 문화교류에 앞장선 결과 수차례의 인터뷰와 방송 출연을 했다.

추천사

성 노예 위안부

정 선 / 한인포스트 발행인

인류 현대사에 가장 치사하고 치욕적인 사건이다. 일본군은 〈대동아 공영권〉이라는 명목 아래 '태평양전쟁'을 일으키면서 성 노예 위안소를 운영했다. 인간의 탈을 쓴 짐승만도 못한 이 같은 만행에 연합군은 인도네시아 바타비아(현재. 자카르타) 법정에서 암바라와 포로수용소 일본군 지휘관에게 사형을 판결했다.

나는 인도네시아 중부 자바, 스마랑시에서 한 시간 정도 떨어진 암바라와군에 있는 연합군 포로수용소에 갔다.

거기에 일본군 성 노예 위안소 흔적이 남아 있다.

포로수용소밖에 늘어진 세 동의 나무집들은 1934년 네덜란드가 세운 암바라와 성곽과는 다른 구조다. 1942년 일본군이 침략하고 나서 급조해서 집을 지은 것이다. 거기에는 70여 개 방이 줄지어 늘어서 있다. 다 썩어 문들어진 판잣집 지붕, 콘크리트 벽마저 껍질이 벗겨지고 곰팡이 냄새나는 방안에는 들어가기조차 겁이 날 정도다. 그리고 콘크리트 침상과 책상 하나….

일본군들은 한인 조선 여인들을 간호복으로 위장해 여기까지 끌고 와 성 노예로 삼았다. "내가 인도네시아에서 위안부다."라고 정서운 할머니(1924-2004)는 생전에 충격적인 만행을 고발하면서 인도네시아 암바라와 일본군 위안소에서 "죽지 못해 생명만 부지하자."고 수없이 다짐하면서 참고 견디어냈다고 울먹였다.

원제 명이 '군부 압제 속의 처녀들 – 부루(Buru) 섬의 기록'인 논픽션이 『인도네시아의 '위안부' 이야기 – 일본군에 의해 부루(Buru)섬에 갇힌 여인들의 삶』이라는 한글 번역본으로 출간되었다.

작가인 쁘라무디야 아난따 뚜르(Pramoedya Ananta Toer)는 12명의 인도네시아인 위안부 출신 여성을 직, 간접으로 만나 진행한 인터뷰 결과를 이 논픽션에 담아냈다. 따라서 이 책은 여성 인권 차원을 넘어 인간의 존엄성마저 잔인하게 짓밟은 만행을 폭로한 고발장인 것이다.

그러나 아쉽게도 인도네시아에서 위안부에 대한 보상과 처우 개선은 덮어져 버렸고, 권력자의 치적 속에 묻혀버렸다. 인도네시아 여인들은 책에 나오는 인도네시아 동부에 있는 부루(Buru) 섬으로 일본군에 의해 끌려가 성 노예 위안부가 되었는데, 이는 극히 일부만 밝혀진 사실이다. 아직도 인도네시아 성 노예 위안부 피해자에 대한 자료가 거의 전무한 상태이다.

부루 섬은 인도네시아에서도 종족, 풍습, 사회체계가 전혀 다른, 유배지나 감옥으로 사용된 특별구역이었고 암바라와 포로수용소도 마찬가지로 사회성은 없고 오직 총과 칼만 존재했던 특별구역이었다. 그곳에서 자바 섬 여인과 한인 조선여인의 성 노예 위안부들은 생존하기 위해 처절한 몸부림으로 눈물겨운 신음을 토해낸 것이다.

본 논픽션이 김영수님에 의해 한국어로 번역되어 우리에게 '태평양전쟁' 당시 일본군 성 노예 인도네시아 여성 위안부들 참상의 일면이 알려지게 되었다. 이를 통해 일본군이 인도네시아에서 자행된 성 노예 위안부 현주소를 다시 한번 기억하고, 피해자에 대한 보상과 여성 인권이 보호받는 계기가 되길 바란다.

* * *

정선(鄭宣)

인도네시아 한인동포들의 창인 인터넷신문 '한인포스트(Hanin Post)'의 발행인이다. YTN의 인도네시아 리포터로 활약하였고, 현재는 KOTRA 자카르타무역관 글로벌 지역전문가, 전라북도국제교류센터 인도네시아 해외협력관, 사)세계한인언론인협회 수석부회장 직을 맡고 있다.

역자 후기

이 논픽션은 인도네시아 수하르또(Suharto) 대통령 집권 시, 반체제 세력으로 내몰려 정치범으로 집단 억류된 개인들이 같은 장소에 먼저 와 잔류해 있었던 일본군 성노예 위안부 출신 인도네시아 여성들과의 직, 간접으로 진행된 접촉 결과이다. 인류 보편의 가치인 인

간애와 인권을 망각한 집단이 전쟁이라는 광기로 자행한 집단납치, 집단강간, 집단유기, 그리고 그 결과로 야기된 인신매매를 당한 성노예 종군 위안부 출신 인도네시아 여성들의 처절한 삶에 대한 기록인 것이다.

제한된 시간과 자유롭지 못한 공간 속에서 간헐적으로 이루어진 접촉 결과를 수기(手記)로 나누어 작성했기 때문에 원문(原文) 안에서는 어쩔 수 없는 오류가 발견되었다. 특히 중복기록과 오기(誤記) 그리고 문장 흐름이 뒤엉키는 부분이 많이 있었다. 이를 번역 과정에서 수정 보완을 하면서 작업을 진행했다.

그 작업의 결과인 이 작은 번역물이 아직도 일본군 성노예 종군 위안부 문제에 대해 공식 사과와 타당한 보상을 집요하게 거부하고 있는 일본 정부에 대해 또 하나의 객관적인 역사 기록으로 그들을 압박할 수 있는 효과적인 증빙 자료로 활용되길 바라고 있다.

확실한 사실은 그 수를 알 수 없는 인도네시아 처녀들(주로 자바지역 출신)이 1943년 부루(Buru) 섬으로 일본군 성노예 위안부로 끌려 들어 간 후, 한 명도 귀향하지 못한 채 이제는 흔적조차 없다는 것이다.(인도네시아 종군 위안부 문제 연구가 Mrs. Eka Hindrati 2019년 5월 17일 확인)

끝으로 평생을 꿈으로 그렸던 귀국, 귀향을 이루지 못하고 타국의 외진 곳에서 끝 모를 한을 품고 질곡의 삶을 살다가 스러져 간, 한국, 인도네시아 출신을 포함한 '태평양전쟁' 당시 일본군 성노예였던 모든 종군 위안부들 영전(靈前)에 명복을 빌면서 이 기록을 바친다.

2019년 봄

역자 김영수

* * *

김영수 (金榮秀)

서울 출생으로 한국외국어대학교 말레이-인도네시아 어학과와 동 대학원에서 인도네시아 현대문학을 전공했다. 그 후 같은 대학원에서 비교문학 전공으로 박사학위를 받았다. (주)한국남방개발(KODECO)의 인도네시아 현장 근무를 마치고 KBS 국제방송 선임 PD로 정년퇴임을 했다. 현재는 한-인도네시아친선협회 사무총장으로 있다.

논문으로는 "신라 승 혜초의 인도네시아 Sriwijaya 왕국 체재 가능성에 대한 소고", "화란과 일본의 대 인도네시아 식민통치기간 중 공용어 정책에 대한 연구" 등이 있고 저서로는 『인도네시아어 입문』, 『실용 인도네시아어』(공저), 『동남아의 사회와 문화』(공저) 등이 있다.

2017 '인도네시아 이야기' 인터넷 문학상 대상 수상(한-인니 문화연구원), 2018 『창작 21』 신인상(시 부분) 수상으로 등단했다.

인도네시아의 '위안부' 이야기

초판 1쇄 인쇄일 2019년 7월 23일
초판 1쇄 발행일 2019년 7월 23일
지은이 쁘라무디야 아난따 뚜르
역 자 김영수
펴낸이 김형균
펴낸곳 동쪽나라
등록 1988년 6월 20일 등록 제2-599호
주소 서울시 강동구 고덕동 62길 55 3003호
전화 02) 441-4384

값 16,000원
ISBN 978-89-8441-277-4 03830